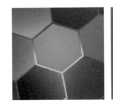

Prévenir le cancer

Avec les compliments de
Jacques Boutin et son équipe
RBC DOMINION VALEURS MOBILIERES
(514) 878-7176   www.jacquesboutin.ca

Nous veillons à la santé de votre patrimoine

Des mêmes auteurs

Richard Béliveau et Denis Gingras
La Mort. Mieux la comprendre et moins la craindre pour mieux célébrer la vie, Trécarré, 2010.
La Santé par le plaisir de bien manger. La médecine préventive au quotidien, Trécarré, 2009.
Cuisiner avec les aliments contre le cancer, Trécarré, 2006.
Les Aliments contre le cancer. La prévention du cancer par l'alimentation, Trécarré, 2005.

Richard Béliveau
Samouraïs. La grâce des guerriers, Libre Expression, 2012.

Ce livre se veut une déclaration de guerre contre le cancer. C'est la raison pour laquelle sa couverture est inspirée d'une célèbre affiche de la campagne « We Can Do It! » (Seconde Guerre mondiale) illustrant l'effort que chacun doit consacrer à la victoire contre l'ennemi.

RICHARD BÉLIVEAU Ph. D. ▪ **DENIS GINGRAS** Ph. D.

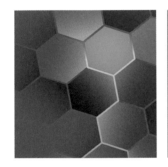

Prévenir le cancer

TRÉCARRÉ
Une société de Québecor Média

Catalogage avant publication de Bibliothèque et Archives nationales du Québec et Bibliothèque et Archives Canada

Béliveau, Richard, 1953-
    Prévenir le cancer : comment réduire les risques
    Comprend des références bibliographiques.
    ISBN 978-2-89568-624-8
    1. Cancer - Prévention. I. Gingras, Denis, 1965- . II. Titre.
RC268.B44 2014   616.99'405   C2014-941218-5

Édition : Miléna Stojanac
Révision linguistique : Céline Bouchard
Correction d'épreuves : Maxime Bock, Isabelle Lalonde
Couverture et grille graphique intérieure : Axel Pérez de León
Mise en pages : Louise Durocher
Illustrations : Michel Rouleau
Photos des auteurs : Julien Faugère

Remerciements

Nous reconnaissons l'aide financière du gouvernement du Canada par l'entremise du Fonds du livre du Canada pour nos activités d'édition. Nous remercions la Société de développement des entreprises culturelles du Québec (SODEC) du soutien accordé à notre programme de publication.
Gouvernement du Québec – Programme de crédit d'impôt pour l'édition de livres – gestion SODEC.

Les Éditions du Trécarré
Groupe Librex inc.
Une société de Québecor Média
La Tourelle
1055, boul. René-Lévesque Est
Bureau 300
Montréal (Québec) H2L 4S5
Tél. : 514 849-5259
Téléc. : 514 849-1388
www.edtrecarre.com

Dépôt légal – Bibliothèque et Archives nationales du Québec et Bibliothèque et Archives Canada, 2014

ISBN : 978-2-89568-624-8

Distribution au Canada
Messageries ADP
2315, rue de la Province
Longueuil (Québec) J4G 1G4
Téléphone : 450 640-1234
Sans frais : 1 800 771-3022
www.messageries-adp.com

Avant-propos

Devenu la première cause de mortalité dans la plupart des pays industrialisés, le cancer représente l'une des plus grandes épreuves à laquelle nous serons un jour ou l'autre confrontés au cours de notre vie. Non seulement le cancer menace notre propre existence, mais il emporte aussi avec lui celle de personnes qui nous sont chères, nous privant de moments précieux passés en compagnie de parents, d'amis ou de collègues qui occupaient une place importante dans notre vie, et dont les souvenirs heureux ne pourront jamais complètement effacer la tristesse laissée par leur départ prématuré. Le cancer est véritablement la « grande faucheuse » du XXIᵉ siècle, une maladie énigmatique et effrayante, dont le potentiel dévastateur sape nos énergies et nous laisse trop souvent démunis, résignés à ce qu'elle soit devenue une conclusion brutale mais quasi inévitable de la vie.

Ce sentiment d'impuissance n'a cependant pas sa raison d'être : grâce à ce qui constitue certainement l'une des découvertes les plus importantes de la recherche médicale des dernières années, on sait maintenant que la majorité des cancers ne sont pas dus à un mauvais jeu du hasard ou à une conséquence inévitable du vieillissement, mais plutôt le résultat de l'immense influence qu'exercent les habitudes de vie sur le risque d'être touché par cette maladie. Au cours des dix dernières années, une avalanche d'études fondamentales et populationnelles a permis de démontrer hors de tout doute que la forte incidence de plusieurs cancers qui sévissent dans les pays industrialisés est intimement liée au mode de vie occidental moderne. L'apparition et la progression des cellules cancéreuses sont une conséquence directe des effets majeurs du tabagisme, du surpoids, de la sédentarité et de l'alimentation. La découverte de cette dépendance flagrante du cancer face au mode de vie représente une percée majeure dans la lutte contre cette maladie, car elle signifie que près des trois quarts des cas de cancer qui touchent actuellement la population pourraient être prévenus simplement en modifiant les habitudes quotidiennes. Un impact positif qu'aucun traitement ne pourra vraisemblablement jamais égaler, étant donné la complexité d'un cancer cliniquement déclaré.

Malgré son énorme potentiel, la prévention du cancer demeure la grande négligée parmi les efforts consacrés à cette maladie. La société dans laquelle nous vivons, axée sur la consommation, le confort et l'obtention de bénéfices à court terme, est à plusieurs égards incompatible avec une approche préventive et peut même favoriser des habitudes de vie qui vont totalement à l'encontre du maintien d'une bonne santé. La prévention est donc dans la plupart des cas une affaire individuelle, soit la décision prise par une personne de prendre connaissance des causes responsables du cancer et de modifier ses habitudes pour réduire les risques d'être atteint par la maladie.

L'objectif de ce livre est de donner les outils nécessaires à ceux qui désirent prendre leur destinée en main. Grâce au travail exceptionnel des agences de santé publiques, comme le World Cancer Research Fund (WCRF) ou encore l'American Cancer Society, il est aujourd'hui possible de regrouper l'ensemble des connaissances disponibles sur la prévention du cancer sous la forme de dix grandes recommandations quant au tabagisme, au poids corporel, à l'exercice physique, à l'alimentation et à l'exposition au soleil. Ces recommandations, issues de l'analyse rigoureuse de plusieurs décennies de recherche sur le cancer, représentent la meilleure arme mise à notre disposition pour diminuer radicalement le fardeau du cancer dans notre société, et donnent pour la première fois aux survivants de la maladie un outil concret de prévention des récidives pour améliorer leur espérance de vie.

Le cancer est un ennemi redoutable, et ce n'est qu'en utilisant l'ensemble des ressources disponibles, autant préventives que curatives, que nous pourrons véritablement progresser dans la lutte contre cette maladie et réduire la souffrance et la détresse qu'elle sème sur son passage.

On ne doit mettre son
espoir qu'en soi-même.
Virgile (70-19 av. J.-C)

Chapitre 1

Mieux vaut prévenir que guérir

Dans les tragédies de la Grèce antique, les personnages sont confrontés à une série d'événements terribles face auxquels ils sont impuissants, un peu comme si l'histoire de leur vie était écrite à l'avance et qu'il leur était impossible d'échapper au destin qui les accable. Plus de deux millénaires et demi plus tard, ce concept de destin inéluctable influence toujours notre attitude face à la maladie. Les maladies du cœur, le diabète ou encore le cancer, qui représentent à eux seuls les deux tiers des décès dans les pays industrialisés, sont très souvent perçus comme un mauvais jeu du hasard ou les conséquences de facteurs hors de notre contrôle. Cette vision fataliste de la maladie est même accentuée, à l'époque moderne, en raison des développements récents de la génomique, la science qui étudie le matériel génétique humain. Chaque jour ou presque, de nouveaux gènes qui prédisposent à certaines maladies sont découverts, ce qui peut donner l'impression que nous sommes programmés dès notre naissance aux problèmes de santé qui nous toucheront, une fois parvenus à l'âge adulte. Être en santé devient dès lors une question de chance, qui est réservée aux gagnants de la « loterie génétique », tandis qu'une personne malade est toujours victime du mauvais sort.

Attribuer le déroulement de l'existence au simple hasard ou à une prédétermination génétique est non seulement démoralisant, mais aussi inexact. À de très rares exceptions près – les cancers pédiatriques ou certaines maladies génétiques graves, par exemple –, aucun aspect de la vie humaine, qu'il s'agisse de nos prédispositions, de nos goûts ou de nos aptitudes, n'est totalement inné. Les progrès extraordinaires réalisés

^ La comédienne, réalisatrice et ambassadrice de bonne volonté Angelina Jolie, porteuse d'une mutation du gène BRCA1.

par la recherche, ces dernières années, montrent hors de tout doute qu'on peut naître avec un gène qui prédispose à l'obésité ou à être atteint d'un cancer, mais que ces gènes ne sont que l'un des aspects impliqués dans l'apparition de ces maladies. Il s'agit donc d'une prédisposition bien réelle mais qui demeure fortement influencée par une foule de facteurs extérieurs. Une illustration frappante de ce phénomène est l'oncogène BCR-ABL, reconnu pour être le principal responsable de la leucémie myéloïde chronique. Alors que ce type de leucémie est une maladie rare ne touchant qu'une infime partie de la population, ce gène peut pourtant être détecté chez le tiers des adultes en bonne santé, sans que la très grande majorité de ces personnes soient jamais affectées par la maladie. Le déroulement de la vie n'est donc pas écrit d'avance, tant pour ses aspects les plus exaltants que ses moments les plus difficiles ; ce sont surtout les choix de vie qui, en influençant l'interaction de nos gènes avec le milieu extérieur, sont les grands responsables du risque d'être atteint d'une maladie chronique grave.

Le cancer, ennemi public numéro 1

Le cancer est peut-être le meilleur exemple d'une maladie dont l'origine est souvent attribuée à des facteurs extérieurs hors de notre contrôle, mais qui est, dans la majorité des cas, une conséquence de nos habitudes de vie. Nous avons généralement une approche fataliste face au cancer, une réaction qui s'explique en grande partie par le lourd fardeau qu'il impose. Au Canada, par exemple, tout comme dans plusieurs sociétés industrialisées, le cancer a détrôné les maladies du cœur comme principale cause de mortalité et est maintenant responsable du tiers environ des décès chaque année, principalement en raison des ravages associés aux cancers du poumon causé par le tabagisme ainsi qu'à ceux du côlon, du sein, de la prostate et des globules blancs (lymphomes) (Figure 1).

La forte mortalité associée au cancer est une conséquence de la difficulté à traiter efficacement cette maladie, surtout lorsqu'elle est diagnostiquée à un stade avancé. Car, parvenu à ce stade, un cancer est formé de cellules complètement dégénérées, qui ont transformé leur métabolisme de fond en comble pour soutenir leur croissance infinie, et au sein desquelles les chromosomes sont bousculés par l'anarchie la plus totale, tant du point de vue de leur nombre que de celui de leur intégrité (Figure 2). Ces cellules présentent également des altérations génétiques majeures, avec plusieurs dizaines, parfois même plus d'une centaine de gènes distincts modifiés, ce qui les rend très difficiles à neutraliser. Les progrès réalisés récemment dans le traitement du cancer ont permis de réduire légèrement la mortalité associée à cette maladie, mais combattre des cellules qui affichent un tel niveau de dégénérescence demeure une tâche extrêmement difficile et aux résultats toujours incertains. S'il faut

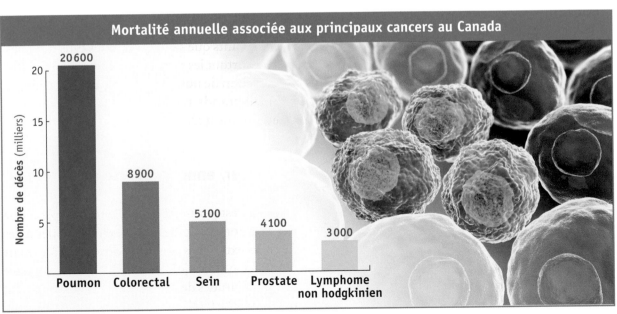

Mortalité annuelle associée aux principaux cancers au Canada

Nombre de décès (milliers)

- Poumon : 20 600
- Colorectal : 8 900
- Sein : 5 100
- Prostate : 4 100
- Lymphome non hodgkinien : 3 000

Figure 1

continuer d'investir dans la recherche pour identifier de nouveaux agents thérapeutiques, il faut néanmoins être réaliste et reconnaître que cette approche curative face au cancer a ses limites et ne pourra probablement jamais permettre à elle seule de réduire significativement la mortalité qu'il entraîne. Comme pour les maladies infectieuses ou cardiaques avant elle, ce n'est que par la prévention que nous parviendrons à faire des progrès véritables dans la lutte contre le cancer.

Passagers clandestins

Adopter une approche préventive face au cancer est d'autant plus important que l'être humain est l'une des espèces animales les plus à risque de développer cette maladie. Par exemple, alors que le cancer ne touche environ que 2 % des grands singes, le tiers de la population mondiale sera affecté par un cancer, et cette proportion est encore plus élevée dans certains pays industrialisés, comme le Canada, où 46 % des hommes

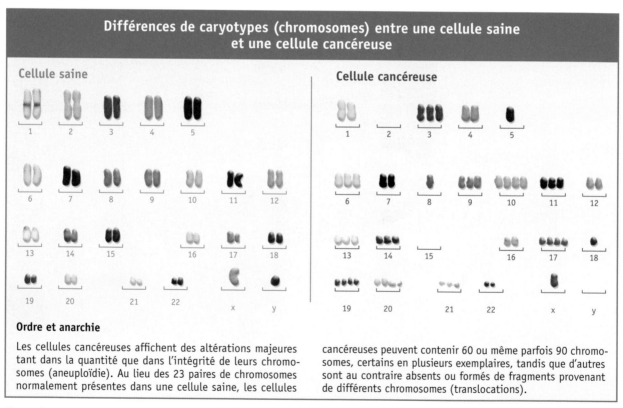

Différences de caryotypes (chromosomes) entre une cellule saine et une cellule cancéreuse

Cellule saine

Cellule cancéreuse

Ordre et anarchie

Les cellules cancéreuses affichent des altérations majeures tant dans la quantité que dans l'intégrité de leurs chromosomes (aneuploïdie). Au lieu des 23 paires de chromosomes normalement présentes dans une cellule saine, les cellules cancéreuses peuvent contenir 60 ou même parfois 90 chromosomes, certains en plusieurs exemplaires, tandis que d'autres sont au contraire absents ou formés de fragments provenant de différents chromosomes (translocations).

Figure 2

et 41 % des femmes sont touchés. Cette prédisposition innée au cancer s'explique en partie par le nombre vertigineux de divisions cellulaires requises pour former un corps humain constitué de 100 000 milliards (10^{14}) de cellules à partir d'un seul ovule fécondé. À chacune de ces divisions, les cellules doivent copier intégralement les 3 milliards de lettres contenues dans leur ADN, une tâche herculéenne qui mène inévitablement à des erreurs, à des mutations qui se glissent spontanément dans certains gènes essentiels à l'équilibre général de ces cellules. Chaque jour, le corps humain produit un million de cellules mutées, qui

ont le potentiel de devenir cancéreuses. En conséquence, même si les cancers se déclarent généralement à l'âge adulte, un grand nombre de ces mutations se produisent dès les premières années de notre vie, du développement embryonnaire à la maturité (Figure 3). Même des jumeaux qu'on dit identiques, possédant exactement les mêmes gènes, accumulent des mutations dès la période de croissance embryonnaire et sont donc à plusieurs égards génétiquement distincts à l'âge adulte.

Ces mutations font en sorte que toutes les personnes, même celles qui sont en bonne santé, possèdent un grand nombre de cellules anormales qui sont même, dans certains cas, parvenues à évoluer en tumeurs microscopiques (Figure 4). Par exemple, 50 % des femmes dans la quarantaine présentent des lésions précancéreuses aux seins, qui ont même atteint un stade de carcinome chez 39 % d'entre elles, une proportion beaucoup plus élevée que l'incidence de ce cancer dans la population (15 %). Même chose pour le cancer du pancréas : 74 % des gens présentent des anomalies précancéreuses dans ce tissu, alors que ce cancer redoutable ne touche que 1,4 % de la population. La fréquence remarquablement élevée de lésions microscopiques indétectables, plusieurs fois supérieure à l'incidence de cancer dans la population, indique donc que nous sommes tous porteurs de tumeurs, mais qu'elles demeurent dans la majorité des cas sous une forme occulte, invisible, comme des passagers clandestins qui peuvent nous accompagner tout au long de notre vie sans se manifester. En

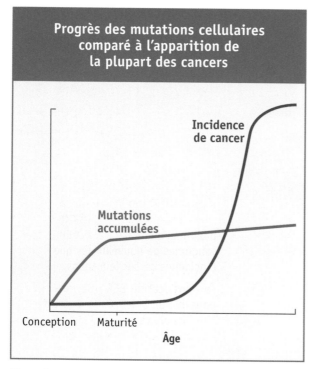

Figure 3

D'après DeGregori, 2013.

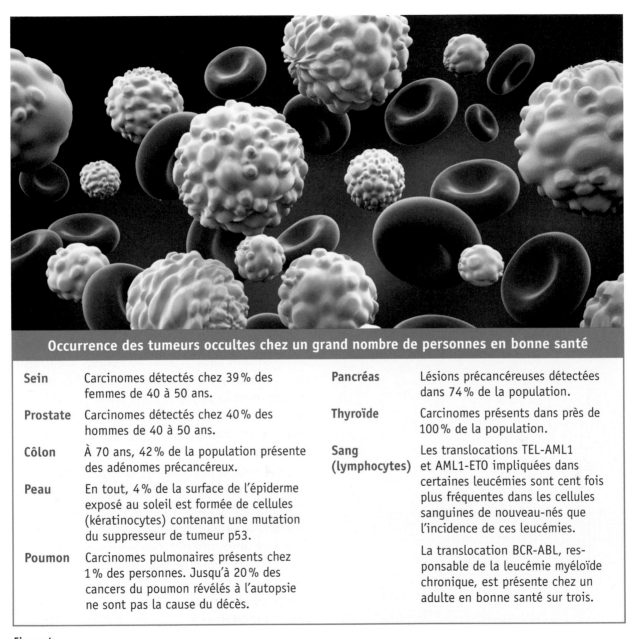

Occurrence des tumeurs occultes chez un grand nombre de personnes en bonne santé

Sein
Carcinomes détectés chez 39 % des femmes de 40 à 50 ans.

Prostate
Carcinomes détectés chez 40 % des hommes de 40 à 50 ans.

Côlon
À 70 ans, 42 % de la population présente des adénomes précancéreux.

Peau
En tout, 4 % de la surface de l'épiderme exposé au soleil est formée de cellules (kératinocytes) contenant une mutation du suppresseur de tumeur p53.

Poumon
Carcinomes pulmonaires présents chez 1 % des personnes. Jusqu'à 20 % des cancers du poumon révélés à l'autopsie ne sont pas la cause du décès.

Pancréas
Lésions précancéreuses détectées dans 74 % de la population.

Thyroïde
Carcinomes présents dans près de 100 % de la population.

Sang (lymphocytes)
Les translocations TEL-AML1 et AML1-ETO impliquées dans certaines leucémies sont cent fois plus fréquentes dans les cellules sanguines de nouveau-nés que l'incidence de ces leucémies.

La translocation BCR-ABL, responsable de la leucémie myéloïde chronique, est présente chez un adulte en bonne santé sur trois.

Figure 4

d'autres mots, nous sommes biologiquement pré-disposés au cancer, mais, plus important encore, nous sommes aussi prédisposés à *empêcher* l'éclo-sion de ces cancers.

Mauvaise graine, terreau fertile

Qu'est-ce qui fait que de nombreuses lésions précancéreuses qui se forment spontanément demeurent dans un état latent chez une per-sonne tandis qu'elles parviennent à évoluer en cancer chez une autre ? Des facteurs hors de notre contrôle comme le vieillissement et l'hérédité sont souvent considérés comme les principaux agents qui modulent ce risque de cancer, mais leur influence est en réalité beaucoup plus faible qu'on peut le penser (voir encadré).

Plusieurs observations indiquent que ce sont surtout les bouleversements majeurs du mode de vie qui ont accompagné l'industrialisation qui pro-curent aux lésions précancéreuses les conditions optimales pour leur évolution vers un cancer. Par exemple, alors que notre métabolisme est adapté à une alimentation principalement composée de végétaux, pauvre en calories mais riche en fibres et en composés antioxydants et anti-inflammatoires, les habitudes alimentaires actuelles se trouvent complètement à l'opposé, étant plutôt basées sur la consommation d'aliments surchargés de sucre et de gras, et donc de calories, tout en étant caren-cées en molécules protectrices d'origine végétale. Par conséquent, les deux tiers des habitants des

Pas seulement une question de malchance

La forte incidence des cancers est souvent perçue comme une sorte de « prix à payer » pour l'augmentation de l'espérance de vie qui s'est produite au cours du dernier siècle. Cependant, le vieillissement n'est clairement pas le seul agent en cause, car l'incidence de certains cancers a augmenté pour tous les groupes d'âge. Celui de l'œsophage a plus que sextuplé depuis quarante ans, tous âges confondus et est devenu l'un des cancers dont la progression est la plus fulgurante à l'heure actuelle (Figure 5).

L'hérédité joue aussi un rôle beaucoup moins important qu'on peut le croire. En témoigne le risque de cancer d'enfants adoptés très tôt dans leur vie et dont l'un des parents biologiques ou adoptifs est décédé avant l'âge de 50 ans d'un cancer : la mortalité d'un parent adoptif est associée à une hausse très importante du risque de cancer chez ces enfants (500 %), une proportion bien plus grande que si c'est un parent biologique qui a été touché par la maladie (20 %) (Figure 6). Puisque ces enfants ont hérité leurs gènes de leurs parents biologiques, mais que leurs habitudes de vie sont celles de leurs parents adoptifs, cela suggère que ce sont les facteurs associés au mode de vie qui sont les principaux responsables de la progression des cancers.

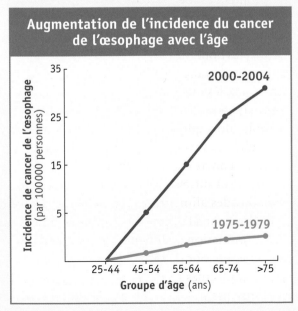

Augmentation de l'incidence du cancer de l'œsophage avec l'âge

Figure 5   D'après Brown, 2008.

Influence des parents sur le risque de cancer d'enfants adoptés

Figure 6   D'après Sørensen, 1988.

pays industrialisés sont actuellement en surpoids, cette accumulation de graisse étant aggravée par une sédentarité sans précédent, résultat des progrès technologiques qui ont réduit radicalement les dépenses énergétiques de la majorité des gens. Ce mode de vie est propice à l'éclosion du cancer, car une mauvaise alimentation, un excès de poids corporel et une sédentarité excessive sont tous des facteurs qui peuvent donner un «coup

de pouce» inespéré aux cellules précancéreuses en créant des conditions d'inflammation chronique qui déstabilisent l'équilibre normal de l'organisme et favorisent la progression de ces cellules en cancer.

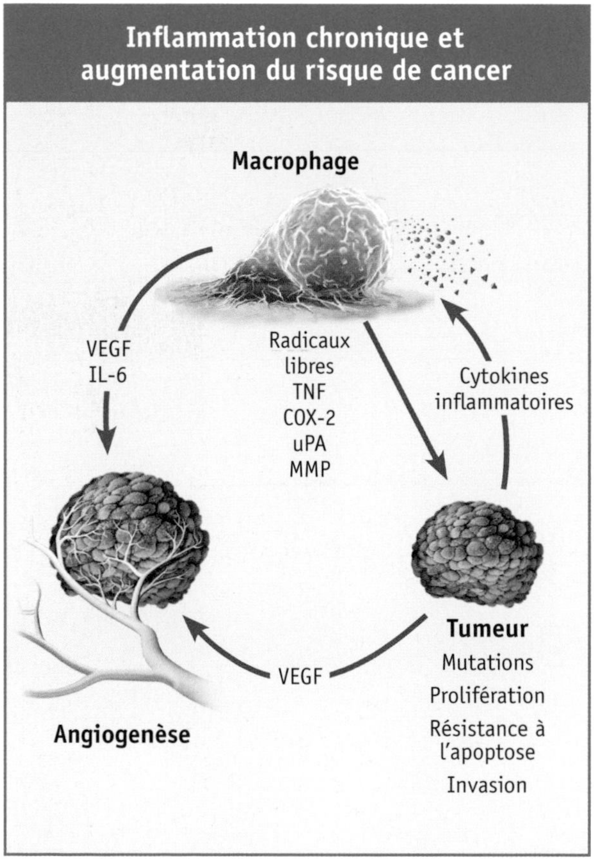

Historiquement, l'inflammation a été associée à des phénomènes visibles comme la sensation de chaleur, la douleur, la rougeur ou encore le gonflement provoqués par une blessure (le fameux *calor*, *dolor*, *rubor* et *tumor* des médecins romains). Mais l'inflammation chronique est plus insidieuse, car elle se développe sans signes extérieurs et réussit à perturber considérablement l'équilibre du corps. Par exemple, l'inflammation chronique provoquée par l'obésité et la sédentarité est associée à une production accrue de dérivés réactifs de l'oxygène et de l'azote, qui endommagent l'ADN et déstabilisent sa structure. Ces dérivés, ainsi que les messagers sécrétés par les cellules inflammatoires localisées près des cellules tumorales, peuvent aussi compromettre la fonction de certains suppresseurs de tumeurs (p53) et perturber la délicate machinerie responsable de la réparation de l'ADN au cours de la division cellulaire. En parallèle, les cellules inflammatoires sécrètent des signaux qui réclament le recrutement de nouveaux vaisseaux sanguins à proximité des tumeurs, ce qui leur procure l'oxygène et les nutriments essentiels à leur croissance (Figure 7). En d'autres mots, l'inflammation chronique, qu'elle découle d'une mauvaise alimentation, d'un excès de masse adipeuse ou de l'inactivité physique, modifie fondamentalement

Inflammation chronique et augmentation du risque de cancer

Macrophage

VEGF
IL-6

Radicaux
libres
TNF
COX-2
uPA
MMP

Cytokines
inflammatoires

VEGF

Tumeur

Mutations

Prolifération

Résistance à
l'apoptose

Invasion

Angiogenèse

Figure 7

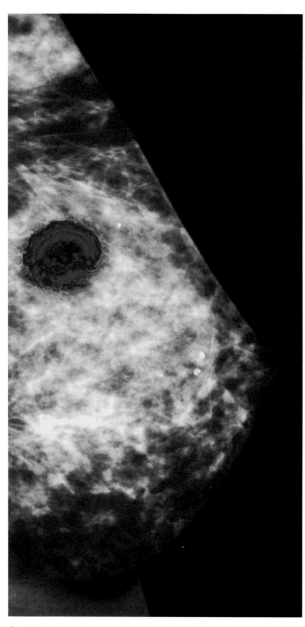

^ Une tumeur au sein.

l'environnement dans lequel se trouvent les cellules précancéreuses, favorisant ainsi l'émergence de cellules ayant subi des mutations ou qui contiennent des modifications épigénétiques essentielles à la progression du cancer.

On peut donc comparer le cancer à une graine nuisible qui sommeille en chacun de nous, mais qui ne peut atteindre son plein potentiel que si elle trouve un terreau fertile qui lui apporte tous les éléments essentiels à sa croissance. Et c'est là que réside le plus grand paradoxe de notre approche actuelle face au cancer : alors que nous craignons cette maladie et devrions tout faire pour stopper les lésions précancéreuses avant qu'elles ne deviennent une force incontrôlable, notre mode de vie leur facilite plutôt la tâche en leur procurant l'environnement favorable dont elles ont besoin pour atteindre leur plein potentiel destructeur.

Cancers à la carte

Rien n'illustre mieux l'influence néfaste du mode de vie occidental que la hausse spectaculaire de l'incidence de certains types de cancer chez des personnes qui immigrent en Occident. Les femmes de la Chine, du Japon, de la Corée ou des Philippines, par exemple, ont l'une des incidences de cancer du sein les plus faibles au monde, mais ce cancer peut devenir jusqu'à quatre fois plus fréquent chez elles à la suite de leur migration en Amérique (Figure 8). Cette augmentation est une conséquence directe de l'adoption du mode de vie nord-américain, caractérisé par une alimentation riche en calories mais pauvre en végétaux, une forte sédentarité et une augmentation marquée du poids corporel. L'impact de ce mode de vie est tel que l'incidence de cancer du sein chez ces immigrantes devient similaire à celle chez les Américaines d'origine dès la troisième génération.

Même sans émigrer, les femmes asiatiques ont vu leur risque de cancer du sein augmenter significativement au cours des dernières années, conséquence de l'influence croissante du mode de vie nord-américain sur l'ensemble des populations du globe. En Corée du Sud, par exemple, l'incidence du cancer du sein invasif a plus que doublé en seulement dix ans, tandis que les carcinomes mammaires *in situ*, une forme initiale de cancer qui éclot dans la paroi des canaux galactophores, qui acheminent le lait vers le mamelon, ont sextuplé durant cette même période (Figure 9). La rapidité surprenante avec laquelle de simples changements aux choix de vie peuvent augmenter l'incidence du cancer indique donc que nos habitudes quotidiennes – qu'il s'agisse de l'exposition à des agents cancérigènes (tabac, alcool, rayons UV), du poids corporel, d'activité physique ou d'alimentation – influencent la fonction des gènes anormaux présents dans les tumeurs microscopiques et parviennent à « réveiller » ces tumeurs latentes pour accélérer leur progression en cancers de stades plus avancés.

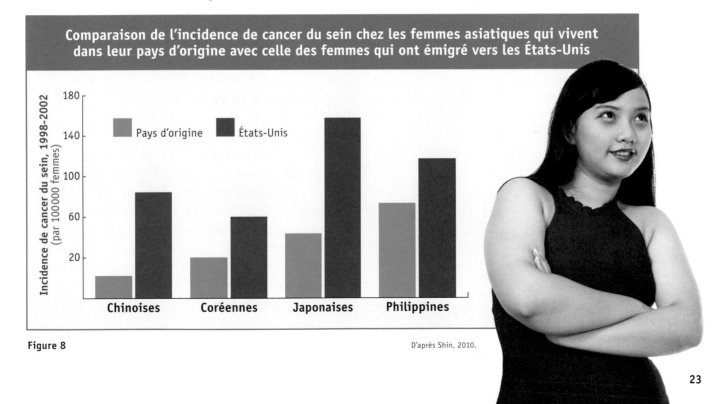

Comparaison de l'incidence de cancer du sein chez les femmes asiatiques qui vivent dans leur pays d'origine avec celle des femmes qui ont émigré vers les États-Unis

Incidence de cancer du sein, 1998-2002 (par 100000 femmes)

Pays d'origine   États-Unis

Chinoises   Coréennes   Japonaises   Philippines

Figure 8

D'après Shin, 2010.

Cette interaction entre les gènes et les habitudes de vie est aussi observée chez les personnes porteuses de gènes défectueux qui les prédisposent au cancer. Les femmes qui naissent avec un gène BRCA1 muté, par exemple, sont à haut risque de cancer du sein, mais ce risque est actuellement trois fois plus élevé qu'au début du siècle. Ce risque accru serait une conséquence de l'excès de calories dans l'alimentation moderne et de l'augmentation marquée du poids corporel, qui touche un nombre croissant de personnes. Puisque le même phénomène a été observé chez les porteuses d'une autre mutation qui augmente le risque de cancer du sein (BRCA2), on peut conclure que, même en présence d'une prédisposition génétique grave reconnue pour favoriser l'éclosion d'un cancer, c'est le mode de vie actuel qui demeure le facteur qui exerce la plus grande influence sur le risque d'être affecté par la maladie.

Apprivoiser le cancer

Il faut donc repenser complètement notre approche actuelle face au cancer: un cancer parvenu à un stade avancé et détectable en clinique est en réalité une anomalie, une forme qui n'a que peu de choses en commun avec ce qu'est réellement un cancer pendant la majorité de sa «vie» à l'intérieur du corps. À l'échelle d'une vie humaine, il est

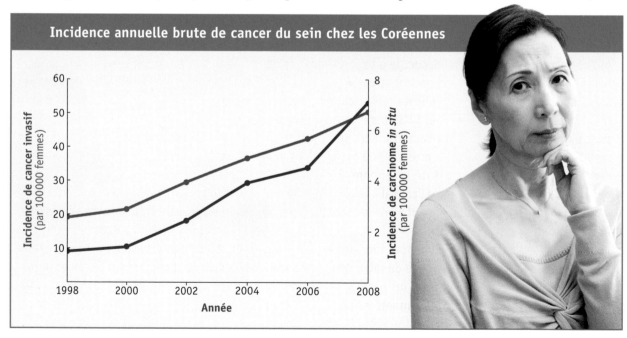

Incidence annuelle brute de cancer du sein chez les Coréennes

Figure 9

D'après Jung, 2011.

Pourquoi le rat-taupe ne développe-t-il jamais de cancer?

Le rat-taupe nu (*Heterocephalus glaber*) est un rongeur d'Afrique très particulier, tant par son apparence déconcertante que par son mode de vie similaire à celui d'insectes sociaux, comme les fourmis ou les abeilles (eusocialité). L'aspect le plus fascinant de cet animal demeure cependant sa capacité à vivre très longtemps et en excellente santé: alors que les rongeurs de sa taille vivent habituellement quatre ou cinq ans, le rat-taupe peut atteindre près de 30 ans, ce qui correspond à presque 600 ans à l'échelle humaine! Cette longévité exceptionnelle est due à une résistance innée de l'animal aux principales maladies qui accompagnent normalement le vieillissement, dont le cancer.

Cette absence complète de cancer serait due à la très grande élasticité de la peau du rat-taupe, une adaptation physiologique qui lui permet de se faufiler rapidement dans les tunnels souterrains qu'il creuse pour atteindre les racines et les tubercules dont il se nourrit. C'est que les fibroblastes, les cellules du tissu conjonctif qui enveloppe les cellules, sécrètent une forme particulière d'acide hyaluronique, une substance visqueuse qui «soude» les cellules entre elles, créant une espèce de «gelée» qui confère à la peau une grande flexibilité. Puisque le tissu conjonctif qui enrobe les cellules représente la première barrière que les cellules cancéreuses doivent franchir pour parvenir à s'implanter dans un tissu donné, la présence de cet acide hyaluronique crée un environnement réfractaire à la croissance tumorale. Même lorsque des cellules cancéreuses très agressives sont injectées à l'animal, elles ne parviennent pas à s'implanter et sont rapidement éliminées. Le rat-taupe illustre donc à quel point les défenses naturellement présentes à l'intérieur d'un organisme peuvent influencer le risque d'être atteint d'un cancer.

très improbable qu'une cellule cancéreuse puisse acquérir simplement par hasard tous les gènes mutés nécessaires à sa progression en cancer. Pour parvenir à un stade mature, un cancer doit pouvoir compter sur la collaboration de son milieu, sur une modification du climat anticancéreux qui y règne et l'empêche d'acquérir les propriétés nécessaires à sa progression. Chez certains animaux, ce climat anticancéreux est tellement restrictif qu'il réussit à empêcher complètement le développement de tout cancer (voir encadré page précédente) ! Ce n'est évidemment pas le cas chez l'humain, mais il reste que nos défenses sont suffisamment efficaces pour ralentir la progression des cellules précancéreuses et faire du cancer un processus d'une extrême lenteur, au cours duquel une cellule anormale doit parvenir à contourner une multitude d'obstacles pour atteindre un stade assez avancé pour envahir l'organe qui l'a hébergée pendant plusieurs années (Figure 10).

En matière de prévention, il est donc essentiel de tirer profit de cette très longue période de latence pour « apprivoiser » cette maladie, cohabiter avec elle et faire en sorte que les lésions précancéreuses microscopiques, formées de quelques milliers de cellules, ne subissent jamais

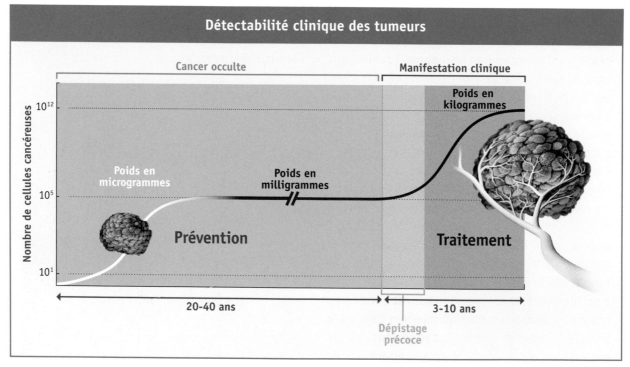

Figure 10

D'après Almog, 2013.

Traquer les fugitifs

Une des avancées les plus encourageantes de la recherche en oncologie des dernières années est la mise en œuvre de moyens de plus en plus performants pour détecter, à un stade précoce, les tumeurs qui sont parvenues à échapper aux systèmes de défense naturels du corps. Les traitements anticancéreux actuels sont beaucoup plus efficaces lorsqu'ils sont dirigés vers des tumeurs de petite taille. La détection précoce de ces tumeurs a donc considérablement amélioré le pronostic de certains cancers, comme en témoigne la baisse significative de la mortalité associée au cancer colorectal dans plusieurs pays occidentaux, un succès obtenu grâce aux programmes de coloscopie. Pour les cancers du sein et de la prostate, les bénéfices du dépistage sont davantage mis en doute, car plusieurs des tumeurs détectées précocement sont en fait des cancers inoffensifs qui n'auraient pas progressé durant la vie des patients. La réduction substantielle de la qualité de vie des patients associée au traitement de ces tumeurs devient alors un problème, puisqu'elles n'auraient pas menacé leur vie même si elles étaient demeurées incognito. Cela dit, malgré les risques de surdiagnostic et de surtraitement inhérents à toute forme de dépistage à grande échelle, la possibilité de détecter au plus tôt la présence d'une tumeur est considérée comme la meilleure option actuellement disponible pour traiter le cancer, et il est important que les personnes à risque participent aux protocoles de dépistage en vigueur. Il faut toutefois réaliser que la détection précoce d'une tumeur n'est qu'un complément à la prévention du cancer. Une tumeur détectable est déjà formée de plusieurs millions de cellules très instables qui ont accumulé bon nombre de mutations capables de soutenir leur progression en cancer mature ou encore de résister à la chimiothérapie. Un traitement agressif peut permettre d'éliminer ces tumeurs, mais l'intervention n'est pas automatiquement couronnée de succès. Il reste grandement préférable de prévenir le cancer en stoppant son évolution à la source, avant qu'il n'atteigne une taille pouvant être détectée par les technologies actuelles.

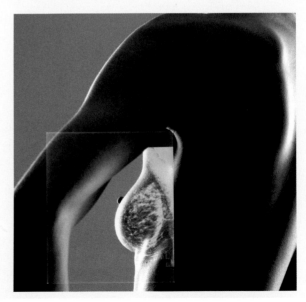

les nombreuses mutations requises pour devenir un cancer mature – 9 mutations pour le cancer du sein, 11 pour le cancer du côlon et 12 pour celui de la prostate. Une personne qui adopte de saines habitudes de vie prive ces tumeurs microscopiques de plusieurs éléments indispensables à leur croissance et favorise ainsi le maintien de ces cancers immatures dans un état latent. À l'inverse, l'exposition répétée à des substances cancérigènes (tabac, alcool, rayons UV) et l'établissement d'un climat d'inflammation chronique induit par de mauvaises habitudes de vie créent des conditions favorables à l'évolution de ces microtumeurs et à l'apparition d'une masse cancéreuse contenant plusieurs millions de cellules. Il s'agit d'un concept qui n'a rien d'abstrait ou de théorique. Par exemple, alors que les Japonais ont une incidence de microtumeurs prostatiques similaire à celle des hommes occidentaux, ces lésions précancéreuses y évoluent plus lentement qu'en Occident, de sorte que la manifestation clinique et la mortalité liées au cancer de la prostate sont dix fois plus faibles au Japon qu'en Amérique. Par contre, ces différences se sont considérablement atténuées au cours des dernières années en raison de l'adoption du mode de vie occidental par les Japonais. La prévention du cancer ne consiste donc pas tant à empêcher l'apparition de cellules cancéreuses à l'intérieur du corps qu'à retarder suffisamment leur progression pour qu'elles ne puissent atteindre le stade de cancer mature au cours des huit ou neuf décennies d'une vie humaine. Car si ces lésions précancéreuses sont inoffensives, leur évolution peut rapidement prendre une tournure tragique : une lésion cancéreuse qui est parvenue à vaincre ces systèmes de défenses naturels contient plusieurs millions de cellules mutées dont le comportement hautement imprévisible présente une menace importante pour le corps. La détection la plus rapide possible de ces tumeurs à l'aide des techniques de dépistage devient alors essentielle pour augmenter la probabilité que l'arsenal thérapeutique parvienne à les éradiquer (voir encadré p. 27).

Prévenir le cancer

Le défaitisme face au cancer n'a donc pas sa raison d'être. Bien au contraire, le potentiel de prévention de cette maladie est tout à fait remarquable : on estime qu'environ 25 % seulement de tous les

cancers sont le résultat de mutations dues uniquement au hasard (Figure 11), et que la mortalité relative au cancer pourrait être réduite de façon significative au cours des prochaines décennies, si nous choisissons de consacrer la majeure partie de nos efforts à la prévention et à la détection précoce de la maladie.

Cette approche préventive est d'autant plus réaliste que la recherche des dernières années a permis d'identifier les grandes lignes de la marche à suivre pour réduire de manière significative le risque de développer plusieurs types de cancers, en particulier ceux qui frappent de plein fouet la population des pays industrialisés (poumon, sein, côlon et prostate). La première étape est d'abord de réduire l'exposition aux agents toxiques comme la fumée de cigarette, l'alcool ou encore les rayons UV. Ces agents ont tous la capacité de s'attaquer

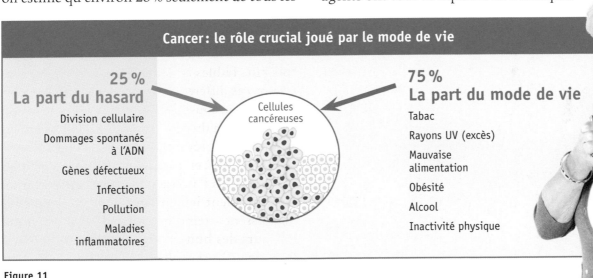

Cancer : le rôle crucial joué par le mode de vie

25 %
La part du hasard

Division cellulaire

Dommages spontanés
à l'ADN

Gènes défectueux

Infections

Pollution

Maladies
inflammatoires

Cellules
cancéreuses

75 %
La part du mode de vie

Tabac

Rayons UV (excès)

Mauvaise
alimentation

Obésité

Alcool

Inactivité physique

Figure 11

directement à l'ADN et d'y introduire une surcharge d'erreurs qui augmentent la probabilité que des mutations se produisent dans plusieurs gènes essentiels au contrôle de la croissance des cellules. L'exposition répétée des organes qui sont en contact étroit avec ces cancérigènes (les poumons pour le tabac, la cavité buccale pour l'alcool et la peau pour les UV) facilite donc la progression maligne des cellules, comme en témoigne la hausse du risque de cancer de ces organes (de dix à quarante fois) chez les personnes qui ont ces habitudes de vie.

Cela dit, la majorité des gens ne fument pas, boivent de l'alcool modérément et ne s'exposent pas inutilement au soleil ; pourtant, plusieurs de ces personnes seront tout de même affectées par un cancer en raison de l'effet d'autres habitudes de vie sur l'environnement dans lequel se trouvent les cellules cancéreuses. En ce sens, une foule d'études ont démontré hors de tout doute que trois des principaux aspects du mode de vie actuellement en vogue dans les pays industrialisés contribuent à la forte incidence des cancers qui touchent ces populations : (1) l'accumulation d'un surplus de graisse, surtout lorsqu'il dépasse un certain seuil et mène à l'obésité ; (2) une alimentation de mauvaise qualité axée principalement sur la consommation de produits surchargés de calories au détriment des fibres, des minéraux et des composés phyto-chimiques d'origine végétale ; et (3) la très grande sédentarité des sociétés modernes, un dommage collatéral de l'automatisation et des progrès technologiques en général.

Grâce au travail exceptionnel de plusieurs agences de santé publique, notamment le World Cancer Research Fund et l'American Cancer Society, il est possible de résumer l'ensemble des connaissances actuelles sur la prévention du cancer sous la forme de dix grandes recommandations (Figure 12).

Ces recommandations sont le résultat d'une évaluation rigoureuse de plusieurs centaines de milliers d'études par les plus grands experts de la recherche sur le cancer et représentent à ce titre l'une des réalisations les plus importantes de la recherche en oncologie des dernières décennies. Le principal objectif de ce livre est donc d'expliquer simplement les découvertes scientifiques qui ont mené à ces recommandations, de façon à permettre au lecteur de mieux comprendre, d'une part, à quel point chacune de ses habitudes peut influencer le risque de cancer et, d'autre part, la nécessité de corriger certains aspects de son mode de vie pour réduire ce risque. Cette approche est d'autant plus importante que la prévention ne fait pas partie de la culture occidentale, axée sur les bénéfices à court terme plus qu'à long terme, sans compter qu'elle va la plupart du temps à

(Suite page 35)

Les dix principales recommandations pour prévenir le cancer

Principaux cancers concernés

1. Cesser de fumer. Tout produit du tabac est nocif pour la santé.

Poumon
Vessie
Pancréas

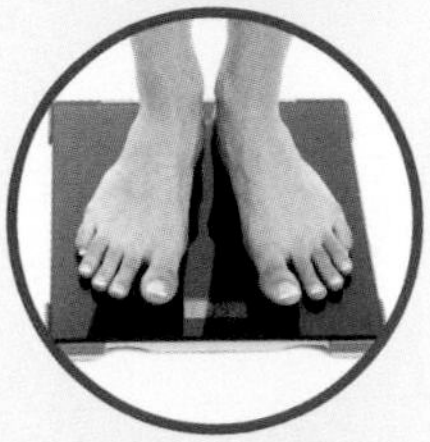

2. Demeurer aussi mince que possible, avec un indice de masse corporelle situé entre 21 et 23. Éviter les boissons gazeuses et réduire au minimum la consommation d'aliments très riches en énergie et contenant de fortes quantités de sucre et de gras.

Côlon
Sein
Endomètre

3. Réduire la consommation de viandes rouges (bœuf, agneau, porc) à environ 500 g par semaine en les remplaçant par des repas à base de poissons, d'œufs ou de protéines végétales.

Côlon
Sein
Pancréas

4. Consommer en abondance une grande variété de fruits, de légumes, de légumineuses ainsi que d'aliments à base de grains entiers. Ces aliments devraient constituer les deux tiers des repas.

Tous

5. Être actif physiquement au moins trente minutes par jour.

Côlon
Sein

Figure 12

Principaux cancers concernés

6. Limiter la consommation quotidienne d'alcool à deux verres pour les hommes et à un verre pour les femmes.

Cavité buccale
Sein

7. Limiter la consommation de produits conservés dans du sel ainsi que des produits contenant beaucoup de sel.

Estomac

8. Protéger la peau en évitant l'exposition inutile au soleil. Lorsqu'il n'est pas possible de demeurer à l'ombre, porter des vêtements protecteurs ou appliquer de la crème solaire.

Peau

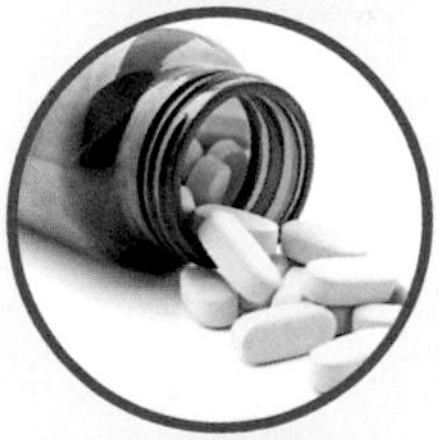

9. Ne pas utiliser de suppléments pour prévenir le cancer : les études démontrent clairement que l'action synergique obtenue par la combinaison d'aliments est de loin supérieure aux suppléments pour diminuer le risque de cancer.

Tous

10. Les personnes ayant vaincu un cancer devraient suivre à la lettre les recommandations précédentes.

Tous

Obstacles à la prévention

- La réussite n'est pas visible.
- L'absence de drame rend la prévention moins intéressante.
- Les « vies moyennes » dont témoignent les statistiques émeuvent peu les gens.
- Il se passe généralement beaucoup de temps avant que les bénéfices apparaissent alors qu'on s'attend à un bénéfice à court terme.

- Le changement de comportement doit être à long terme, voire permanent.
- On accepte de courir des risques qui seraient pourtant évitables.
- Des intérêts commerciaux nuisent à la prévention de la maladie.
- Certains conseils peuvent entrer en conflit avec des croyances ou des valeurs personnelles, religieuses ou culturelles.

Figure 13   D'après Fineberg, 2013.

l'encontre des intérêts financiers des multinationales, qui cherchent à promouvoir la consommation de leurs produits, qu'il s'agisse de tabac, de boissons gazeuses ou d'aliments hypertransformés dépourvus de nutriments essentiels, sans égard pour leur impact négatif sur la santé de la population (Figure 13).

L'impact positif de l'adhésion à ces recommandations a été étudié au cours des dernières années, et les résultats sont remarquables. Par exemple, une étude récente réalisée auprès de femmes ménopausées indique que l'adhésion à un minimum de cinq de ces recommandations est associée à une réduction de 60 % du risque de cancer du sein invasif (Figure 14). Des résultats similaires ont été rapportés pour les survivantes d'un cancer du sein et pour les hommes ayant un cancer de la prostate, ce qui illustre combien ces recommandations peuvent influencer la mortalité due au cancer.

Il faut absolument profiter de ces découvertes pour renverser la tendance actuelle et enfin progresser dans la lutte contre le cancer. Et comme nous le verrons dans les chapitres suivants, cette approche préventive est beaucoup moins compliquée qu'on pourrait le penser.

Diminution du risque de cancer du sein par l'adhésion aux recommandations du WCRF (World Cancer Research Fund)

Figure 14

D'après Hastert, 2013.

C'est facile d'arrêter de fumer,
j'arrête vingt fois par jour.
Oscar Wilde (1854-1900)

Chapitre 2

Le tabac : un écran de fumée qui dissimule le cancer

Recommandation
Cesser de fumer.

Source : American Cancer Society

Dans la plupart des cultures, la fumée a long-temps revêtu un caractère sacré, étant le symbole de l'esprit qui s'élève vers le ciel pour communiquer avec les dieux et permettre d'honorer les morts, et de purifier ou de protéger les vivants. Ces fumées rituelles étaient très importantes dans la tradition amérindienne, en particulier celles qui étaient générées par la combustion du tabac, une plante sacrée considérée à l'origine de la création de l'Univers. Indigène sur les continents américains, où une soixantaine d'espèces existent encore aujourd'hui à l'état sauvage, le tabac est utilisé depuis des millénaires par de nombreuses tribus amérindiennes comme un élément fondamental de nombreux rituels religieux et sociaux, voire chamaniques, pour entrer en communication avec les esprits. Le tabac occupait une place si importante dans la vie amérindienne que lorsque Christophe Colomb débarqua aux Bahamas et à Cuba, en 1492, l'un des premiers gestes des Taïnos fut de lui faire cadeau de feuilles de tabac séchées et de l'inviter à fumer avec eux des *tobagos*, sorte de tubes de feuilles de tabac à partir desquels ils aspiraient la fumée par la bouche ou le nez. Ce premier contact allait avoir des conséquences incalculables pour la suite des choses, car plusieurs compagnons de Colomb adoptèrent ces coutumes avec enthousiasme et, dès leur retour, introduisirent l'habitude de fumer sur le continent européen.

Si les Amérindiens accordaient au rituel de fumer un sens religieux et symbolique, les Européens abandonnèrent rapidement ces significations spirituelles pour des considérations plus « terre à terre ». Pour certains, comme le diplomate français Jean Nicot, le tabac était doté de vertus curatives, et il réussit même à convaincre Catherine de Médicis de l'utiliser pour soulager les migraines de son fils, François II. L'usage du tabac s'est rapidement répandu dans l'aristocratie, principalement sous forme de poudre qu'on prisait, une popularité qui valut à Nicot le privilège de voir la plante nommée *Nicotiana tabacum* en son honneur. Mais c'est surtout l'aspect « récréatif » associé à l'action de priser ou de fumer qui demeurait la principale motivation des adeptes du tabac, car pour plusieurs personnes de cette époque : « Il n'est rien d'égal au tabac; c'est la passion des honnêtes gens; et qui vit sans tabac n'est pas digne de vivre » (Molière, *Dom Juan*, 1665).

De sorte qu'en dépit des efforts énergiques de plusieurs personnes pour endiguer la diffusion du tabac (voir encadré), l'herbe sacrée d'Amérique réservée aux occasions solennelles est progressivement devenue une substance de consommation courante, cultivée et exportée à l'échelle mondiale.

Ce n'est toutefois qu'à la fin du XIXe siècle, avec l'invention de machines automatisées permettant de fabriquer de grandes quantités de cigarettes, que la consommation de tabac a véritablement pris son envol et s'est répandue dans l'ensemble de la population. Par exemple, alors que les Américains fumaient en moyenne moins d'une cigarette (0,36) par personne par année en 1870, ce nombre est passé à 1 485 en 1930, pour par la suite atteindre un sommet de 4 259 cigarettes en 1965. Un succès commercial retentissant, sans doute, mais aussi le déclencheur d'une crise sanitaire sans précédent, avec plus de 100 millions de personnes décédées au XXe siècle des suites de cancers, de maladies cardiovasculaires et de maladies pulmonaires causées par le tabagisme. Et cette crise est loin d'être terminée, puisque la consommation de tabac continue d'augmenter, avec environ 6 000 milliards de cigarettes qui sont présentement fumées chaque année dans le monde, soit l'équivalent d'environ 1 000 cigarettes pour chaque homme, femme et enfant vivant sur la planète (Figure 15). À ce rythme, on prévoit que le tabagisme sera à lui seul directement responsable d'un *milliard* de décès au XXIe siècle.

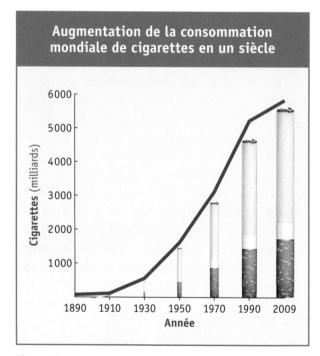

Augmentation de la consommation mondiale de cigarettes en un siècle

Figure 15   D'après www.tobaccoatlas.org, 2010.

Passés à tabac

Bien que le tabac se soit répandu comme une traînée de poudre à l'échelle du globe, son usage a été loin de faire l'unanimité. Rodrigo de Jerez, le compagnon de Christophe Colomb qui rapporta les premiers « cigares » en Espagne, fut dénoncé par des voisins apeurés de le voir exhaler de la fumée par le nez et la bouche, et jeté en prison par l'Inquisition pour pratiques démoniaques. Pour Jacques Ier d'Angleterre, le tabagisme était une habitude « dégoûtante aux yeux, désagréable au nez, dangereuse pour le cerveau, désastreuse pour le poumon ». Il fit même décapiter sir Walter Raleigh, à qui il reprochait (entre autres) d'avoir ramené cette plante de Virginie en Grande-Bretagne. Certains souverains du Moyen-Orient, d'Europe et d'Asie n'étaient pas plus entichés de cette nouvelle habitude : l'empereur chinois Ming Chongzhen, le dernier de cette dynastie, déclara la guerre au tabac en menaçant de décapiter toute personne qui importait ou consommait du tabac. Le shah de Perse Abbas Ier le Grand, quant à lui, faisait couper le nez des priseurs et mutiler les lèvres des fumeurs, tandis que son proche voisin, le sultan de l'Empire ottoman Mourad IV, les faisait brûler vifs sur un bûcher de feuilles de tabac. Même le tsar de Russie Alexis Ier, pourtant surnommé le « Tsar très paisible » en raison de son ouverture d'esprit et de sa clémence, ordonnait qu'un fumeur pris sur le fait soit condamné à mort ou à se faire couper le nez.

^ Représentation de sir Walter Raleigh fumant la pipe.

Aussi terribles étaient-ils, ces châtiments sont néanmoins demeurés impuissants à éradiquer le tabagisme, et les amateurs ont continué à risquer leur vie pour acquérir la précieuse herbe et en faire usage. Les États n'avaient toutefois pas dit leur dernier mot, et la plupart des pays ont fini par établir des monopoles sur la vente du tabac qui allaient leur permettre de tirer des profits considérables de la dépendance de leurs citoyens. Mais ces gouvernements allaient à leur tour devenir dépendants des revenus générés par le tabac, ce qui explique en grande partie pourquoi le tabac demeure aujourd'hui en vente libre, en dépit des quelque 100 millions de morts directement liés à son usage au cours du xxe siècle.

Cette dépendance au tabac n'est généralement pas la conséquence d'un choix conscient et éclairé des fumeurs, mais plutôt le résultat d'une manipulation à grande échelle savamment orchestrée par l'industrie du tabac pour fabriquer, promouvoir et légitimer des produits qu'elle sait pourtant très nocifs. Car la cigarette telle qu'on la connaît aujourd'hui n'est pas un simple tube de papier contenant du tabac ; il s'agit d'un produit industriel très sophistiqué élaboré avec soin pour maximiser le potentiel de dépendance exercé par une des substances les plus addictives du monde végétal : la nicotine.

Un insecticide redoutable

La nicotine est en fait un alcaloïde doté d'une puissante action insecticide qui est utilisé par plusieurs plantes de la famille des solanacées comme moyen de défense contre les insectes. Principalement trouvée dans le tabac, la nicotine est aussi présente dans d'autres espèces de cette famille – tomates, poivrons, aubergines, pommes de terre –, mais en quantités beaucoup plus faibles. Par exemple, il faudrait consommer 10 kg d'aubergines ou 170 kg de poivrons pour obtenir la dose de nicotine présente dans une cigarette (Figure 16) ! Il est d'ailleurs intéressant de noter que ces faibles doses de nicotine d'origine alimentaire pourraient avoir des effets positifs sur la santé, notamment en diminuant le risque d'être atteint de la maladie de Parkinson.

Contenu en nicotine

	Nicotine (ng/g)	Quantité requise pour l'équivalent en nicotine d'une cigarette (1 mg de nicotine)
Tabac	500 000	-
Aubergine	100	10 kg
Tomate verte	43	24 kg
Tomate rouge	11	94 kg
Pomme de terre	7	140 kg
Poivron rouge	6	170 kg

Figure 16   D'après Henningfield, 1993.

La nicotine est présente en très grande quantité dans les feuilles du plant de tabac, d'où elle peut même s'évaporer et se diffuser vers les plantes voisines, éliminant ainsi les insectes à proximité. La quantité de nicotine dans le tabac est si importante que, lorsque les feuilles sont humides, les personnes qui les récoltent peuvent être exposées en quelques heures à des doses massives de nicotine, équivalentes à la consommation d'une cinquantaine de cigarettes, ce qui peut causer étourdissements, vomissements, maux de tête et faiblesse musculaire. Cette « maladie du tabac vert » menace particulièrement les enfants employés dans certains pays comme main-d'œuvre pour la récolte du tabac destiné aux multinationales américaines, avec des conséquences désastreuses pour leur développement physique et mental.

La nicotine a une structure moléculaire similaire à celle de l'acétylcholine, un neurotransmetteur utilisé par plusieurs cellules nerveuses pour transmettre l'influx nerveux, et est capable d'activer les récepteurs (qualifiés de nicotiniques) de ce neurotransmetteur. De fortes doses de nicotine provoquent donc une stimulation excessive de ces circuits nerveux, d'une façon analogue à l'effet d'autres agents toxiques qui augmentent les taux d'acétylcholine, comme les insecticides organophosphorés ou des gaz de combat comme le sarin. L'empoisonnement à la nicotine n'a donc rien de réjouissant, avec une combinaison de nausées, de vomissements, de salivation excessive, de difficulté à respirer, un pouls irrégulier et des convulsions qui mènent rapidement au décès.

Dépendance nicotinique

Comment une molécule aussi toxique que la nicotine peut-elle créer une dépendance, ce besoin irrépressible qu'éprouvent les fumeurs de continuer à fumer en dépit de toutes les conséquences négatives connues du tabagisme ? Un des principes de base de la pharmacologie veut que ce soit la dose qui fasse le poison, et la nicotine en est un bon exemple. Alors que des quantités élevées de cette drogue surexcitent les circuits nerveux et peuvent entraîner la mort, la nicotine inhalée, et donc présente en doses plus faibles, active spécifiquement certains neurones du noyau accumbens, une toute petite région du cerveau qui joue un rôle majeur dans ce qu'on appelle « le circuit de la récompense » (Figure 17). L'activation de ces neurones par la nicotine entraîne la libération de dopamine, un neurotransmetteur qui envoie un

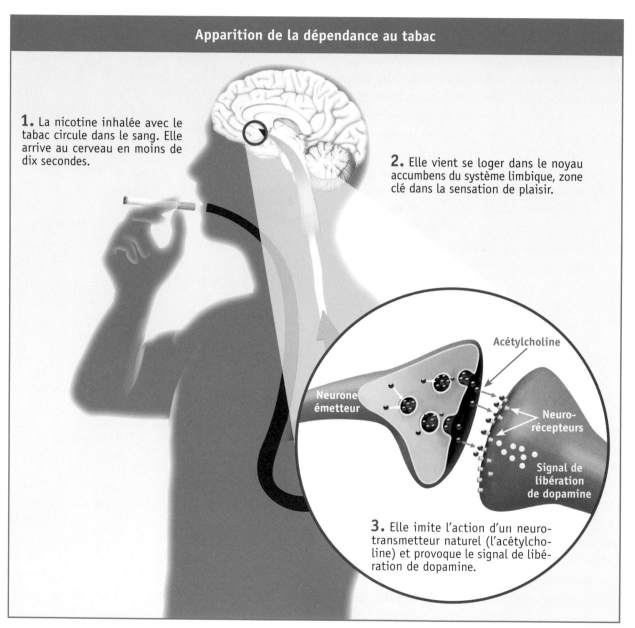

Apparition de la dépendance au tabac

1. La nicotine inhalée avec le tabac circule dans le sang. Elle arrive au cerveau en moins de dix secondes.

2. Elle vient se loger dans le noyau accumbens du système limbique, zone clé dans la sensation de plaisir.

Acétylcholine

Neurone émetteur

Neuro-récepteurs

Signal de libération de dopamine

3. Elle imite l'action d'un neuro-transmetteur naturel (l'acétylcholine) et provoque le signal de libération de dopamine.

Figure 17

signal d'expérience agréable, source de plaisir, donnant du coup une connotation « positive » à l'action de fumer. La nicotine inhalée est aussi présente dans toutes les régions du corps, mais elle n'interagit que très faiblement avec les cellules nerveuses responsables du mouvement des muscles, ce qui est dommage, en un sens, car le tabac causerait alors des contractions musculaires intolérables et possiblement fatales, et le tabagisme n'aurait jamais pu naître.

L'établissement de ce circuit de récompense n'est évidemment pas instantané ; pour la majorité des personnes, la première cigarette ne fait que provoquer une toux ou donner des nausées, des effets qui sont loin d'être plaisants ! En revanche, chez les personnes qui récidivent et commencent à fumer régulièrement, le fonctionnement du cerveau est graduellement altéré, « reprogrammé » petit à petit, de telle sorte que le circuit de récompense activé par la nicotine se renforce progressivement et devient de plus en plus important pour le bien-être de la personne. Certaines molécules présentes dans la fumée de cigarette augmentent en parallèle les niveaux de dopamine en bloquant les enzymes (monoamines oxydases) responsables de sa dégradation, créant ainsi avec la nicotine une synergie qui augmente l'effet de récompense associé au tabagisme. Ce circuit provoque donc une dépendance très forte – plus du tiers des personnes qui ont fumé au moins une cigarette deviennent dépendantes du tabac –, ce qui fait de la nicotine la substance la plus addictive sur le marché (Figure 18).

Dépendance induite par diverses drogues

Substance	Dépendance après un seul essai
Tabac	36 %
Héroïne	24 %
Cocaïne	15 %
Alcool	15 %
Cannabis	9 %
Tranquillisants	9 %

Figure 18

Être dépendant au tabac n'a toutefois rien de «récréatif», contrairement à l'usage d'autres drogues, car fumer une cigarette ne provoque ni euphorie, ni hilarité, ni sentiment d'extase. Le plaisir ou l'effet antistress que les fumeurs associent à l'acte de fumer ne reflète en réalité que le soulagement de la sensation de manque ressenti par une personne accoutumée au tabac. Cette dépendance impose plusieurs contraintes aux fumeurs, car si l'action de la nicotine est quasi instantanée, atteignant le cerveau moins de dix secondes après l'inhalation de la fumée de cigarette, son effet se dissipe rapidement. Les personnes dépendantes doivent donc fumer fréquemment pour maintenir des quantités suffisantes de nicotine dans leur sang et éviter la sensation de manque. En règle générale, de dix à vingt cigarettes sont nécessaires, minimalement, pour atteindre cet objectif, et à peine 8 % des fumeurs parviennent à fumer moins de cinq cigarettes par jour sans jamais en consommer davantage. Les fumeurs possèdent également une capacité remarquable de contrôler par eux-mêmes la quantité de nicotine qu'ils s'administrent pour maintenir une «nicotinémie» adéquate, par exemple en inhalant plus profondément la fumée des premières cigarettes de la journée ou de celles qu'ils fument avant d'entrer au bureau ou durant la pause. Les études indiquent aussi que les fumeurs de cigarettes autrefois dites «légères», contenant moins de nicotine, inhalent plus fréquemment et plus profondément pour compenser cette réduction, ce qui augmente en parallèle l'absorption de substances nocives présentes dans la fumée de cigarette.

La principale motivation d'une personne dépendante au tabac n'est donc pas d'atteindre un état second ou extatique, mais surtout d'éviter le malaise qui découle du manque de nicotine. Fumer n'est pas comme boire de l'alcool, c'est plutôt comme être alcoolique, une forme d'esclavage qui empoisonne littéralement l'existence. D'ailleurs, plusieurs sondages révèlent que la majorité des personnes dépendantes du tabac aimeraient cesser de fumer ou ont même tenté de le faire à plusieurs reprises, mais sans succès en raison de leur incapacité à composer avec la sensation de manque qui accompagne le sevrage de la nicotine.

Fabriquer la dépendance

La cigarette moderne n'a que peu de choses en commun avec le tabac fumé par les Amérindiens ou celui des premiers colons européens qui se sont établis en Amérique. Traditionnellement, les feuilles de tabac étaient séchées à l'air libre, produisant un tabac brun très âcre (comme celui des cigares, par exemple) et presque impossible à inhaler profondément en raison de l'irritation des voies respiratoires que provoque sa fumée. Ces fumeurs absorbaient donc des quantités restreintes de nicotine, principalement dans la cavité buccale, et la dépendance physique au tabac était par conséquent moins prononcée qu'aujourd'hui. C'est avec l'invention d'un nouveau procédé de séchage à chaud des feuilles de tabac (*flue-curing*), vers la fin du XIXᵉ siècle, que la cigarette est devenue réellement addictive, cette technique provoquant dans les feuilles de la plante des transformations biochimiques majeures qui permettent d'obtenir un tabac jaune plus doux, plus sucré et dont la fumée peut être inhalée profondément, causant l'absorption de quantités plus importantes de nicotine par la circulation sanguine des poumons. Armés de ce tabac de « nouvelle génération », les cigarettiers américains allaient réussir à conquérir le monde, tirant profit de chaque occasion, même tragique, pour faire de la cigarette un produit de consommation « moderne » et attrayant (voir encadré).

L'aspect le plus révoltant de l'histoire de la cigarette demeure néanmoins le travail acharné

Des guerres qui font tout un tabac

Les deux Guerres mondiales ont joué un rôle déterminant dans la hausse vertigineuse de la consommation de cigarettes au XXe siècle. Alors que fumer la cigarette était considéré au début du siècle comme une habitude d'hommes efféminés – les « vrais » hommes chiquant le tabac ou fumant le cigare –, les fabricants ont profité de l'entrée en guerre des Américains, en 1917, pour fournir à faible coût des cigarettes destinées à « soutenir le moral des troupes ». Un geste apprécié par un général américain de l'époque, John Pershing, selon qui, « pour gagner cette guerre, [les militaires avaient] autant besoin de tabac que de balles », mais qui fit néanmoins en sorte que des millions d'hommes n'ayant jamais fumé sont revenus du front en tant que fumeurs invétérés. La cigarette avait acquis une nouvelle respectabilité, et à peine vingt ans plus tard, en 1939, 66 % des hommes américains âgés de 40 ans ou moins fumaient régulièrement.

La fin de la Seconde Guerre mondiale allait donner aux fabricants de tabac une autre occasion d'augmenter la diffusion de leurs produits, cette fois auprès de la population européenne en général. À cause de l'insistance d'un sénateur de la Virginie influencé par l'industrie locale du tabac, environ 1 milliard de dollars en cigarettes ont été acheminés en Europe dans le cadre du plan Marshall, ce qui représentait près de 10 % des sommes totales qui étaient destinées à la reconstruction de l'Europe. Ce tabac américain était beaucoup plus doux que celui qui était en vogue en Europe à cette époque, brun et très âcre, ce qui permettait aux fumeurs d'inhaler plus profondément, d'absorber de plus grandes quantités de nicotine et, par ricochet, de développer rapidement une dépendance à ces cigarettes. L'industrie du tabac a donc su profiter des deux plus grandes crises à avoir ébranlé l'humanité au XXe siècle pour augmenter de façon spectaculaire les ventes de ses produits, un tour de force qui a fait de ces compagnies des géants financiers, mais au prix de répercussions catastrophiques sur la santé de la population.

Des documents fumants

Le *Master Settlement Agreement* est une entente intervenue en 1998 entre les quatre principales sociétés de tabac américaines (Philip Morris Inc., R.J. Reynolds, Brown & Williamson et Lorillard) et les procureurs de quarante-six États américains qui poursuivaient ces cigarettiers pour le remboursement des dépenses de santé liées au tabagisme. Il n'y a pas eu de condamnation judiciaire de l'industrie, seulement une entente à l'amiable qui établissait que ces entreprises devaient verser aux États 206 milliards de dollars échelonnés sur vingt-cinq ans.

Mais, au-delà des aspects financiers, les juges ont ordonné la divulgation des notes internes, des rapports confidentiels et des résultats de recherche accumulés au cours des cinquante dernières années par cette industrie. La publication de ces *tobacco documents*, soit plus de 85 millions de pages, a permis de percer les secrets de cette industrie et de divulguer ses efforts pour augmenter le caractère addictif de la cigarette, ses activités pour contrer les efforts de la lutte antitabac, ses plans de marketing auprès des adolescents et ses stratégies de diversion pour tromper le public en instillant un doute sur les résultats des études sur les effets nocifs de la cigarette.

de l'industrie du tabac pour rendre les fumeurs le plus dépendants possible. Ce complot, révélé au grand jour par les documents du *Master Settlement Agreement* (voir encadré page précédente), montre clairement que cette industrie a tout mis en œuvre pour hausser la quantité de nicotine inhalée par les fumeurs, avec l'objectif avoué d'augmenter leur dépendance envers la cigarette. Par exemple, les cigarettiers américains ajoutent au tabac jusqu'à 616 produits chimiques, certains ayant pour but de rendre la fumée plus tolérable, alors que d'autres visent expressément à augmenter la disponibilité de la nicotine et à faciliter son absorption. L'ajout d'ammoniaque, par exemple, permet d'obtenir une fumée plus basique et donc de convertir la nicotine en une substance chimique plus assimilable, un procédé similaire à celui qui est utilisé pour la transformation de la cocaïne en crack, une forme basique de la drogue, qui est absorbée plus rapidement et crée une plus grande dépendance. L'addition de sucres adoucit le goût du tabac et génère, lors de la combustion, de l'acétaldéhyde, qui mène à la formation d'inhibiteurs de monoamines oxydases qui augmentent les niveaux de dopamine et la dépendance au tabac. Même des substances comme le menthol, ajoutées pour réduire l'irritation causée par la fumée, favorisent la dépendance en provoquant une augmentation des récepteurs de l'acétylcholine dans le cerveau, ce qui incite le fumeur à consommer davantage de cigarettes. Ces manipulations chimiques ont certainement eu un impact sur la toxicité de la fumée de cigarette, car

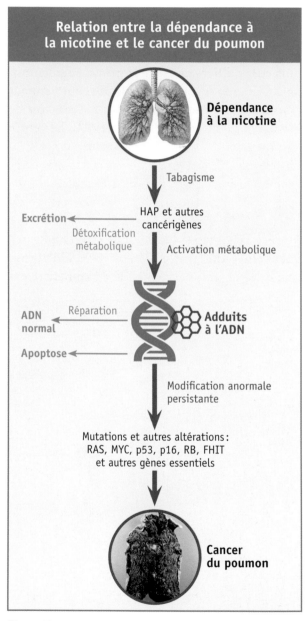

Relation entre la dépendance à la nicotine et le cancer du poumon

Dépendance à la nicotine

→ Tabagisme

Excrétion ←

Détoxification métabolique

HAP et autres cancérigènes

Activation métabolique

ADN normal ← Réparation

Apoptose ←

Adduits à l'ADN

Modification anormale persistante

Mutations et autres altérations : RAS, MYC, p53, p16, RB, FHIT et autres gènes essentiels

Cancer du poumon

Figure 19   D'après Hecht, 1999.

entre 1968 et 1985, les concentrations d'agents cancérigènes comme la 2-naphthylamine ou la 4-(méthylnitrosamino)-1-(3-pyridyl)-1-butanone (NNK) ont augmenté de 59 % et de 44 %, respectivement. Les cigarettiers ont donc continué de fabriquer et de promouvoir des produits qui visaient à entretenir la dépendance des fumeurs, sans égard aux impacts sur leur santé, même s'ils étaient parfaitement conscients des dangers du tabagisme. Ce capitalisme sans scrupule n'est pas un accident de parcours, car même après que les preuves scientifiques des dangers du tabac sont devenues incontestables, l'industrie du tabac a persisté dans ses pratiques et profité de l'ouverture de nouveaux marchés comme la Chine, l'Inde, la Russie, l'Indonésie et l'Afrique pour soutenir sa croissance et continuer à engranger des profits faramineux. D'ailleurs, ces régions sont actuellement celles qui comptent la plus forte proportion de fumeurs, avec par exemple plus de 60 % des hommes du Timor-Oriental et de l'Indonésie, et 50 % des Russes qui sont dépendants de la cigarette. Les visées expansionnistes de l'industrie du tabac, avec la croissance de la population mondiale, font en sorte que le nombre de fumeurs dans le monde a augmenté significativement au cours des vingt-cinq dernières années.

Une arme de destruction massive

En manipulant le tabac pour augmenter ses propriétés addictives, l'industrie du tabac a créé ce qui est possiblement l'arme la plus dévastatrice de l'histoire de l'humanité. Pas en raison de l'absorption de la nicotine, qui n'a pas d'impact majeur sur la santé à faibles doses, mais plutôt parce que la dépendance au tabac fait en sorte que les fumeurs sont exposés à répétition à plusieurs molécules cancérigènes présentes dans la fumée de cigarette. Les hydrocarbures aromatiques polycycliques (HAP) et certaines nitrosamines, par exemple, sont particulièrement dangereux, car ces molécules sont métabolisées en composés hautement réactifs qui s'arriment directement à l'ADN des cellules et peuvent causer des mutations. On estime que chaque paquet de cigarettes contient suffisamment de composés cancérigènes

pour provoquer deux mutations dans l'ADN des cellules des poumons, de sorte que des décennies de tabagisme se traduisent par l'accumulation de plusieurs milliers de ces mutations, augmentant ainsi le risque de cancer lorsqu'elles surviennent dans certains gènes critiques pour le contrôle de la croissance des cellules (Figure 19). Ce lien entre le tabagisme et le cancer du poumon est bien illustré par la hausse marquée de l'incidence de ce cancer à la suite de l'augmentation de la consommation de cigarettes dans la première moitié du XXᵉ siècle. Maladie autrefois extrêmement rare, ce cancer a commencé à devenir de plus en plus fréquent une vingtaine d'années après l'introduction de la cigarette et n'a cessé d'augmenter par

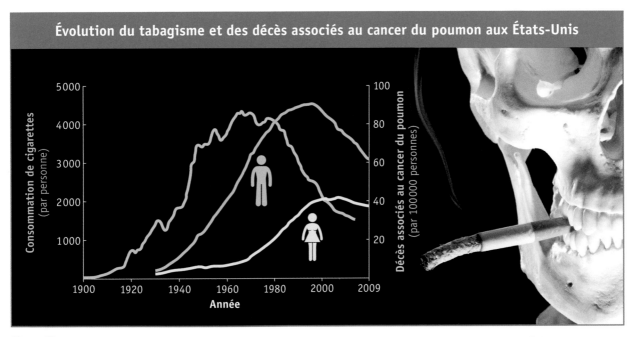

Évolution du tabagisme et des décès associés au cancer du poumon aux États-Unis

Figure 20

D'après www.cancer.org, 2013.

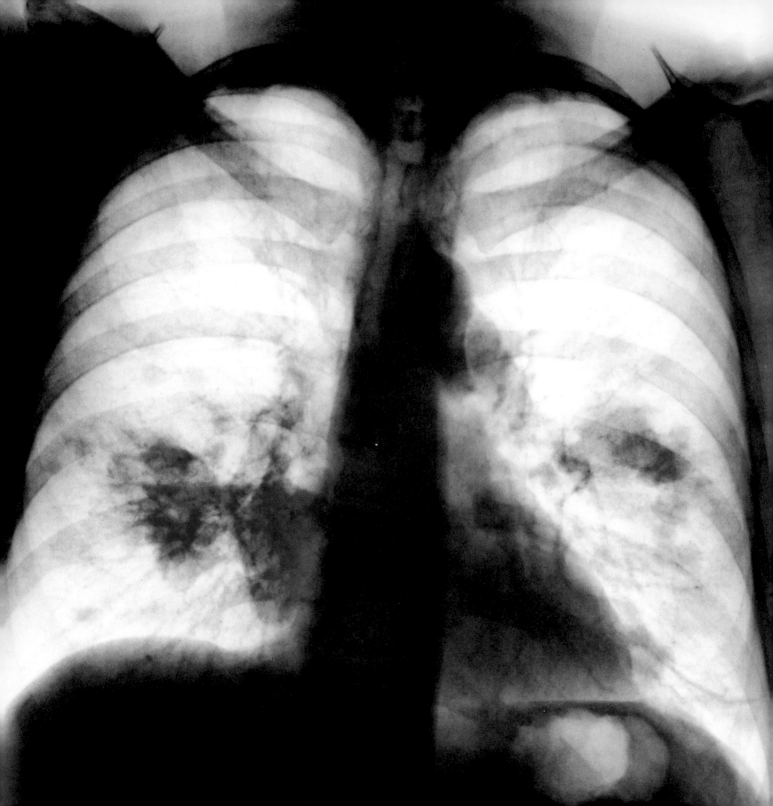

la suite (Figure 20). Cette longue latence entre le début du tabagisme et l'apparition du cancer du poumon est une bonne illustration de la lente évolution des cellules vers un stade cancéreux, même en présence d'un agent aussi cancérigène que le tabac. L'absence d'effets néfastes à court terme explique aussi en bonne partie pourquoi le tabagisme a pu s'implanter dans de larges segments de la population, y compris parmi les professionnels de la santé, les fumeurs ne pouvant tout simplement pas soupçonner que l'exposition continue au tabac soutenait la lente mais inexorable progression du cancer.

La fumée de cigarette contient au moins 3 500 composés distincts, dont plusieurs contribuent aux cancers du poumon liés au tabagisme. Par exemple, le plant de tabac a la curieuse propriété d'incorporer dans ses feuilles le polonium 210, un isotope radioactif formé par la décomposition de l'uranium de la croûte terrestre. Bien que présent en quantité infime, ce polonium 210 est absorbé avec chaque bouffée de cigarette et s'accumule progressivement dans les voies respiratoires, de sorte qu'un fumeur d'un paquet de cigarettes par jour est exposé en une seule année à une radiation équivalente à 300 radiographies (rayons X) de sa cage thoracique. Le polonium, 250 millions de fois plus toxique que le cyanure, a d'ailleurs été utilisé pour assassiner l'ex-agent du KGB Alexandre Litvinenko, alors en exil à Londres.

En plus des poumons, plusieurs autres organes sont exposés aux cancérigènes du tabac,

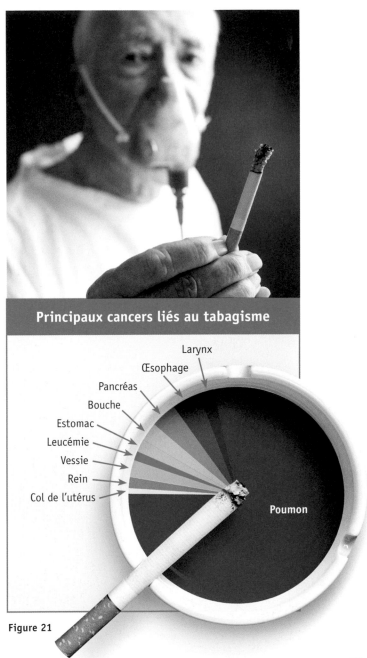

Principaux cancers liés au tabagisme

Larynx
Œsophage
Pancréas
Bouche
Estomac
Leucémie
Vessie
Rein
Col de l'utérus

Poumon

Figure 21

et au moins dix types distincts de cancers sont associés au tabagisme (Figure 21).

Le système digestif supérieur (bouche, larynx, pharynx et œsophage), directement en contact avec la fumée de cigarette, est une cible évidente de ces cancérigènes, mais d'autres organes internes sont également à haut risque. Par exemple, les fumeurs ont deux ou trois fois plus de risques de développer un cancer de la vessie, car leur urine contient des quantités élevées d'amines aromatiques cancérigènes, comme la 2-naphthylamine et le amino-4-diphényle, qui provoquent des dommages importants à l'ADN des cellules de la muqueuse. Les cancers de la vessie associés au tabagisme sont en hausse marquée, ces dernières années, une autre conséquence probable de l'absorption accrue de cancérigènes causée par l'inhalation plus profonde de la fumée de cigarette.

Tous ces facteurs, alliés à l'impact négatif du tabac sur le fonctionnement de plusieurs organes, en particulier les systèmes respiratoire et cardiovasculaire, font que le tabagisme est associé à une réduction spectaculaire de l'espérance de vie, les personnes qui fument durant toute leur vie adulte mourant en moyenne dix ans plus tôt que les non-fumeurs.

Briser les chaînes

Les effets bien documentés du tabac sur la santé ont entraîné des réactions vigoureuses des agences de santé publique de la plupart des pays du monde. Les campagnes d'information à grande échelle, une hausse importante des taxes sur le tabac, l'abolition de la publicité et l'interdiction de fumer dans les espaces publics ont toutes permis de diminuer significativement le pourcentage de fumeurs dans le monde, qui est passé de 41 % en 1980 à 31 % en 2012 pour les hommes, et de 11 à 6 % pour les femmes. Dans des pays comme le Canada, la Norvège ou l'Islande, cette réduction est encore plus spectaculaire, mais 20 % environ de la population fume encore à l'heure actuelle.

Il est difficile de cesser de fumer, mais ces baisses marquées de l'usage du tabac montrent que des millions de personnes y sont parvenues, la plupart d'entre elles sans assistance. Même de nos jours, où plusieurs aides au sevrage existent, la grande majorité des personnes qui cessent de fumer le font d'elles-mêmes, sans aide pharmacologique ou psychologique. Les substituts nicotiniques ou des médicaments comme le bupropion (Zyban) ou la varénicline (Champix) peuvent s'avérer utiles, puisqu'ils augmentent d'environ 50 % le taux de réussite du sevrage, mais ils n'ont rien de miraculeux : c'est la motivation à arrêter qui demeure le principal facteur responsable du succès de l'abstinence au tabac.

En ce sens, est-il possible de réduire encore plus ce « plancher » de fumeurs irréductibles ou qui ne parviennent pas à arrêter ? Il s'agit d'une question délicate, car si un aussi grand nombre de personnes persistent à fumer en dépit des prix exorbitants des cigarettes, de l'interdiction

de fumer dans l'ensemble des lieux publics et dans plusieurs domiciles (le quart des fumeurs ne fument pas dans leur propre maison), il est probable que les approches coercitives actuelles atteindront bientôt leurs limites. On peut assurément améliorer certains aspects des lois en bannissant le tabac des espaces publics extérieurs, par exemple, mais si on exclut la prohibition (en raison du risque d'effet boomerang observé lors de la prohibition de l'alcool), il est difficile d'imaginer comment la société pourrait imposer un environnement encore plus restrictif aux fumeurs. Compte tenu du caractère hautement addictif de la nicotine, le seul moyen de réduire véritablement le tabagisme à plus long terme est d'éviter qu'une nouvelle clientèle expérimente le goût du tabac.

au mépris des conséquences sur la santé de la population, la seule façon de mettre un terme à cette influence est de modifier les lois actuelles de manière à bannir complètement les produits du tabac aromatisés, y compris ceux au menthol.

L'arrivée sur le marché de la cigarette électronique, ou « e-cigarette », pourrait aussi ajouter une nouvelle dimension à la lutte contre le tabac (Figure 22). Le principe à la base de ces produits est relativement simple : une solution de nicotine dans de la glycérine ou du propylène glycol est chauffée à l'aide d'un atomiseur, ce qui génère une « vapeur » blanche d'apparence similaire à la fumée de cigarette. Le « vapoteur » inhale donc une petite quantité de nicotine, comme un fumeur, mais la vapeur ne contient pas les multiples molécules cancérigènes et les particules fines formées par la combustion du tabac. Ces produits sont donc essentiellement des vecteurs d'administration d'une drogue, la nicotine, mais beaucoup moins dangereux que les cigarettes traditionnelles, tant en matière de cancer que de maladies du cœur ou des poumons.

Pour ce faire, il faut tout d'abord garder en tête que les compagnies de tabac n'ont aucun scrupule quant à l'impact catastrophique de leurs produits sur la santé et sont déterminées à les vendre coûte que coûte.

Dans un tel contexte, les jeunes constituent une cible privilégiée des cigarettiers, et on assiste depuis les dernières années à une mise en marché très agressive de nouveaux produits dont les saveurs (chocolat, menthe, cerise, bonbon) sont clairement destinées à attirer les jeunes adultes. Puisque cette industrie est incapable de s'autodiscipliner et continue de promouvoir ses produits

L'utilisation des e-cigarettes est accueillie avec enthousiasme par un grand nombre de professionnels de la santé qui composent quotidiennement avec les ravages causés par le tabac. Il s'agit selon eux d'une stratégie valable de réduction des dommages de la cigarette, une approche qui cible les conséquences plutôt que les comportements, un peu comme les programmes d'échanges de seringues pour les toxicomanes sont utilisés pour réduire les risques de sida ou d'hépatites.

Des études récentes indiquent que les e-cigarettes augmentent de 60 % le taux de réussite de sevrage tabagique, ce qui suggère que ces produits ne sont pas seulement des alternatives au tabac mais pourraient aussi s'avérer des outils intéressants pour cesser de fumer. Pour les opposants à toute forme de tabagisme, par contre, les e-cigarettes ne sont qu'une sorte de cheval de Troie, un tremplin vers une renormalisation du tabac qui pourrait renverser les gains réalisés au cours des dernières années. Il est évidemment essentiel de strictement réglementer la promotion et la vente de ces produits, surtout auprès des jeunes, afin de réduire autant que possible leur exposition à cette substance toxique ; des études récentes indiquent

aussi que la vapeur des e-cigarettes contient des niveaux élevés de nanoparticules qui stimulent l'inflammation et haussent le risque d'asthme, de maladies du cœur et de diabète. Cependant, on ne peut balayer du revers de la main la réduction des dommages associée au remplacement des cigarettes actuelles par leurs dérivés électroniques, surtout pour les personnes qui sont dépendantes de la nicotine et qui sont incapables de se sevrer. Chaque année, 6 millions de personnes meurent de maladies causées par la cigarette, et l'élimination graduelle des produits du tabac traditionnels pourrait représenter un tournant majeur en prévenant des millions de morts prématurées au XXIe siècle.

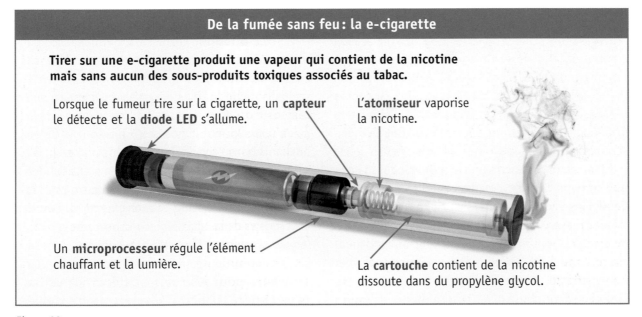

De la fumée sans feu : la e-cigarette

Tirer sur une e-cigarette produit une vapeur qui contient de la nicotine mais sans aucun des sous-produits toxiques associés au tabac.

Lorsque le fumeur tire sur la cigarette, un **capteur** le détecte et la **diode LED** s'allume.

L'**atomiseur** vaporise la nicotine.

Un **microprocesseur** régule l'élément chauffant et la lumière.

La **cartouche** contient de la nicotine dissoute dans du propylène glycol.

Figure 22

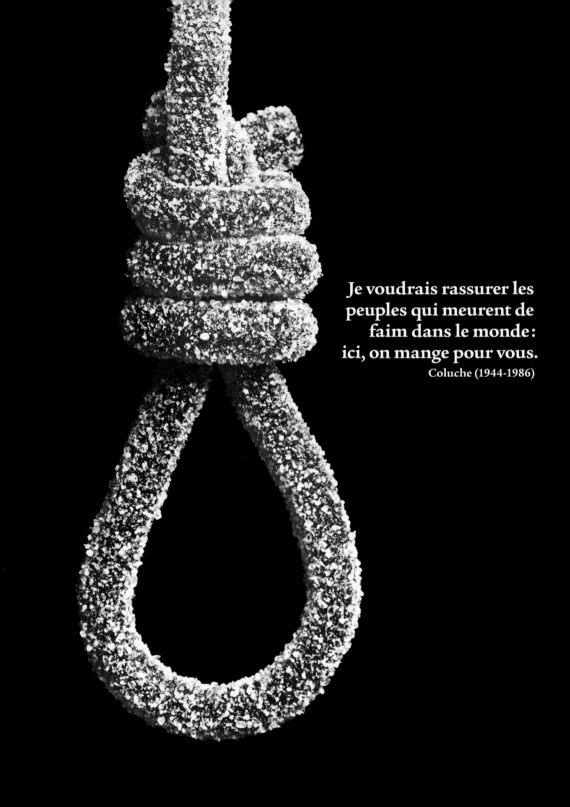

Je voudrais rassurer les
peuples qui meurent de
faim dans le monde :
ici, on mange pour vous.
Coluche (1944-1986)

Chapitre 3

Un univers en expansion

Recommandation

Demeurer aussi mince que possible, avec un indice de masse corporelle situé entre 21 et 23. Éviter les boissons gazeuses et réduire au minimum la consommation d'aliments très riches en énergie et contenant de fortes quantités de sucre et de gras. **Source: WCRF**

Au cours des dernières décennies, une multitude de produits surchargés de gras, de sucre, de sel et de farines raffinées, mais dépourvus de plusieurs nutriments essentiels, ont littéralement envahi l'espace public et entraîné une modification sans précédent des habitudes alimentaires de la population. Ces aliments, qu'il s'agisse de boissons gazeuses, de collations et de friandises, de repas surgelés ou d'autres produits « modernes » issus des multinationales alimentaires, sont très souvent de pures créations industrielles, un mélange d'ingrédients purifiés (gras, sucre, sel, additifs divers) qui ont été savamment assemblés pour donner naissance à des produits attrayants, faciles d'utilisation et pouvant être conservés sur de longues périodes. La plus grande révolution engendrée par ces produits industriels transformés a toutefois été de concentrer l'énergie contenue dans la nourriture à des niveaux sans précédent, plusieurs fois plus élevés que dans les aliments provenant de la nature. Une simple friandise, avalée en quelques secondes à peine, est une véritable « bombe » d'énergie contenant plus de calories qu'un repas complet, tandis qu'un simple trio de restauration rapide mangé sur le pouce, parfois même dans la voiture, peut combler presque à lui seul les besoins caloriques pour une journée entière. L'impact de cette industrialisation de la nourriture a été remarquable : alors que ces produits n'existaient pas il y a un siècle à peine, ils représentent actuellement plus de 75 % des ventes de nourriture à l'échelle mondiale.

Optimum sensoriel

Le contenu calorique élevé des produits alimentaires industriels n'est pas le seul responsable de la popularité de ces aliments. Le sucre et le gras sont des sources d'énergie essentielles à la survie, et nous sommes biologiquement attirés par ces substances, mais il ne viendrait à l'idée de personne de manger directement à partir du sucrier les quelque dix cuillerées de sucre contenues dans une canette de boisson gazeuse, ni de boire les quatre cuillerées d'huile à cuisson présentes dans un petit sac de croustilles. Si un grand nombre de ces produits industriels sont aussi attirants, c'est

surtout parce qu'ils ont été soigneusement élaborés pour induire un « optimum sensoriel », soit la réaction la plus favorable possible du cerveau en réponse au goût, à l'apparence et à la texture de ces aliments. Une réussite sur toute la ligne, d'ailleurs, car plusieurs études ont clairement démontré que la simple vue de ces aliments industriels riches en sucre et en gras est suffisante pour activer les régions cérébrales impliquées dans le circuit de la récompense et responsables de la sensation de plaisir. Une étude réalisée par résonance magnétique, une technologie qui permet de visualiser en temps réel l'activité du cerveau, a même révélé qu'une seule cuillerée de crème glacée est suffisante pour stimuler ces zones cérébrales ! Les aliments industriels qui pullulent dans notre environnement n'ont donc rien d'anodin ; il s'agit en réalité de produits très complexes dont la pauvreté nutritionnelle est masquée par un surplus de sucres et de gras agencés de façon à créer une « expérience » cérébrale unique qui encourage leur consommation.

Paradis artificiels

Plusieurs études réalisées sur des rongeurs ont clairement établi que l'activation des circuits cérébraux de la récompense par le sucre et le gras présente de grandes similitudes avec celle qui est provoquée par certaines drogues. Par exemple, des animaux ayant le choix entre une boisson sucrée et une dose intraveineuse de cocaïne préfèrent le sucre. De la même façon, des animaux qui ont un libre accès à des aliments gras, comme des saucisses, du bacon ou du gâteau au fromage, deviennent rapidement dépendants de cette nourriture, une addiction caractérisée par la consommation compulsive de ces aliments, et cela même lorsqu'elle est associée à l'administration de chocs électriques. Cette dépendance au gras s'accompagne aussi d'une tolérance envers ces aliments associée à une diminution de la production de dopamine responsable de la sensation de plaisir, ce qui pousse les animaux à manger encore plus pour compenser cette carence hédonique. Une diminution de la réponse de récompense a aussi été observée chez les humains après la consommation fréquente de crème glacée, cette tolérance pouvant favoriser une surconsommation subséquente de l'aliment pour obtenir la satisfaction recherchée. Puisque la perte de contrôle et la tolérance à une substance sont des caractéristiques bien connues de la dépendance aux drogues, plusieurs chercheurs ont émis l'hypothèse que la surcharge en sucre et en gras des aliments industriels modernes pourrait être addictive et induire chez certaines personnes une dépendance similaire à celle qui est associée à l'usage de drogues.

Calories à vendre

Contrairement aux drogues, la nourriture est essentielle à la vie, et il est difficile d'établir précisément le degré de dépendance engendré par la consommation répétée d'aliments

hypercaloriques. Ce qu'on peut affirmer sans risque de se tromper, par contre, c'est que l'industrie alimentaire est pour sa part totalement dépendante de ces produits, sans lesquels elle ne peut espérer maintenir son emprise sur nos habitudes alimentaires. Ce n'est d'ailleurs pas un hasard si cette industrie consacre des moyens considérables à cibler les jeunes à l'aide de publicités, de jouets ou de placements de produits ; il s'agit d'un effort délibéré pour fidéliser le plus tôt possible une toute nouvelle génération de consommateurs en influençant dès l'enfance leur goût pour le gras et le sucré. Il ne faut donc pas voir les aliments industriels hypertransformés comme une source de nourriture comme les autres, mais bel et bien comme des marchandises, des produits de consommation fabriqués à partir d'ingrédients bas de gamme et peu coûteux, mais qui, en raison de leur attrait calorique et d'une mise en marché très agressive, parviennent à être vendus à grande échelle et à générer des profits faramineux. En Amérique, à peine une dizaine de géants alimentaires contrôlent plus de la moitié des ventes de nourriture, et il ne faut jamais oublier que le principal objectif de ces multinationales est d'afficher une croissance profitable pour les dirigeants et les actionnaires, même si cela entraîne la mise en marché de produits de piètre qualité du point de vue nutritionnel. Et qu'on le veuille ou non, comme pour l'industrie de la cigarette, les intérêts corporatifs de ces sociétés sont incompatibles avec la santé des consommateurs.

Surcharge calorique

L'impact immédiat de la prolifération des aliments industriels hypertransformés a été d'augmenter significativement la quantité de calories consommées par la population (Figure 23). Aux États-Unis, par exemple, l'arrivée massive de ces produits, à partir des années 1980, s'est accompagnée d'une hausse progressive de l'apport calorique, qui a atteint un sommet de 2 700 kcal par jour par personne au début du millénaire, soit une augmentation de 25 % par rapport à il y a vingt ans à peine.

Puisque le niveau d'activité physique est demeuré inchangé durant cette période, cet apport supplémentaire d'énergie a évidemment eu des répercussions majeures sur le poids corporel de la population : 70 % des personnes sont actuellement en surpoids (IMC > 25) – comparativement à 50 % de la population en 1980 – dont 34 % sont même obèses (IMC > 30), presque le triple par rapport à il y a trente ans (Figure 24).

L'omniprésence du sucre dans l'alimentation industrielle moderne est la grande responsable de cette consommation de calories excédentaires. Alors que le sucre était un ingrédient presque exclusivement retrouvé dans les desserts ou autres petites « gâteries » occasionnelles, on estime que 80 % des quelque 600 000 produits alimentaires

(Suite page 67)

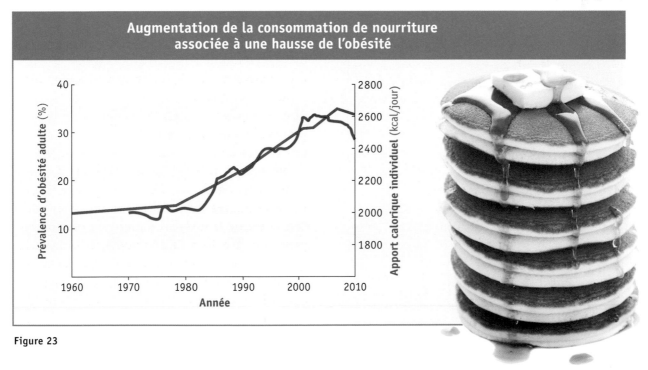

Augmentation de la consommation de nourriture associée à une hausse de l'obésité

Figure 23

Excès de sucre

Le sucre que l'on ajoute aux aliments industriels est principalement sous forme de sucrose (le sucre de table) ou de sirop de maïs enrichi en fructose (*high fructose corn syrup*, ou HFCS, en anglais). Dans les deux cas, ces sucres sont formés par l'assemblage d'une molécule de glucose et d'une molécule de fructose : ce que l'on appelle sucrose est un sucre composé de 50 % de glucose et de 50 % de fructose, alors que le HFCS contient quant à lui 45 % de glucose et 55 % de fructose. Si le HFCS est une pure création industrielle et qu'il peut sembler plus nocif que le sucre de table « naturel », ces deux sucres sont biochimiquement similaires et exercent donc des effets identiques sur l'organisme.

Une consommation excessive de sucre est néfaste pour la santé, car elle provoque une surcharge des mécanismes qui servent à maintenir les concentrations de glucose et de fructose à des niveaux compatibles avec le bon fonctionnement de l'organisme. Une quantité de glucose qui excède les besoins énergétiques, par exemple, est convertie en graisse et entreposée par la suite dans le tissu adipeux, ce qui mène avec le temps à une augmentation de la masse corporelle. La gestion du fructose excédentaire, quant à elle, est encore plus problématique, car notre métabolisme est démuni face à cette substance qui s'accumule dans le foie, où elle est tranformée en gras. (Ce processus sert d'ailleurs à la fabrication de foie gras par gavage des oies ou des canards avec du maïs comme source de fructose.) Ces réponses du corps à l'excédent de sucre peuvent à la longue causer des dérèglements majeurs du métabolisme, notamment l'apparition d'une hyperglycémie chronique qui peut mener au diabète de type 2.

Les boissons gazeuses offrent possiblement la meilleure illustration des effets néfastes associés à une consommation excessive de sucre. Ces boissons, tout comme leurs dérivés modernes (boissons énergisantes ou sportives, eaux vitaminées, divers cocktails à base de jus), sont de véritables « bombes » caloriques pouvant contenir plus de 40 g de sucre par canette. Très populaires auprès des jeunes, elles peuvent représenter jusqu'à 15 % de l'apport calorique quotidien de ceux-ci. Plusieurs études ont clairement montré que la consommation de ces boissons est associée à un gain de poids, entre autres parce que les calories absorbées sous forme liquide n'activent pas le sens de la satiété et s'ajoutent donc à celles qui proviennent des aliments. En parallèle, l'excès de fructose qui découle de l'absorption d'aliments sucrés, comme les boissons gazeuses, semble perturber la fonction hépatique et entraîner des dérèglements importants des lipides sanguins, un facteur de risque de maladies cardiovasculaires, sans compter que des études récentes suggèrent que certaines cellules cancéreuses pourraient utiliser préférentiellement le fructose pour croître.

La découverte des édulcorants (l'aspartame et le sucralose [Splenda], par exemple) a révolutionné l'industrie des boissons gazeuses, car elle a permis aux fabricants d'offrir aux consommateurs des produits considérés plus « santé », dépourvus de sucre et donc de calories. Il s'agit pourtant d'un mirage, car plusieurs études ont montré que ces boissons ont un impact similaire à celui provoqué par la consommation de boissons gazeuses standards, c'est-à-dire un risque accru d'obésité, de diabète de type 2, de maladies cardiovasculaires et de syndrome métabolique. Les données actuellement disponibles suggèrent que le cerveau n'aime pas qu'on cherche à le berner avec de « faux sucres » qui ne contiennent aucune calorie : le sucre est essentiel au fonctionnement du cerveau et l'absence de calories crée un état « d'insatisfaction » caractérisé par une activation moins forte des centres de récompense cérébraux habituellement stimulés par le sucre. Le cerveau réagit alors en stimulant l'appétit face à d'autres aliments sucrés de façon à compenser l'absence de calories des édulcorants, ce qui peut provoquer la consommation d'un excès de calories. Les boissons gazeuses, qu'elles soient diètes ou non, sont réellement de mauvais aliments qui dérèglent notre métabolisme et favorisent le développement de maladies chroniques graves qui réduisent l'espérance de vie. Il n'y a donc aucune raison de consommer ces boissons régulièrement, même pour se désaltérer.

Indice de masse corporelle (IMC) d'adultes

IMC	Classement
De 18,5 à 24,9	Poids normal
De 25 à 29,9	Surpoids
30 à 39,9	Obésité
40 et plus	Obésité morbide

L'IMC est calculé selon l'équation
$IMC = poids\ en\ kg/(taille\ en\ m)^2$.

Figure 24

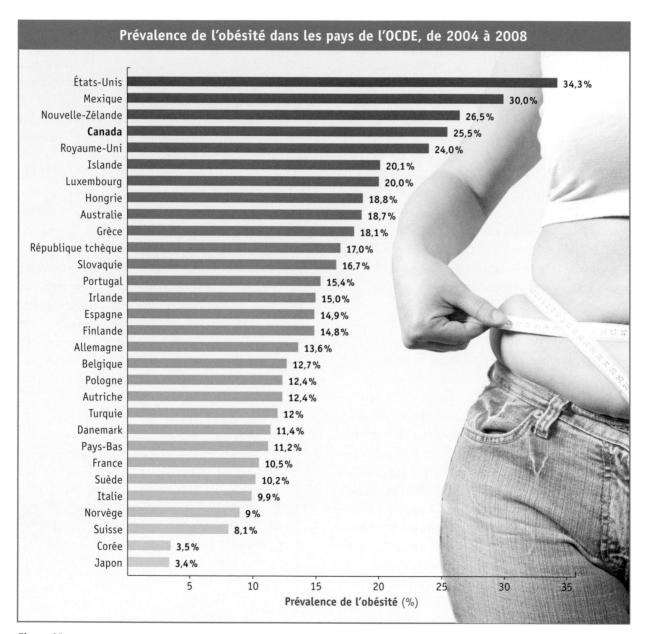

Prévalence de l'obésité dans les pays de l'OCDE, de 2004 à 2008

Pays	Prévalence
États-Unis	34,3 %
Mexique	30,0 %
Nouvelle-Zélande	26,5 %
Canada	25,5 %
Royaume-Uni	24,0 %
Islande	20,1 %
Luxembourg	20,0 %
Hongrie	18,8 %
Australie	18,7 %
Grèce	18,1 %
République tchèque	17,0 %
Slovaquie	16,7 %
Portugal	15,4 %
Irlande	15,0 %
Espagne	14,9 %
Finlande	14,8 %
Allemagne	13,6 %
Belgique	12,7 %
Pologne	12,4 %
Autriche	12,4 %
Turquie	12 %
Danemark	11,4 %
Pays-Bas	11,2 %
France	10,5 %
Suède	10,2 %
Italie	9,9 %
Norvège	9 %
Suisse	8,1 %
Corée	3,5 %
Japon	3,4 %

Prévalence de l'obésité (%)

Figure 25

disponibles actuellement contiennent des sucres ajoutés. Presque rien n'est épargné, qu'il s'agisse des céréales, collations, pains, vinaigrettes, sauces ou yogourts, surtout lorsque ces produits sont proposés dans une version « faible en matières grasses » : un simple yogourt 0 % de matières grasses et aromatisé à la vanille peut contenir jusqu'à cinq cuillerées à thé de sucre, soit la moitié retrouvée dans une canette de boisson gazeuse ! Nous sommes donc quotidiennement exposés à des quantités faramineuses de sucre, bien souvent malgré nous, et plusieurs chercheurs soutiennent que cette consommation accrue pourrait être à l'origine de la hausse rapide de la proportion de la population en surpoids observée au cours des dernières années (voir encadré p. 65).

Surpoids sans frontières

Si les Américains sont incontestablement les champions « poids lourds » à l'échelle mondiale, les habitants d'autres pays ont aussi vu leur tour de taille augmenter considérablement au cours des dernières années (Figure 25). La mondialisation des échanges commerciaux a permis la diffusion d'une vaste gamme d'aliments industriels transformés dans l'ensemble du monde, et tous les pays, sans exception, qui ont adopté ces nouvelles habitudes alimentaires doivent composer avec une plus grande proportion d'individus obèses. La forte progression de la consommation de produits industriels hypercaloriques,

dans les pays en transition économique, est à cet égard particulièrement troublante, car la hausse de l'obésité qui en découle coexiste dans plusieurs cas avec une insécurité alimentaire et une malnutrition de ces populations.

La grande disponibilité et le faible coût des aliments hypertransformés permettent aux personnes pauvres de subvenir à leurs besoins en énergie, mais la carence en éléments nutritifs de ces aliments fait en sorte que l'excès de calories s'accompagne paradoxalement d'une carence nutritionnelle. L'industrialisation à outrance de l'alimentation sans égard pour la santé des consommateurs fait en sorte que la surnutrition et la sous-nutrition peuvent se produire simultanément dans une population, et parfois au sein d'une même famille. Il s'agit d'une véritable tragédie responsable de l'une des plus grandes inégalités : 1 milliard de personnes qui souffrent de la faim pendant que 2 milliards sont en surpoids.

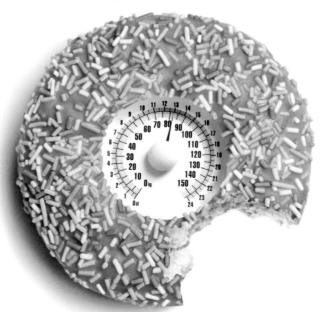

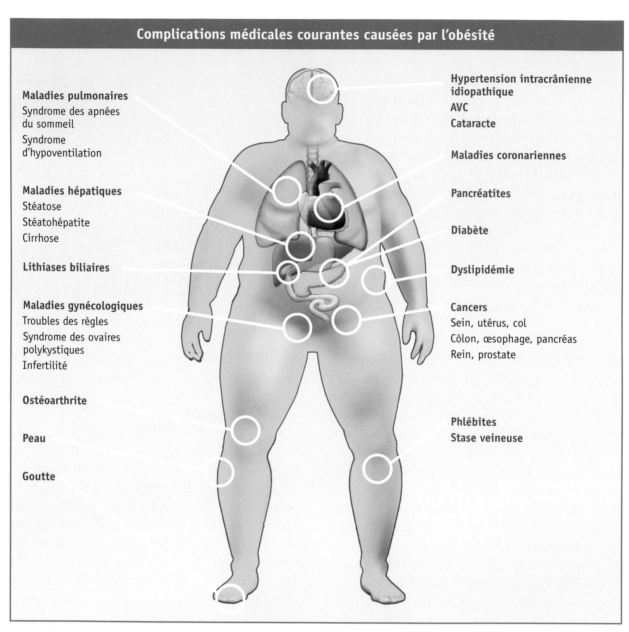

Complications médicales courantes causées par l'obésité

Maladies pulmonaires
Syndrome des apnées
du sommeil
Syndrome
d'hypoventilation

Maladies hépatiques
Stéatose
Stéatohépatite
Cirrhose

Lithiases biliaires

Maladies gynécologiques
Troubles des règles
Syndrome des ovaires
polykystiques
Infertilité

Ostéoarthrite

Peau

Goutte

**Hypertension intracrânienne
idiopathique**
AVC
Cataracte

Maladies coronariennes

Pancréatites

Diabète

Dyslipidémie

Cancers
Sein, utérus, col
Côlon, œsophage, pancréas
Rein, prostate

Phlébites
Stase veineuse

Figure 26

Obésité et cancer

Une des conséquences les plus graves de l'épidémie d'obésité qui déferle actuellement sur la planète, dans les pays riches autant que dans les pauvres, est l'augmentation radicale de plusieurs maladies associées au surpoids (Figure 26). Le tissu adipeux n'est pas une masse inerte qui ne sert qu'à accumuler passivement l'excédent d'énergie sous forme de graisse ; les cellules qui composent ce tissu, les adipocytes, sont au contraire très dynamiques et relâchent une foule d'hormones, dont la leptine et l'adiponectine, qui jouent un rôle très important dans le contrôle adéquat du métabolisme. En revanche, lorsque les adipocytes accumulent une quantité excessive de gras, le stress qui leur est imposé bouleverse leur fonctionnement et crée un climat d'inflammation chronique de faible intensité, invisible et indétectable, mais qui perturbe néanmoins l'équilibre général du corps. Le tissu adipeux des personnes obèses agit comme un véritable aimant qui attire les cellules inflammatoires du système immunitaire, en particulier les macrophages, et la production de facteurs inflammatoires par ces cellules joue un rôle prédominant dans la hausse spectaculaire du risque de maladies intimement associées à l'obésité, comme le diabète de type 2 et les maladies cardiovasculaires.

Plusieurs études indiquent que le surpoids représente également un facteur important de risque de cancer. L'augmentation de l'indice de masse corporelle est liée à une hausse significative

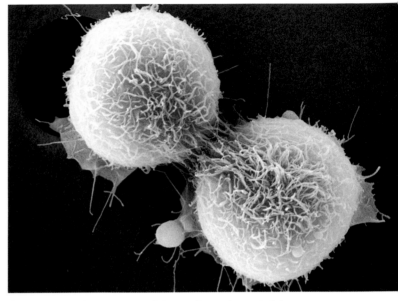

^ Cellules cancéreuses vues au balayage électronique colorisé.

de l'incidence de cette maladie et de la mortalité qui y est associée, particulièrement pour les cancers de l'œsophage, de l'endomètre, du côlon, du sein et du rein (Figure 27).

Parmi les mécanismes en cause, la multiplication de certaines molécules inflammatoires qui découle de l'excès de graisse instaure des conditions favorables à l'apparition de mutations parmi les cellules précancéreuses (voir p. 20). Il est d'ailleurs intéressant de noter que plusieurs des cancers fréquents chez les personnes obèses touchent des organes de la cavité abdominale (endomètre, côlon, rein), possiblement parce que l'excédent de graisse qui enveloppe ces organes procure un environnement riche en molécules inflammatoires qui

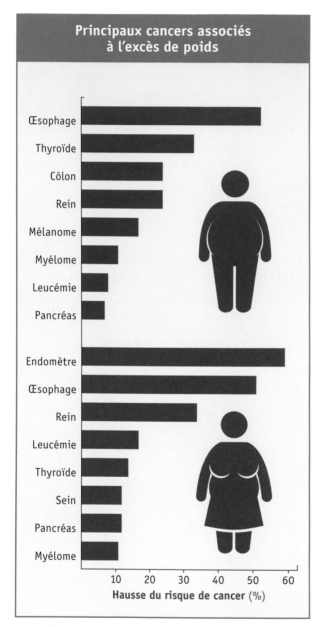

Principaux cancers associés à l'excès de poids

Œsophage
Thyroïde
Côlon
Rein
Mélanome
Myélome
Leucémie
Pancréas

Endomètre
Œsophage
Rein
Leucémie
Thyroïde
Sein
Pancréas
Myélome

10   20   30   40   50   60

Hausse du risque de cancer (%)

Figure 27   D'après Khandekar, 2011.

soutiennent la progression du cancer. Plus l'excédent de graisse est important, plus ce soutien est favorisé. Par exemple, les hommes qui ont accumulé 20 kg durant leur vie adulte ont 60 % plus de risques de développer un cancer du côlon que ceux qui sont parvenus à limiter leur gain de poids à moins de 5 kg. Cet effet procancéreux des molécules inflammatoires est observé même lorsqu'une personne en surpoids est considérée en bonne santé métabolique, c'est-à-dire qu'elle ne présente pas de signes avant-coureurs de diabète, d'hypertension ou de maladies du cœur. Être à la fois obèse et en bonne santé est donc un mythe, car les personnes en surpoids sont à plus haut risque de développer certains cancers que les personnes de poids normal.

D'autres facteurs peuvent également contribuer à la hausse du risque de cancer associée au surpoids. Les personnes obèses ont des taux d'hormones stéroïdiennes considérablement modifiés comparativement aux personnes minces, conséquence d'une hyperactivité de l'aromatase, une enzyme qui convertit les androgènes en œstrogènes dans les cellules adipeuses. Ce surplus d'œstrogènes pourrait jouer un rôle important dans l'éclosion de cancers dépendants de ces hormones, comme ceux du sein, de l'utérus et des ovaires. Un autre effet négatif de l'obésité est de modifier fondamentalement le métabolisme du sucre en perturbant la capture du glucose sanguin par les organes en réponse au signal de l'insuline. Ce phénomène, appelé résistance à l'insuline, est associé à une augmentation du taux de sucre dans la circulation sanguine (hyperglycémie), ainsi qu'à un surplus d'insuline, sécrétée en trop grande quantité par le pancréas pour compenser son activité plus faible. Après un certain temps, la fonction sécrétrice du pancréas s'amenuise, et la disparition de l'insuline mène au diabète de type 2.

Plusieurs études indiquent que ces dérèglements du métabolisme du glucose pourraient jouer un rôle important dans le développement de plusieurs types de cancer chez les personnes en surpoids. Par exemple, le diabète est associé à une augmentation d'environ 40 % du risque de cancer du sein, ce qui pourrait expliquer la hausse alarmante de ce cancer à l'échelle mondiale à la suite de la propagation des mauvaises habitudes alimentaires modernes. Mais, même en l'absence de diabète, l'hyperglycémie semble suffisante pour élever le risque de cancer, les personnes présentant un taux de glucose à jeun supérieur à la normale ayant jusqu'à deux fois plus de risques de mourir prématurément de cette maladie (Figure 28).

Nourriture pour bébés

En plus de leurs effets métaboliques, les aliments industriels affichent une pauvreté marquée en molécules complexes essentielles au bon fonctionnement de la flore microbienne du côlon. Non seulement ces aliments sont trop riches en calories, mais cette énergie est trop facilement assimilée par l'intestin et ne laisse que peu de substrats pour nourrir les centaines de milliards

de bactéries qui normalement se régalent des amidons complexes et des fibres alimentaires présents dans l'alimentation. Les amidons et les fibres d'une légumineuse ou d'un pain de grains entiers, par exemple, sont en grande partie fermentés dans le côlon par les bactéries résidentes, ce qui génère des produits bénéfiques, comme des acides gras à courtes chaînes, qui agissent comme anti-inflammatoires. Cette activité de fermentation est très importante pour la santé, mais elle demeure largement inexploitée à l'heure actuelle, puisque la nourriture est intentionnellement fabriquée pour être avalée et digérée rapidement, et est donc dépourvue de ces molécules complexes. Par exemple, alors qu'on estime qu'une

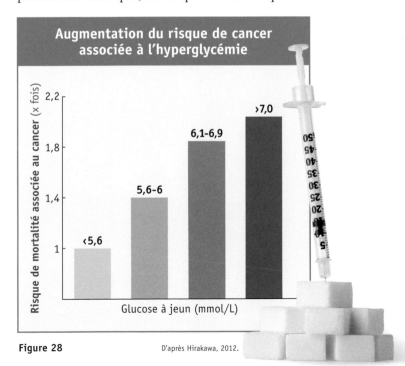

Augmentation du risque de cancer associée à l'hyperglycémie

Risque de mortalité associée au cancer (x fois) — axe vertical : 1, 1,4, 1,8, 2,2

Valeurs des barres : <5,6 ; 5,6-6 ; 6,1-6,9 ; >7,0

Glucose à jeun (mmol/L)

Figure 28　　　　D'après Hirakawa, 2012.

bouchée de nourriture « normale » doit être mastiquée environ vingt-cinq fois avant d'être avalée, l'absence de fibres dans les aliments industriels, combinée à leur contenu élevé en gras qui agit comme lubrifiant, fait en sorte que seulement dix mastications en moyenne sont maintenant nécessaires. L'alimentation industrielle moderne est donc une véritable « nourriture pour bébés pour adultes » élaborée pour être ingérée avec un minimum d'effort tout en procurant un maximum d'énergie à l'organisme.

Plusieurs observations indiquent que ce type d'alimentation perturbe l'équilibre de la flore intestinale et qu'il pourrait contribuer à l'augmentation du risque de certains cancers associés à l'obésité. Par exemple, l'analyse de selles de patients atteints d'un cancer du côlon montre une diminution des bactéries impliquées dans la digestion des fibres alimentaires et reconnues pour jouer un rôle protecteur contre le cancer colorectal, alors que des bactéries dont le métabolisme génère des molécules inflammatoires sont multipliées de façon significative. Ces différences contribueraient également à l'apparition du cancer du foie, car certaines bactéries préférentiellement présentes chez les personnes obèses produisent de l'acide désoxycholique, un dérivé de la bile qui s'attaque à l'ADN des hépatocytes et provoque des mutations génétiques. La composition de la flore intestinale pourrait aussi jouer un rôle dans l'augmentation du poids corporel des personnes obèses, et donc dans le risque de cancer qui s'ensuit, car les bactéries présentes dans leurs intestins sont plus efficaces à extraire l'énergie contenue dans la nourriture. Les éleveurs industriels savent depuis longtemps que les antibiotiques accélèrent la prise de poids chez les animaux, et certains chercheurs ont lié cette croissance à une perturbation de la flore intestinale qui favoriserait les bactéries à plus «haut rendement énergétique». Quoi qu'il en soit, ces modifications à la flore bactérienne ne sont pas irréversibles, et le simple fait d'intégrer une abondance de végétaux aux habitudes alimentaires permet de rétablir les niveaux de bactéries utiles et de profiter de leur action positive sur la santé.

Le tabac du XXIᵉ siècle

L'exposition chronique de la population à des aliments peu coûteux, surchargés de sucre et de gras, et promus par des campagnes publicitaires incessantes et tapageuses est la grande responsable de l'explosion d'obésité qui ravage actuellement la planète. Ce mode d'alimentation est catastrophique pour la santé, car notre métabolisme a évolué pour fonctionner de façon optimale en conditions de rareté de nourriture et est complètement inadapté à cette surabondance d'énergie. Les dérèglements métaboliques et l'inflammation chronique générés par l'excès de poids créent donc des conditions idéales pour l'apparition de plusieurs maladies, dont le cancer. La mondialisation de l'obésité permet d'ailleurs d'assister en temps réel

aux conséquences désastreuses des habitudes alimentaires actuelles sur le risque de cancer, avec chaque année près de 22 millions de nouveaux cas de cancers qui vont toucher les pays en développement. Déjà aux prises avec les cancers liés à des infections (cancers du foie, de l'estomac et du col de l'utérus), ces pays sont maintenant aussi confrontés à des cancers autrefois très rares chez eux, comme ceux du sein et du côlon, une conséquence de la consommation de produits alimentaires industrialisés exportés par les pays riches, de l'obésité et du manque d'exercice.

Comme pour la dépendance au tabac, l'obésité est essentiellement le résultat malheureux d'une idéologie où priment les intérêts financiers

Principales stratégies utilisées par l'industrie alimentaire pour justifier la commercialisation de ses produits

- Invoquer la responsabilité personnelle comme cause de la mauvaise alimentation générale.
- Soutenir qu'une réglementation accrue de l'État porterait atteinte aux libertés individuelles.
- Dénigrer les critiques à l'aide d'un langage extrémiste.
- Riposter contre les études défavorables en les dévaluant.
- Mettre l'accent sur l'activité physique plutôt que sur le régime alimentaire.
- Affirmer qu'il n'y a ni bons ni mauvais aliments.

Figure 29

de certaines compagnies sans considération pour le bien-être des consommateurs. D'ailleurs, la pénétration des marchés émergents par les produits de l'alimentation industrielle se fait en parallèle avec une hausse du tabagisme, ce qui suggère des tactiques commerciales similaires. Ce parallèle entre l'industrie de la malbouffe et celle du tabac est frappant lorsqu'on examine les stratégies utilisées par les géants alimentaires pour justifier leurs pratiques commerciales (Figure 29). Dans les deux cas, l'acte de consommer un produit est un choix individuel, et c'est donc au consommateur qu'incombe la responsabilité d'éviter les excès qui pourraient mettre sa santé en danger.

D'autres arguments dont se sert souvent l'industrie, beaucoup plus insidieux ceux-là et malheureusement repris par plusieurs, sont qu'il n'y a pas de bons ni de mauvais aliments et que seul l'excès de consommation est néfaste. Pourtant, l'épidémie d'obésité actuelle n'aurait jamais pu se produire si aucun aliment n'était mauvais ! Les études démontrent clairement que la consommation régulière de boissons gazeuses ou de mets issus de la restauration rapide, même lorsqu'elle n'est pas excessive, est associée à une hausse marquée du risque d'obésité et des maladies qui en découlent, même chez les jeunes. C'est donc l'augmentation de l'offre de ces produits et la transformation des habitudes alimentaires qui représentent le véritable problème et qui sont responsables de la détérioration de l'état de santé de la population observée même dans les régions autrefois considérées comme des références en matière d'alimentation (Okinawa et la Crète). Il faut être critique face à cette industrie et réaliser que les aliments hypertransformés qui nous sont proposés sont mauvais pour la santé, tout simplement parce que les risques à long terme associés à leur consommation surpassent les bénéfices qu'ils procurent à court terme. L'exemple de la cigarette montre qu'une substance non toxique à court terme peut le devenir à plus long terme si sa consommation est régulière. Il ne faut donc pas répéter l'erreur commise en matière de tabac en attendant que les dommages causés par l'obésité atteignent des proportions démesurées avant de réagir. Face à cette industrie, le consommateur doit se prendre en main, et les autorités de santé publique doivent adopter des mesures adéquates pour protéger les plus vulnérables de la société, qui sont spécialement visés par des pratiques commerciales aussi irresponsables.

On peut se féliciter, avec raison, de la baisse significative du tabagisme, au cours des dernières décennies, mais il faut réaliser que l'augmentation de l'obésité pourrait à elle seule annihiler les bénéfices de la diminution du nombre de fumeurs. La situation est d'autant plus inquiétante que l'embonpoint et l'obésité touchent un nombre croissant d'enfants. Aux États-Unis, par exemple, l'obésité infantile a presque quadruplé en trente ans ; elle touchait 15 % des enfants de 6 à 11 ans en 2000. La grande majorité de ces enfants demeureront obèses une fois parvenus à l'âge adulte et seront par conséquent à haut risque de développer plusieurs types de cancer liés à l'obésité. La lutte contre l'obésité requiert donc une intervention très rapide, dès les premières années de la vie d'une personne, d'autant plus que le risque d'obésité s'établit très tôt – la moitié des enfants et des adolescents qui deviennent obèses présentent un excès de poids dès leur entrée à la maternelle.

On ne peut abuser que de
choses qui sont bonnes.
Montaigne (1533-1592)

Chapitre 4

Viande : quand le cancer voit rouge

Recommandation

Réduire la consommation de viandes rouges (bœuf, agneau, porc) à environ 500 g par semaine en les remplaçant par des repas à base de poissons, d'œufs ou de protéines végétales.

Source : WCRF

Le mot « viande », dérivé du latin *vivenda* (« ce qui sert à la vie »), a pendant longtemps servi à désigner la nourriture solide en général, qu'il s'agisse de pain, de légumes, de noix ou de plats plus élaborés préparés à base de chair d'animaux ou de poissons. Par exemple, au cours de la cérémonie qui entourait chaque souper de Louis XIV, à Versailles, lorsqu'on annonçait : « Messieurs, à la viande du roi ! », ce n'était pas tant à la chair animale qu'on faisait référence qu'à la substance « vitale » du repas dans son ensemble, indispensable à la vie du Roi Soleil. Ce n'est que plus tard qu'on emploiera le mot « viande » exclusivement pour désigner les porcs, bœufs, volailles et autres animaux comestibles, un glissement de sens qui reflète probablement l'attrait inné envers ces aliments ainsi que leur omniprésence dans l'alimentation humaine.

On peut évoquer plusieurs facteurs sociaux, culturels et économiques pour expliquer la place prédominante occupée par les viandes, mais la principale raison en est très simple : la plupart des gens adorent la viande tout simplement parce que la viande a un bon goût ! Si la viande crue n'a que peu d'intérêt culinaire, sa cuisson provoque une chaîne très complexe de réactions chimiques qui génèrent des milliers de molécules remarquablement odorantes, du 2-méthyl-3-furanthiol au 3-mercapto-2-pentanone, en passant par les centaines de substances volatiles produites par la réaction entre les sucres et les protéines de la viande. Certaines de ces molécules dégagent une odeur qui rappelle celle de fruits, d'autres, celles de champignons ou de noix, mais, collectivement, elles sont intégrées par notre cerveau pour donner naissance à une odeur nouvelle, inconnue dans la

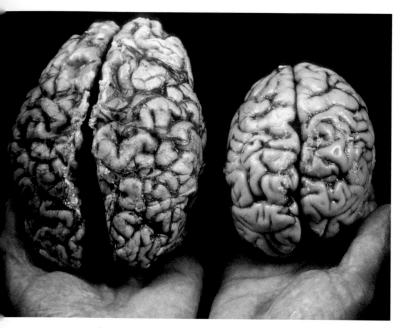

∧ Cerveau humain, à gauche, cerveau de gorille, à droite.

nature et qui n'existe que grâce à l'art culinaire : l'arôme incomparable produit par la cuisson d'un morceau de viande.

Et ce n'est pas tout ! En plus de son arôme unique, la cuisson de la viande libère également du glutamate et de l'inosinate, deux molécules détectées par des récepteurs localisés au niveau des bourgeons du goût de la langue. Ces récepteurs spécialisés dans la détection du goût umami (du japonais *umai*, « délicieux », et *mi*, « goût ») signalent au cerveau la présence d'un aliment riche en protéines, activant ainsi les régions cérébrales du plaisir et de la récompense, qui rendent les plats à base de viande si attirants. Et il peut être difficile d'y résister, car le liquide amniotique dans lequel baigne le fœtus regorge de glutamate, de sorte que nous avons été dès le début de notre vie exposés à la stimulation de ce centre du plaisir par cette substance.

D'herbivore à omnivore

L'attirance des humains pour la viande ne date pas d'hier. Il y a environ trois millions d'années, notre lointain ancêtre *Homo habilis* a délaissé l'alimentation traditionnelle des grands singes, basée presque exclusivement sur la consommation de végétaux, pour y inclure la viande qu'il prélevait de restes de carcasses abandonnées par des prédateurs. C'est ainsi qu'il a pris goût à la chair animale et est devenu chasseur. Il s'agissait d'une entreprise pour le moins dangereuse, car étant de petite taille (1,20 m et 40 kg), peu rapide et dépourvu de griffes ou de dents tranchantes, *Homo habilis* n'avait rien d'un chasseur, et encore moins d'un prédateur ! Mais ce changement allait avoir des conséquences extraordinaires sur la suite de notre évolution. D'une grande richesse en calories et en nutriments essentiels, la viande a permis d'apporter un surplus d'énergie indispensable au développement du cerveau, démarrant ainsi une boucle d'amplification qui allait favoriser l'évolution phénoménale des capacités cérébrales de notre espèce (voir encadré). Grâce à leur témérité, ces simples cueilleurs vulnérables sont devenus des prédateurs redoutables

Nourrir les méninges

Même si le cerveau humain ne représente que 2 % du poids corporel, il consomme à lui seul 20 % de toute l'énergie de l'organisme au repos. Maintenir un cerveau alerte requiert donc un apport énergétique considérable d'environ 6 calories par milliard de neurones. Pour soutenir le développement phénoménal du cerveau humain au cours de l'évolution, nos lointains ancêtres ont donc dû hausser leur apport énergétique d'environ 700 calories par jour.

Il n'y a pas de doute qu'il aurait été très difficile de répondre à une telle exigence en conservant le mode d'alimentation herbivore des grands singes ; un humain primitif ne consommant que des aliments de la végétation environnante aurait dû manger pendant plus de neuf heures par jour pour obtenir cette quantité supplémentaire de calories, ce qui était bien entendu impossible, compte tenu du temps requis pour trouver et récolter toute cette nourriture.

C'est la consommation de viande qui a permis de résoudre cette impasse énergétique et qui a servi de catalyseur à l'évolution du cerveau humain. D'une part, riche en calories et contenant une grande quantité de vitamines et de minéraux essentiels, la viande a su combler les besoins énergétiques de base indispensables à l'augmentation des fonctions cérébrales. D'autre part, et plus important encore, cette intelligence augmentée a par la suite pu servir à fabriquer des outils qui ont facilité

l'acquisition de viande ou d'aliments très denses en énergie mais auparavant inaccessibles, comme la moelle des os ou la cervelle, deux sources importantes de gras polyinsaturés essentiels au développement des neurones. Devenu plus intelligent, l'humain a pu domestiquer le feu et inventer la cuisson, une pratique qui a permis de rendre les aliments plus digestes, améliorant ainsi l'apport en calories et en nutriments essentiels. Une meilleure alimentation était aussi associée à un sevrage plus rapide des enfants et donc à un plus grand nombre de naissances par femme, ce qui a permis d'accélérer la croissance de la population humaine.

capables d'utiliser leur intelligence pour obtenir une source précieuse d'énergie sous forme de viande. Mais ces nouvelles habitudes alimentaires n'ont pas fait de nous des carnivores pour autant ! Nous apprécions et digérons la viande, bien sûr, mais nous n'avons ni l'anatomie (dents, mâchoires, estomac) ni la physiologie (métabolisme de l'acide urique) des animaux qui tirent l'essentiel de leur subsistance de chairs animales. Nous sommes plutôt des omnivores, biologiquement conçus pour consommer une nourriture surtout d'origine végétale, mais culturellement adaptés pour diversifier et bonifier cette alimentation en y intégrant différents aliments d'origine animale.

Le rouge et le blanc

La viande telle qu'on la consomme aujourd'hui est fort différente du gibier de l'époque préhistorique et résulte des efforts considérables consacrés à la domestication d'animaux sauvages par les premières civilisations. Que ce soit les moutons, les chèvres ou les bœufs dans le sud-est de la Turquie d'il y a dix mille ans, les porcs de la Turquie et de l'Asie d'il y a huit mille ans, ou encore les poulets du Sud-Est asiatique de la même époque, tous ces animaux ont permis aux humains de pouvoir compter sur un apport régulier en viande, en dépit d'un mode de vie plus sédentaire. Il est tout à fait remarquable que, dix mille ans plus tard, ces mêmes animaux

demeurent les piliers de l'alimentation humaine, avec le poulet, le bœuf et le porc qui représentent à eux seuls 90 % de toutes les viandes consommées chaque année au Canada (Figure 30).

Toutes ces viandes, qu'elles soient issues de bovins, d'ovins, de porcs ou de volailles, sont des muscles de structure similaire, c'est-à-dire formés de fibres musculaires, de tissu adipeux (graisse) et de tissu conjonctif (collagène). Il existe cependant des variations importantes dans la proportion de ces différentes composantes, notamment dans leur contenu en graisse, qui peut passer d'à peine 1 % chez les volailles à plus de 30 % chez le bœuf, selon la coupe. Ce contenu en gras est en grande partie responsable du goût très distinct

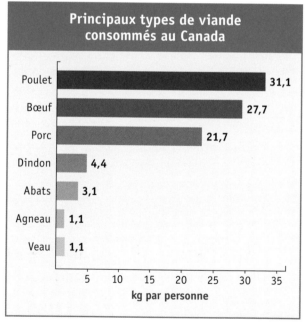

Figure 30

D'après Robitaille, 2012.

de ces viandes, surtout lorsqu'il est présent entre les fibres musculaires (le « persillé » du bœuf, par exemple, si recherché par les amateurs de cette viande, est en fait du gras intramusculaire). Cependant, la différence la plus visible entre ces types de viande est leur couleur : le bœuf et le porc, de même que l'agneau et le cheval, sont ce qu'on appelle des viandes rouges, tandis que les volailles, comme le poulet et le dindon, sont des viandes blanches. Mais qu'est-ce qui cause ces différences de couleur ? Ce qui peut sembler de prime abord une question anodine est au contraire d'une grande importance pour comprendre les impacts distincts des viandes sur la santé.

Viandes rouges

Contrairement à ce que plusieurs personnes pensent, une viande n'est pas rouge parce qu'elle contient du sang. Sa couleur vient plutôt de son contenu élevé en myoglobine, une protéine capable de capter l'oxygène grâce à son interaction avec un groupement hème, une structure qui contient un atome de fer. Ce fer héminique permet à la myoglobine de stocker l'oxygène dans les muscles et donc de soutenir l'intense activité métabolique nécessitée par la contraction musculaire. Les muscles qui sont sollicités pendant de longues périodes, comme ceux qui sont en cause dans le maintien de l'équilibre ou dans la marche, ont besoin de plus d'oxygène pour fonctionner et contiennent par conséquent plus de myoglobine (1 à 2 % chez le bœuf, 0,2 % chez le porc). Chez les animaux sauvages, qui sont beaucoup plus actifs (bison, élan), la quantité de myoglobine peut même atteindre des taux tellement élevés que la viande semble parfois noire !

Ce sont les changements dans cette interaction de la myoglobine avec l'oxygène qui sont responsables des variations de couleur qui accompagnent l'entreposage ou la cuisson d'une viande rouge. Par exemple, lorsque la température atteint environ 140 °F (60 °C), le fer de la myoglobine perd un électron (on dit alors qu'il est oxydé) et devient dès lors incapable de capter l'oxygène, ce qui génère la couleur brunâtre caractéristique de la viande cuite. Il ne faudrait donc pas dire qu'un steak est « médium saignant », puisqu'il ne contient pas de sang, mais plutôt que sa « myoglobine est partiellement oxydée » !

Il est aussi possible de modifier chimiquement la couleur d'une viande. Dans certains pays, une petite quantité de monoxyde de carbone (CO) est parfois ajoutée à la viande, ce qui permet d'éviter l'oxydation de la myoglobine et de donner une teinte rouge plus attrayante aux viandes empaquetées. Le rouge éclatant de ces viandes peut cependant persister même lorsque la viande est avariée, ce qui pose un risque accru d'intoxication alimentaire. Un autre exemple de coloration artificielle est le « *pink slime* », une pâte industrielle fabriquée à partir d'un amalgame de restes de morceaux de bœuf déchiquetés et traités à l'ammoniaque pour éliminer les bactéries. Ces conditions basiques donnent à la viande une couleur rose peu appétissante, ce qui n'empêche

toutefois pas les États-Unis d'autoriser son utilisation commerciale comme agent de remplissage pour la viande hachée ou des viandes transformées, comme les charcuteries.

Charcuteries

La préparation de la viande sous forme de charcuteries remonte à l'Antiquité, cette technique ayant été utilisée pour augmenter la durée de conservation des viandes, avant l'invention de la réfrigération. Car la richesse nutritionnelle de la viande n'est pas attirante seulement pour les humains, les micro-organismes en raffolent également et peuvent la rendre rapidement impropre à la consommation. Les Grecs et les Romains, par exemple, remplissaient les viscères ou les estomacs d'animaux avec du sang ou des morceaux de viande finement hachés auxquels ils ajoutaient du sel, des épices et des aromates comme agents de conservation. La présence de sel en grandes quantités est particulièrement importante, car le sel déshydrate partiellement la viande, réduisant ainsi l'humidité propice à la prolifération des pathogènes. D'ailleurs, le mot « saucisse » vient du latin *salsus*, qui signifie « salé ».

Les premiers charcutiers, dont le cuisinier grec Aphtonite, l'inventeur du boudin noir selon plusieurs, ignoraient que le sel qu'ils utilisaient contenait des traces de salpêtre (nitrate de potassium). Il s'agissait d'un heureux hasard, car les nitrates sont de puissants agents antibactériens, et il est certain que cette propriété a permis de sauver bon nombre de personnes d'intoxications potentiellement fatales, comme celles que cause le redoutable *Clostridium botulinum* (botulisme). Un autre avantage des nitrates est qu'ils se décomposent en nitrites, puis en oxyde nitreux (NO), un gaz qui peut se fixer à la myoglobine, générant une couleur rosée qui peut perdurer pendant plusieurs semaines.

Viandes blanches

Les viandes blanches sont constituées de fibres musculaires dites « rapides », c'est-à-dire qu'elles sont adaptées pour permettre à l'organisme de déployer une force pendant une courte période de temps sans utiliser d'oxygène. Ces muscles n'ont donc pas de myoglobine, ou très peu, et tirent plutôt leur énergie du glycogène, un polymère de glucose qui sert de réservoir au sucre comme « carburant » nécessaire à la contraction musculaire. Les volailles, comme le poulet ou le dindon, volent peu et sont adaptées pour faire des mouvements brusques mais courts avec leurs ailes ; les muscles de leurs poitrines sont donc presque dépourvus de myoglobine. Par contre, ces animaux marchent beaucoup, et leurs cuisses requièrent plus d'oxygène pour soutenir le rythme, d'où leur contenu plus élevé en myoglobine et la couleur plus foncée (brune) de ces muscles.

Carnivores à risque

Alors que les viandes étaient autrefois un produit de luxe, parfois très cher et donc réservé aux grandes occasions, ces aliments sont devenus omniprésents dans l'alimentation moderne en raison de leur grande disponibilité et de leur plus faible coût rendus possibles par l'industrialisation à grande échelle de l'agriculture. À l'exception notable de l'Inde, où 40 % de la population ne consomment pas d'animaux, ou très

peu, pour des raisons religieuses, la consommation de viandes a littéralement explosé dans la plupart des régions du monde. Par exemple, les pays en développement, le Moyen-Orient ou l'est de l'Asie, dont les habitants mangeaient traditionnellement peu de viande, ont doublé et même dans certains cas quintuplé leur consommation de viande, une tendance qui devrait se poursuivre au cours des prochaines années. Les pays industrialisés demeurent cependant les champions incontestés en la matière, chaque personne mangeant en moyenne deux fois plus de viande que les habitants du reste du monde.

On sait depuis longtemps qu'une alimentation riche en viandes rouges et pauvre en végétaux combinée à un surpoids corporel et une forte sédentarité est associée à une incidence élevée de cancer colorectal. L'impact de ce mode de vie est frappant, les pays industrialisés comme ceux de l'Amérique du Nord et de l'Europe ayant une incidence de cancer du côlon de cinq à trente fois plus élevée que l'Inde et que certains pays du Moyen-Orient et de l'Afrique (Figure 31).

Le Japon est un exemple spectaculaire de la rapidité avec laquelle l'industrialisation d'une société peut se répercuter sur le risque de cancer.

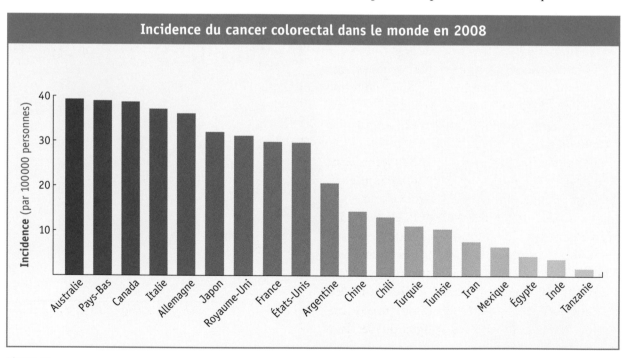

Figure 31

D'après Globocan, 2008.

Héritiers d'une longue tradition alimentaire basée sur la consommation abondante de produits de la mer et de légumineuses, comme le soya, les Japonais ont modifié radicalement leur alimentation depuis la fin de la Seconde Guerre mondiale, avec une hausse faramineuse (700 %) de leur consommation de viandes, en particulier de viandes rouges, et une augmentation du nombre de personnes en surpoids. Alors que les Japonais avaient une des plus faibles incidences mondiales de cancer colorectal il y a seulement trente ans, ces changements majeurs à leur mode de vie ont généré une hausse de 400 % de l'incidence de ce cancer, sa fréquence actuelle étant maintenant similaire à celle qu'on observe dans plusieurs pays de l'Europe et des Amériques. Cette augmentation est observée très tôt, dès la fin de la trentaine, ce qui suggère que l'exposition au mode de vie occidental provoque la formation rapide de lésions précancéreuses et accélère leur développement de manière fulgurante (Figure 32).

Les viandes rouges et les charcuteries sont souvent montrées du doigt pour expliquer la forte incidence de cancer colorectal observée dans les pays industrialisés. Plusieurs études montrent que les personnes qui consomment abondamment de ces viandes voient leur risque d'être touchées par ce cancer augmenter d'environ 30 % par rapport à celles qui n'en mangent que très peu. Chaque portion quotidienne de 50 g de viandes rouges ou de charcuteries augmente ce risque d'environ 10 %,

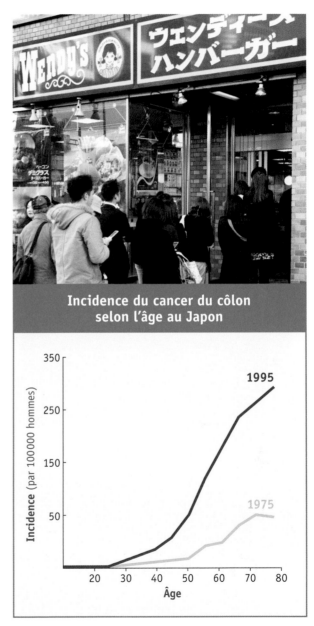

Incidence du cancer du côlon selon l'âge au Japon

Figure 32 D'après Kuriki et Tajima, 2006.

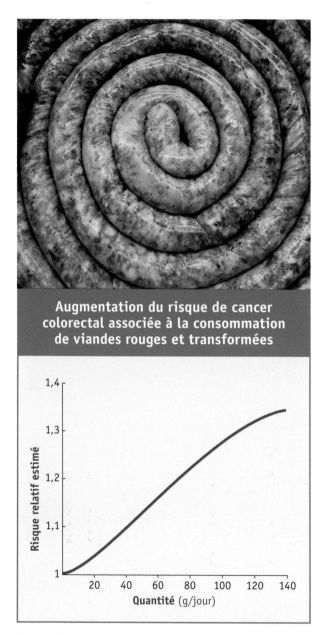

Augmentation du risque de cancer colorectal associée à la consommation de viandes rouges et transformées

Figure 33

D'après Chan, 2011.

avec un maximum observé chez les personnes qui en consomment au-delà de 120 g par jour (Figure 33). Cet effet est exclusivement celui des viandes rouges, la consommation de poulet ou de poissons n'ayant aucun impact sur le risque de cancer.

Cet effet néfaste des viandes rouges sur le risque de cancer colorectal a des répercussions sur l'espérance de vie. Une vaste étude réalisée auprès d'un demi-million de personnes a révélé que la consommation de viandes rouges et de charcuteries était associée à une augmentation linéaire du risque de mortalité, les personnes qui en consomment 160 g par jour ayant 50 % plus de risques de mourir prématurément (Figure 34). Des analyses subséquentes suggèrent que cet effet négatif est attribuable surtout aux charcuteries (bacon, saucisses, salami, jambon…), responsables d'une hausse de 20 à 40 % de la mortalité chez les plus grands consommateurs, tandis que les personnes qui consomment quotidiennement le plus de viande rouge fraîche (bœuf, porc, agneau) voient leur risque de mort prématurée augmenter de 13 % par rapport à ceux qui n'en consomment pas ou peu.

Production de cancérigènes

L'impact négatif sur la santé de la consommation excessive de viande rouge est le reflet de sa forte densité calorique ainsi que des transformations biochimiques majeures qu'elle subit lors de sa cuisson ou de sa préservation. Il est d'abord indéniable que la richesse calorique de la viande rouge, si importante pour notre évolution, n'est pas adaptée à la surabondance alimentaire actuelle et fait en sorte que les grands consommateurs de viande sont sujets à un risque plus élevé d'embonpoint ou d'obésité. Plusieurs études ont d'ailleurs démontré qu'une consommation accrue de viandes rouges était associée à un risque élevé de diabète de type 2, une maladie étroitement associée au surpoids. L'obésité étant un important facteur de risque pour plusieurs cancers (voir chapitre 3), notamment celui du côlon, il est donc certain que le surplus calorique

induit par une consommation excessive de viandes rouges peut contribuer à la hausse de ce cancer.

Plusieurs autres facteurs sont soupçonnés de participer à la multiplication des cancers observée chez les personnes qui mangent de grandes quantités de viandes rouges et de charcuteries. Le fer héminique contenu dans ces aliments, par exemple, génère des radicaux libres et favorise la formation de composés N-nitroso, qui détiennent la dangereuse propriété de pouvoir se fixer à l'aveuglette sur notre matériel génétique et d'introduire des mutations dans notre ADN. Puisque les charcuteries sont des sources

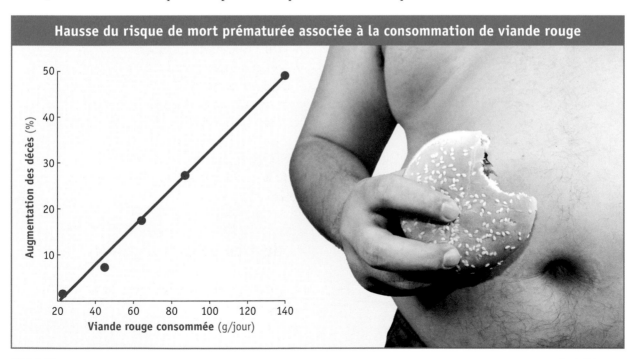

Hausse du risque de mort prématurée associée à la consommation de viande rouge

Augmentation des décès (%)

Viande rouge consommée (g/jour)

Figure 34

D'après Sinha, 2009.

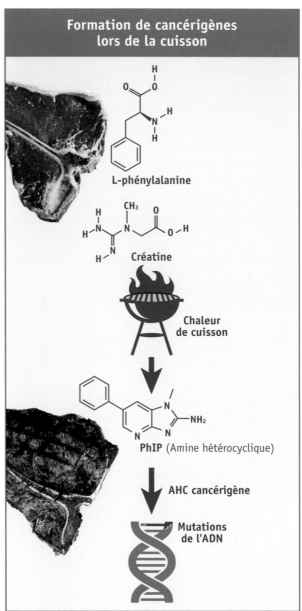

Formation de cancérigènes lors de la cuisson

L-phénylalanine

Créatine

Chaleur de cuisson

PhIP (Amine hétérocyclique)

AHC cancérigène

Mutations de l'ADN

Figure 35

importantes de ces composés cancérigènes et qu'elles contiennent également des nitrites qui peuvent être transformés en nitrosamines, il est possible que ces molécules contribuent aux effets négatifs de ces préparations de viande observés dans plusieurs régions du monde.

La cuisson pourrait aussi accentuer les effets négatifs de la viande rouge sur la santé. À haute température (> 200 °C, soit 400 °F), la créatine présente en grande quantité dans les cellules musculaires se lie chimiquement aux acides aminés des protéines pour former des amines hétérocycliques (AHC) qui possèdent aussi la capacité de se lier à notre ADN et d'enclencher le développement d'un cancer (Figure 35).

La présence de ces molécules complexes peut être facilement visualisée : plus la viande est carbonisée, plus elle contient des AHC ! Le bœuf, par exemple, contient un faible taux d'AHC lorsque sa cuisson est moins longue (médium), mais dans une viande bien cuite, la quantité de ces cancérigènes triple, et elle peut atteindre des quantités très élevées dans certaines préparations, comme le bacon (Figure 36). Une quinzaine de ces molécules cancérigènes ont été identifiées dans les viandes cuites à haute température, et certaines études ont démontré que la consommation élevée de viandes carbonisées est associée à une augmentation du risque de cancer du côlon, du pancréas et de la prostate.

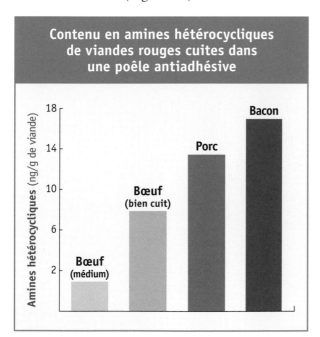

Contenu en amines hétérocycliques de viandes rouges cuites dans une poêle antiadhésive

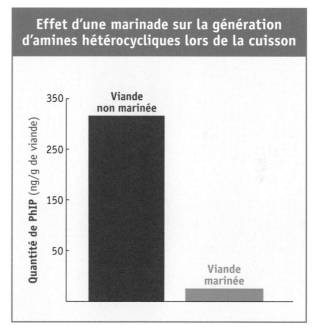

Effet d'une marinade sur la génération d'amines hétérocycliques lors de la cuisson

Figure 36 D'après Puangsombat et coll., 2012.

Figure 37 D'après Salmon et coll., 1997.

Il est toutefois très facile d'éliminer la quasi-totalité de ces molécules en faisant mariner la viande dans de l'huile d'olive vierge additionnée d'ail et de jus de citron (Figure 37) ou d'aromates comme le thym ou le romarin. Ces marinades permettent également de réduire de 70 % la production de malonaldéhyde, un dérivé des graisses animales qui accroît le risque de maladies cardio-vasculaires. Des marinades plus « asiatiques », contenant par exemple de la sauce teriyaki ou du curcuma, diminuent également du tiers la production d'amines hétérocycliques, tandis

que les sauces barbecue commerciales triplent la production de ces cancérigènes. Même les personnes plus pressées peuvent réduire environ de moitié la formation des amines hétérocycliques, simplement en ajoutant au bœuf haché du curcuma (0,2 %) ou des épices apparentées (krachai, galanga) avant la cuisson (Figure 38). Les possibilités sont infinies et confirment le savoir ancestral des traditions culinaires antillaises, qui utilisaient toujours des viandes marinées additionnées d'épices et d'aromates pour le *barbacòa*, l'ancêtre du barbecue moderne.

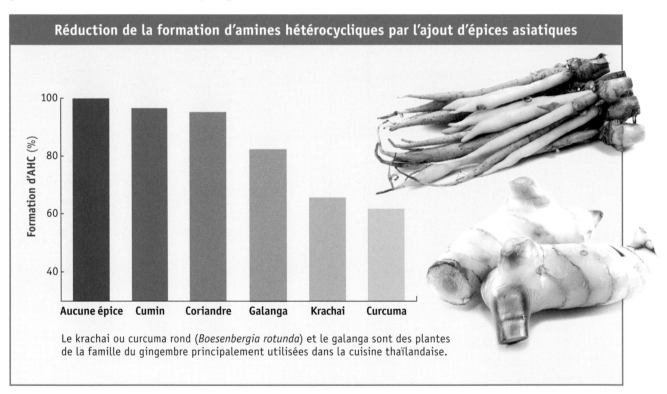

Réduction de la formation d'amines hétérocycliques par l'ajout d'épices asiatiques

Le krachai ou curcuma rond (*Boesenbergia rotunda*) et le galanga sont des plantes de la famille du gingembre principalement utilisées dans la cuisine thaïlandaise.

Figure 38

D'après Puangsombat et coll., 2012.

Viandes modernes

L'essor de la production de viande rouge, rendu possible par l'industrialisation à grande échelle de l'agriculture, a provoqué des modifications majeures dans la composition de ces viandes. Alors que le bœuf est un ruminant qui tire normalement sa subsistance d'herbes comme le trèfle et la luzerne, ces animaux sont aujourd'hui engraissés avec du maïs et du soya pour accélérer leur croissance et permettre un abattage plus rapide. Ces modifications apportées à l'alimentation bovine ont de grandes répercussions sur la composition de la viande, car le maïs est une source d'amidon, et donc de sucre, et ce sucre est converti en graisse par l'animal. La viande des bœufs nourris de cette façon contient donc environ deux fois plus de graisse que celle d'un animal nourri exclusivement à l'herbe, et cette graisse s'accumule même à l'intérieur des muscles. Ce « persillé » présent dans la majorité des coupes de bœuf qui nous sont maintenant proposées révèle ainsi un animal dont la croissance a été artificiellement accélérée par la surconsommation de sucre.

Ce mode d'alimentation exerce également une grande influence sur le contenu de la viande en gras essentiels oméga-6 pro-inflammatoires et oméga-3 anti-inflammatoires. Le maïs étant dépourvu d'oméga-3, la viande d'animaux nourris avec cette céréale contient trois fois moins de ces gras anti-inflammatoires que lorsqu'ils mangent de l'herbe (Figure 39). Le phénomène inverse est observé pour les gras oméga-6,

la viande des bœufs nourris au maïs contenant deux fois plus de ces gras inflammatoires. Les conséquences de cette modification à l'alimentation bovine sont donc énormes, les viandes modernes affichant un ratio oméga-6/oméga-3 d'environ 13, comparativement à un ratio de 2 pour les viandes d'animaux nourris de façon traditionnelle. Il s'agit d'une différence capitale, car l'alimentation occidentale contient entre dix et trente fois plus de gras oméga-6 que de gras oméga-3. Ce phénomène contribue à la création, à l'intérieur du corps, d'un climat inflammatoire qui peut favoriser l'apparition de plusieurs maladies chroniques. En matière de cancer, il est d'ailleurs intéressant de noter que l'Argentine, où la consommation de viande de bœufs élevés dans des pâturages, donc nourris à l'herbe, fait partie de l'identité nationale, affiche une incidence de cancer colorectal presque deux fois moins élevée que le Canada, en dépit d'une consommation de viande bovine deux fois plus élevée (58 kg/personne contre 27). On dit souvent qu'on est ce qu'on mange, ce qui est sans doute vrai, mais nous sommes du coup *ce que mange ce que l'on mange*, et il est très probable que l'industrialisation à outrance de l'élevage animal associé à la production des viandes rouges contribue aux effets négatifs associés à la surconsommation de ces aliments.

Il existe donc plusieurs raisons pour expliquer les effets néfastes d'une surconsommation de viandes rouges et de charcuteries sur la santé, qu'il s'agisse du contenu calorique élevé de ces aliments, de la production de composés cancérigènes au cours de leur cuisson ou de leur conservation, ou encore de leur contenu anormalement faible en acides gras oméga-3 anti-inflammatoires. Il ne faut pas non plus oublier que des études ont montré que les grands mangeurs de viandes consomment généralement moins de végétaux, se privant ainsi de précieux alliés pour la prévention du cancer. Par exemple, des études ont montré que des légumes verts, comme les épinards, peuvent

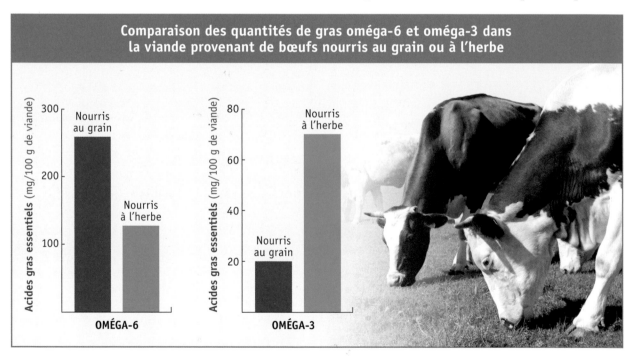

Comparaison des quantités de gras oméga-6 et oméga-3 dans la viande provenant de bœufs nourris au grain ou à l'herbe

Figure 39

D'après Miller, 1986.

renverser les dommages causés par le fer héminique ou les AHC de la viande en réduisant l'impact oncogénique de ces molécules toxiques.

Importants dommages collatéraux

Plus de 53 milliards d'animaux sont tués chaque année à des fins de consommation humaine, et il va de soi que l'élevage a d'énormes répercussions sur l'environnement. Gaz à effet de serre, utilisation massive de terres arables et d'eau pour produire les céréales destinées à l'alimentation animale et confinement des animaux dans des espaces restreints sont tous des conséquences de l'élevage intensif qui peuvent à moyen et long termes entraîner des bouleversements majeurs de l'écosystème planétaire.

L'utilisation massive d'antibiotiques représente un autre dommage collatéral de l'élevage à grande échelle qui pourrait avoir de graves conséquences sur la santé humaine. Au cours des années 1940, on a remarqué que les animaux traités aux antibiotiques avaient une croissance plus rapide et atteignaient une taille plus imposante, ce qui permettait de réduire les coûts de production et d'offrir la viande à des prix plus abordables. De remèdes pour les animaux malades, les antibiotiques sont ainsi devenus partie intégrante de l'élevage des animaux, étant administrés même à des bêtes en santé. Aux États-Unis, on estime qu'environ 300 mg d'antibiotiques sont utilisés pour produire chaque kilo de viande et d'œufs, et que

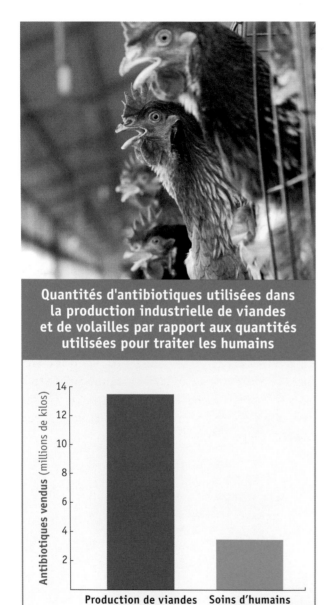

Quantités d'antibiotiques utilisées dans la production industrielle de viandes et de volailles par rapport aux quantités utilisées pour traiter les humains

Figure 40   D'après www.pewhealth.org, 2013.

près de 80 % de tous les antibiotiques consommés dans ce pays le sont par les animaux d'élevage. Il est d'ailleurs navrant de constater que de plus grandes quantités d'antibiotiques sont administrées à des animaux en bonne santé qu'utilisées pour traiter des humains malades (Figure 40).

Les bactéries affichent une capacité inégalée à s'adapter à l'adversité. Aussi, même si la plupart des bactéries sont éliminées par l'utilisation d'antibiotiques, la présence continuelle de ces médicaments exerce une pression évolutive qui pousse certaines d'entre elles à acquérir la capacité de leur résister. L'utilisation inappropriée et excessive d'antibiotiques procure donc des conditions favorables à l'émergence de nouvelles souches de bactéries résistantes chez les animaux, cette résistance pouvant par la suite se transmettre aux bactéries qui infectent les humains.

Il s'agit d'une situation alarmante que l'on ne peut se permettre d'ignorer. C'est la découverte de la pénicilline, suivie de celle d'une centaine d'antibiotiques nouveaux, qui est la grande responsable de la hausse spectaculaire de l'espérance de vie au XXe siècle. Avant ces découvertes, les gens touchés par des maladies infectieuses comme la tuberculose, les pneumonies ou des diarrhées sévères décédaient très souvent de façon prématurée en raison du manque d'efficacité des traitements disponibles. Les antibiotiques représentent à ce titre l'une des plus grandes réalisations de l'histoire de la science, qui nous ont permis de réussir à combattre des infections graves et de sauver d'innombrables vies.

De moins en moins d'antibiotiques nouveaux sont découverts et produits par l'industrie pharmaceutique, et sans une utilisation plus judicieuse de ces médicaments, restreinte au traitement des animaux malades, nous ferons un jour ou l'autre face à des maladies d'origine bactérienne contre lesquelles notre arsenal thérapeutique actuel sera impuissant. Les cas de tuberculose résistante aux antibiotiques ont explosé au cours des dernières années, tuant 170 000 personnes en 2012, et les Centers for Disease Control and Prevention américains ont répertorié 17 micro-organismes résistants aux antibiotiques qui sont responsables du décès de 23 000 personnes annuellement.

Remplacer par quoi ?

La majorité des agences de santé publique recommandent de deux à trois portions quotidiennes de viandes et substituts pour un adulte, ce qui correspond à environ 160 à 240 g de protéines. Il est quelque peu injuste de parler d'aliments aussi sains et de qualité que les légumineuses, les noix ou encore les œufs comme des « substituts », car ils sont des sources de protéines de grande qualité qui n'ont rien à envier aux viandes. Et ces solutions de rechange peuvent littéralement sauver des vies. Lorsque la viande rouge est remplacée par d'autres sources de protéines, que ce soit du poisson, de la volaille, des noix ou des légumineuses, l'augmentation du risque de mortalité prématurée associée aux viandes rouges est fortement atténuée, passant de 20 à 7 %. Et il ne faut surtout pas oublier les poissons gras comme le maquereau, les sardines et le saumon, des sources importantes d'acides gras oméga-3 à longue chaîne, et les acides eicosapentaénoïque (EPA) et docosahexaénoïque (DHA), qui peuvent contribuer à maintenir un climat anti-inflammatoire anticancéreux dans les tissus.

Le bon goût de la viande ne doit pas nous faire oublier que la consommation de chairs animales, telle qu'elle a cours présentement dans notre société, dépasse largement les quantités recommandées, et qu'il est important de diversifier les sources de protéines alimentaires. L'inclusion de végétaux à l'alimentation est à cet égard particulièrement importante, les personnes qui mangent beaucoup de protéines d'origine animale (viandes, produits laitiers) ayant quatre fois plus de risques de mourir des suites d'un cancer que celles qui consomment principalement des sources de protéines végétales.

Il est évident que la nourriture
normale de l'homme est végétale.
Charles Darwin (1809-1882)

Chapitre 5

Les végétaux en font voir de toutes les couleurs au cancer !

Recommandation

Consommer en abondance une grande variété de fruits, de légumes, de légumineuses ainsi que d'aliments à base de grains entiers. Ces aliments devraient constituer les deux tiers des repas. **Source : WCRF**

L'impact négatif de l'alimentation industrielle moderne, tant sur la santé de la population que sur celle de la planète, est un signal d'alarme annonçant que nous faisons fausse route et que manger ne se résume pas à satisfaire notre faim à l'aide d'aliments surchargés de calories, sans tenir compte de leurs effets nuisibles sur notre bien-être et celui du monde qui nous entoure. Manger ne sert pas seulement à combler les besoins énergétiques ; il s'agit de la seule façon d'apporter au corps une foule d'éléments indispensables au fonctionnement de nos cellules et à l'équilibre général de notre organisme.

Si la consommation excessive de produits industriels hypertransformés est si néfaste, c'est aussi parce que ces aliments représentent une proportion de plus en plus importante de nos repas quotidiens (jusqu'à 60 % de toutes les calories consommées par les habitants de plusieurs sociétés industrialisées), une consommation qui se fait au détriment d'aliments qui sont des sources majeures d'éléments protecteurs essentiels au maintien d'une bonne santé, en particulier les fruits et les légumes. Au même titre que la surconsommation de calories, la carence en produits végétaux représente une facette de l'alimentation moderne qui contribue au développement de l'ensemble des maladies chroniques, y compris le cancer.

«Christophe Colomb et la découverte de l'Amérique», détail tiré de l'*Allégorie des dominations et des domaines de Charles Quint*, de Cesare Dell'Acqua (1821-1905).

Mondialisation végétale

Les humains ont depuis très longtemps entretenu une relation privilégiée avec les aliments d'origine végétale. Depuis les chasseurs-cueilleurs préhistoriques jusqu'aux premiers explorateurs qui ont sillonné le globe à la recherche de territoires inconnus, la découverte de nouveaux végétaux comestibles a toujours représenté l'une des principales préoccupations de notre espèce, tant pour assurer la survie que pour diversifier les expériences culinaires. L'identification de près de 7 000 plantes utiles pour l'alimentation parmi les quelque 500 000 espèces végétales qui existent sur la Terre est un témoignage des efforts consacrés à cette entreprise, d'autant plus que chaque civilisation est parvenue à identifier dans son environnement les végétaux qui contenaient des quantités élevées de substances bénéfiques pour la santé. C'est d'ailleurs grâce à cette curiosité et à ce désir de nouveauté que la découverte de l'Amérique par Christophe Colomb s'est accompagnée de la première véritable «mondialisation» de l'alimentation, un échange de végétaux qui allait permettre aux Italiens d'utiliser la tomate sud-américaine pour enrichir leur cuisine, aider les Indiens à préparer des currys encore plus relevés grâce aux chilis mexicains, ou encore faire de la pomme de terre péruvienne un élément indispensable à la survie des Irlandais (Figure 41). L'accès que nous avons actuellement à des milliers de fruits et de légumes provenant des quatre coins du monde est le résultat direct de l'importance accordée

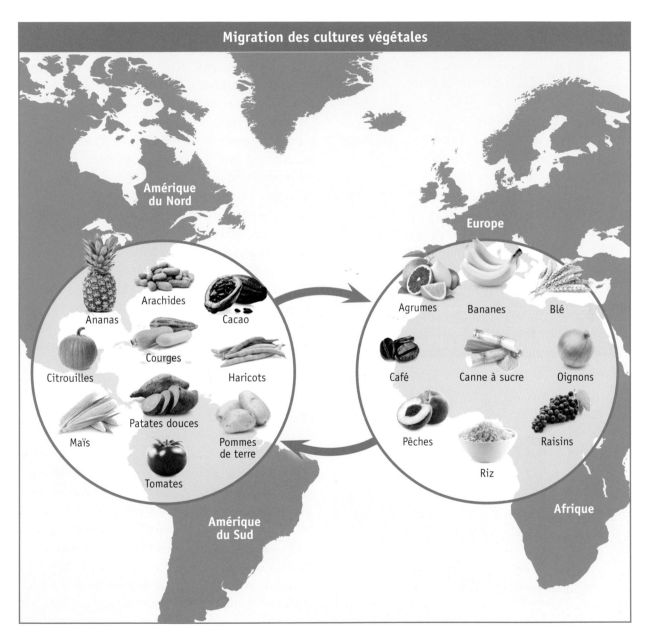

Migration des cultures végétales

Amérique du Nord

Europe

Ananas
Arachides
Cacao
Courges
Citrouilles
Haricots
Maïs
Patates douces
Pommes de terre
Tomates

Amérique du Sud

Agrumes
Bananes
Blé
Café
Canne à sucre
Oignons
Pêches
Raisins
Riz

Afrique

Figure 41

aux végétaux au cours de l'histoire et des efforts considérables qui ont été consacrés à en faire des piliers de l'alimentation humaine.

Cet amour des fruits et des légumes n'a d'ailleurs rien d'étonnant, car il ne faut jamais oublier que, même si nous sommes devenus l'espèce la plus intelligente à avoir habité cette planète, notre métabolisme, c'est-à-dire la façon dont nous assimilons les aliments, est un héritage de nos ancêtres grands singes qui se nourrissaient presque exclusivement de végétaux présents dans leur environnement. Ainsi, même si nous avons progressivement intégré des aliments de sources animales à notre alimentation au fil de l'évolution, notre organisme demeure fondamentalement dépendant des végétaux pour fonctionner harmonieusement.

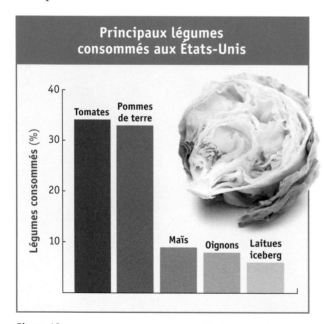

Principaux légumes consommés aux États-Unis

Figure 42   D'après www.ers.usda.gov, 2013.

Carence végétale

Malgré l'importance des végétaux pour la santé et la grande disponibilité de fruits et de légumes frais toute l'année, les aliments d'origine végétale demeurent les grands négligés des habitudes alimentaires modernes. Tous les organismes dédiés à la prévention des maladies chroniques, qu'il s'agisse des maladies du cœur, du diabète ou du cancer, s'accordent pour dire que la consommation d'un minimum de cinq portions (400 g) de fruits et de légumes par jour est absolument essentielle pour réduire l'incidence de ces maladies et la mortalité qui y est associée. Pourtant, et en dépit de ce consensus, la grande majorité des habitants des pays industrialisés boudent ces aliments et en consomment des quantités bien en deçà des portions recommandées. Aux États-Unis, par exemple, 68 % des adultes mangent moins de deux fruits par jour, et 74 %, moins de trois portions de légumes quotidiennement. Lorsque cette consommation est comparée au nombre total de calories ingérées, la situation est encore pire, avec moins de 10 % des gens qui consomment le minimum recommandé de végétaux. Des résultats similaires ont été observés dans les pays en transition économique, avec 78 % des personnes qui consomment moins de 400 g de végétaux par jour, une proportion qui peut même atteindre 99 % dans certains pays, comme le Pakistan.

Non seulement les quantités sont trop faibles, mais les végétaux consommés sont très peu diversifiés et ne permettent pas de profiter pleinement des bienfaits de ces aliments. Les habitudes alimentaires des Américains en sont à cet égard un exemple révélateur, l'essentiel de leur apport en légumes provenant des pommes de terre et des tomates contenues dans les repas de restauration rapide (frites et pizza), loin devant le maïs, les oignons et certaines laitues (Figure 42). Aussi paradoxal que cela puisse paraître, la surabondance alimentaire qui caractérise notre époque s'accompagne d'une grave carence en aliments d'origine végétale, un manque dont l'impact est accentué par la faible consommation de végétaux reconnus pour exercer le plus d'effets positifs sur la santé, par exemple les légumes crucifères, les grains entiers ou encore les petits fruits. Autrement dit, nous mangeons beaucoup, mais pas de

la bonne façon : trop de sucre, de gras et de viande, et pas suffisamment de fruits et de légumes. Corriger ces extrêmes en remettant les produits d'origine végétale à l'avant-scène de nos habitudes alimentaires représente un prérequis essentiel à toute approche préventive visant à réduire le fardeau imposé par l'ensemble des maladies chroniques, dont le cancer.

Cocktail anticancéreux

Les végétaux sont indispensables à la prévention du cancer parce qu'ils sont les seuls aliments capables de freiner la progression des tumeurs microscopiques qui se forment spontanément

Principales sources alimentaires des différentes familles de composés phytochimiques aux propriétés anticancéreuses

Famille	Exemples de molécules	Meilleures sources	Contenu (mg/100 g)
Polyphénols	Épigallocatéchine gallate (EGCG)	Thé vert	8 295
	Proanthocyanidines	Cacao	1 373
	Apigénine	Persil	302
	Lignanes	Graine de lin	300
	Acide ellagique	Framboise	150
	Génistéine	Soya (miso)	36
	Delphinidine	Bleuet	30
Composés soufrés	PEITC	Cresson de fontaine	400
	Sulforaphane	Brocoli	290
	Allicine	Ail	4
Terpènes	Lycopène	Tomate (pâte)	75
	Fucoxanthine	Wakame	32
	Zéaxanthine/lutéine	Épinards	30

Figure 43

au cours de notre vie (voir chapitre 1). Loin d'être seulement des sources de vitamines et de minéraux, les plantes sont aussi des organismes vivants d'une grande complexité, qui produisent par leur métabolisme une batterie de molécules insecticides, bactéricides et fongicides servant à les protéger contre les nombreux pathogènes présents dans l'environnement. La diversité de cet arsenal est impressionnante, avec près de 10 000 molécules distinctes identifiées jusqu'ici et appartenant à l'une ou l'autre des trois principales familles de composés phytochimiques, soit les polyphénols, les composés soufrés (isothiocyanates et sulfures d'allyle) ou les terpènes (caroténoïdes et monoterpènes) (Figure 43).

Par un curieux jeu du hasard, l'action bénéfique de ces composés ne se limite pas à cet effet de défense végétale : une foule d'études ont démontré qu'un grand nombre de ces molécules détiennent des propriétés pharmacologiques bien définies qui interfèrent avec plusieurs phénomènes essentiels à l'apparition et à la progression des cellules cancéreuses chez l'humain (Figure 44).

Principales cibles pharmacologiques des composés phytochimiques d'origine végétale

Cible pharmacologique	Exemples de molécules	Source alimentaire
Inhibition		
Invasion tumorale et métastase	Épigallocatéchine gallate	Thé vert
Récepteurs à facteurs de croissance	Épigallocatéchine gallate, delphinidine, acide ellagique	Thé vert, bleuet, framboise, noix
Réponse inflammatoire (NFκB, COX-2)	Curcumine, resvératrol	Curcuma, raisin
Résistance à la chimiothérapie	Sulfure de diallyle	Ail
Angiogenèse	Épigallocatéchine gallate	Thé vert
Actions œstrogéniques	Génistéine, lignanes	Soya, graine de lin
Activation des cancérigènes (enzymes de phase I)	Indole-3-carbinol (I3C)	Chou
Activation		
Apoptose des cellules tumorales	Phenéthyl isothiocyanate (PEITC)	Cresson
Fonction immunitaire	Lentinane, proanthocyanidines, lycopène	Shiitake, cacao, tomate
Détoxification des cancérigènes (enzymes de phase II)	Sulforaphane	Brocoli

Figure 44

Par exemple, les composés soufrés de l'ail et des légumes de la famille des choux empêchent l'activation des substances cancérigènes et accélèrent leur élimination de l'organisme, ce qui réduit les dommages à l'ADN et donc l'apparition de mutations pouvant favoriser l'évolution du cancer. En parallèle, certains polyphénols comme l'épigallocatéchine gallate du thé vert ou la delphinidine du bleuet peuvent neutraliser les cellules cancéreuses en stoppant leur croissance ou en empêchant l'angiogenèse, soit la formation d'un réseau de vaisseaux sanguins nécessaires à l'apport en oxygène et en nutriments vers ces cellules. Ces effets anticancéreux sont d'autant plus efficaces que l'ingestion de composés phytochimiques est aussi associée à une réduction de l'inflammation chronique, ce qui prive les lésions précancéreuses d'un environnement cellulaire favorable aux mutations supplémentaires qui leur permettraient d'évoluer vers un cancer mature. La consommation d'aliments d'origine végétale, qu'il s'agisse de fruits, de légumes, de grains entiers, d'épices et d'aromates ou encore de boissons comme le thé vert, n'est donc pas seulement une excellente façon d'apporter au corps les vitamines et minéraux indispensables au fonctionnement optimal de nos cellules. Elle constitue également une forme de chimiothérapie préventive par laquelle les milliers de composés phytochimiques contenus dans ces aliments créent un environnement inhospitalier pour les tumeurs microscopiques et parviennent à les maintenir dans un état latent et inoffensif.

L'habit fait le moine

Le rôle primordial des composés phytochimiques dans la prévention du cancer signifie que seuls les végétaux qui en contiennent les plus grandes quantités peuvent réellement influencer le risque de développer cette maladie. Il s'agit d'un concept très important, car les végétaux ne sont pas une classe homogène d'aliments : le contenu en composés phytochimiques d'une laitue ou d'une pomme de terre ne peut être comparé à celui du brocoli ou du thé vert, pas plus que la consommation d'une banane ne permet l'absorption d'une quantité de molécules anticancéreuses équivalente à celle qui est présente dans une portion de bleuets. Du point de vue de la santé en général, il est sans doute important d'augmenter l'apport général en fruits et en légumes pour profiter de leur contenu en vitamines, en fibres et en minéraux, et réduire en parallèle la consommation de produits riches en calories. D'ailleurs, les personnes qui consomment de grandes quantités de végétaux, peu importe lesquels, ont un risque de maladies du cœur réduit d'environ 15 %. Pour la prévention du cancer, par contre, c'est surtout la *nature* des végétaux consommés quotidiennement qui est importante pour obtenir une réduction significative du risque de développer la maladie, car la consommation totale de végétaux n'est associée qu'à une légère diminution du risque,

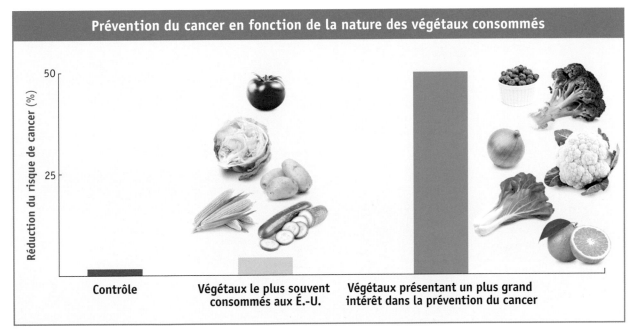

Prévention du cancer en fonction de la nature des végétaux consommés

Réduction du risque de cancer (%)

Contrôle — Végétaux le plus souvent consommés aux É.-U. — Végétaux présentant un plus grand intérêt dans la prévention du cancer

Figure 45

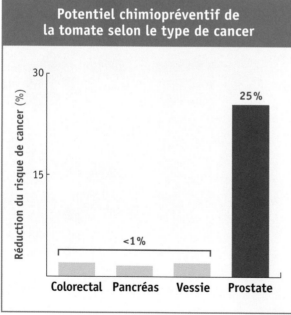

Potentiel chimiopréventif de la tomate selon le type de cancer

Figure 46

d'environ 5 à 10 %, tandis que certains fruits et légumes permettent une réduction beaucoup plus importante du risque de plusieurs types de cancers (Figure 45).

Consommer les bons fruits et légumes est capital, mais il est aussi indispensable d'obtenir un apport diversifié en végétaux anticancéreux pour maximiser leur potentiel chimiopréventif. Le cancer est une maladie d'une grande complexité, qui utilise différentes stratégies pour progresser selon l'organe où il se développe, et aucun aliment ne contient à lui seul toutes les molécules anticancéreuses capables de freiner la progression de tous les cancers. La consommation régulière de produits à base de tomate, par exemple, est reconnue pour diminuer significativement le risque de cancer de la prostate, mais n'exerce aucun effet préventif contre plusieurs autres cancers (Figure 46). Le même phénomène est observé pour l'ensemble des végétaux de l'alimentation, même ceux qui contiennent les plus grandes quantités de molécules anticancéreuses. Chaque classe d'aliments n'est active que contre certains cancers bien précis (Figure 47), et ce n'est qu'en consommant régulièrement une grande variété de végétaux dotés de propriétés anticancéreuses qu'on peut combiner ces actions préventives et parvenir à réduire le risque global de cancer.

Le potentiel de prévention du cancer (et des maladies chroniques en général) d'un apport accru en végétaux est énorme. Selon l'Organisation mondiale de la santé (OMS), la carence en fruits et en légumes est directement responsable d'environ 3 millions de décès chaque année dans le monde, et jusqu'à 20 % des cancers de l'œsophage et de l'estomac et 12 % des cancers du poumon pourraient être prévenus en augmentant la consommation de ces végétaux. Cette réduction des cas de cancer aurait évidemment des répercussions majeures sur l'espérance de vie, les personnes qui ne consomment jamais de fruits ni de légumes ayant un risque de mortalité prématurée 53 % plus élevé et vivant trois ans de moins que celles qui en mangent au moins cinq portions par jour. Dans la même veine, une étude récente indique que les personnes qui présentent les plus fortes concentrations urinaires de polyphénols, un marqueur d'un apport élevé en végétaux, ont 30 % moins de risques de mourir prématurément. Ces résultats sont d'autant plus remarquables que ces études considéraient la consommation de

végétaux dans son ensemble, sans tenir compte de l'apport spécifique de ceux qui sont reconnus pour exercer un puissant effet protecteur contre les maladies du cœur et le cancer (les crucifères, par exemple). Il est donc probable que ce prolongement de l'espérance de vie observé soit encore plus grand pour les personnes qui consomment beaucoup de ces « super végétaux » contenant de grandes quantités de molécules anti-inflammatoires et anticancéreuses.

Il est aussi important de noter que, dans l'ensemble de ces études, l'impact positif des végétaux a été observé à la suite de la consommation de fruits et de légumes issus de l'agriculture conventionnelle, c'est-à-dire qui utilise des pesticides pour combattre certains insectes ou parasites nuisibles. Il n'est donc pas nécessaire de manger des produits « biologiques » pour profiter

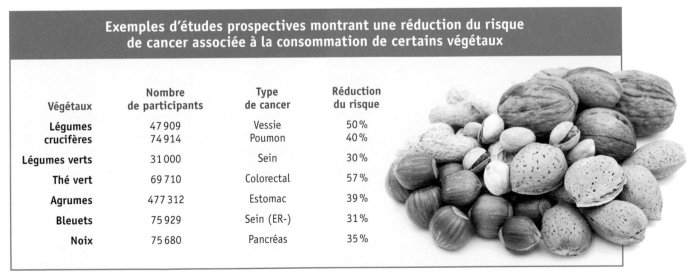

Exemples d'études prospectives montrant une réduction du risque de cancer associée à la consommation de certains végétaux

Végétaux	Nombre de participants	Type de cancer	Réduction du risque
Légumes crucifères	47 909	Vessie	50 %
	74 914	Poumon	40 %
Légumes verts	31 000	Sein	30 %
Thé vert	69 710	Colorectal	57 %
Agrumes	477 312	Estomac	39 %
Bleuets	75 929	Sein (ER-)	31 %
Noix	75 680	Pancréas	35 %

Figure 47

d'engrais chimiques et de pesticides dans la culture biologique réduit la contamination des sols et des nappes phréatiques, en plus de réduire l'exposition de certains travailleurs à de très fortes quantités de ces produits qui peuvent hausser leur risque d'être touchés par certains cancers (lymphomes, myélomes, cancers de la prostate, du rein et du poumon). On peut également préférer des produits bio qui nous semblent de meilleure apparence, de meilleur goût ou qui proviennent de petits producteurs locaux dont la réussite nous tient à cœur. Enfin, pour des personnes qui acceptent difficilement de subir l'exposition à certains facteurs environnementaux hors de leur influence, l'idée de mieux contrôler le contenu de leur assiette en choisissant des produits cultivés sans agents chimiques peut être attrayante. Il faut donc voir l'achat de fruits et de légumes bio comme un choix personnel, un acte qui n'a peut-être pas d'impact majeur sur notre santé mais dont les répercussions sociales et environnementales peuvent être importantes.

Modifier le régime alimentaire moderne de façon à y inclure une plus grande abondance des aliments ayant les plus hauts taux de molécules anticancéreuses, qu'ils soient bio ou non, représente donc une façon concrète de réduire l'incidence de plusieurs types de cancers, y compris ceux qui frappent de plein fouet la population des pays industrialisés (côlon, sein et prostate). Dans l'état actuel des connaissances, certaines familles d'aliments sont particulièrement prometteuses à cet égard.

des bienfaits de ces aliments, d'autant plus qu'aucune étude n'a pu mettre en évidence une hausse du risque de cancer liée à la présence de traces résiduelles infimes de ces pesticides sur les végétaux.

Cela dit, il existe néanmoins d'excellentes raisons de choisir des végétaux bio. L'absence

L'ail et ses cousins tiennent le cancer à distance!

Composés phytochimiques: allicine, sulfure de diallyle, trisulfure de diallyle
Principaux cancers: œsophage, estomac, côlon

L'ail est possiblement le plus vieil exemple d'une plante utilisée autant pour ses propriétés nutritives que pour ses effets positifs sur la santé. Considéré par les Égyptiens et les Grecs comme un aliment qui donnait force et endurance (les premiers olympiens étaient gavés d'ail avant leurs compétitions, ce qui en fait la première substance améliorant les performances athlétiques de l'histoire), l'ail était aussi un ingrédient indispensable aux médecines traditionnelles des premières civilisations, étant utilisé depuis la plus haute Antiquité comme remède à une grande variété de conditions, allant des infections aux problèmes de circulation, de respiration ou de digestion.

Plusieurs études populationnelles indiquent que les personnes qui consomment régulièrement des légumes de la famille de l'ail (ail, oignon, échalote, ciboulette, poireau) sont moins à risque de développer certains types de cancers, en particulier ceux du système digestif (estomac, œsophage, côlon). Un effet protecteur contre les cancers de la prostate, du pancréas et du sein a aussi été rapporté. Des études réalisées sur des systèmes modèles indiquent que ces effets anticancéreux sont dus aux composés soufrés présents dans les légumes de cette famille, comme le sulfure de diallyle et le disulfure de diallyle de l'ail, ou encore les acides sulphéniques et thiosulfinates de l'oignon. Ces molécules ont la capacité de bloquer la formation de composés cancérigènes (les nitrosamines, par exemple) et de restreindre la croissance de plusieurs types de cellules cancéreuses.

L'ail et ses proches parents s'avèrent donc des végétaux indispensables à la prévention du cancer, et il importe d'en manger le plus régulièrement possible. L'OMS recommande aux adultes de consommer quotidiennement de 2 à 5 g d'ail frais, soit environ une gousse.

Les crucifères, pour faire une croix sur le cancer

Composés phytochimiques: sulforaphane, PEITC, I3C
Principaux cancers: poumon, vessie, prostate

Les crucifères sont une famille de plantes qui ont la caractéristique commune de produire des fleurs à quatre pétales disposés en croix grecque. Les différents choux, le brocoli, le chou-fleur, le radis et le navet sont les principaux crucifères consommés, mais le cresson, la roquette et le rapini font aussi partie de cette famille et offrent l'occasion de profiter des bienfaits des crucifères tout en ajoutant de la variété aux expériences culinaires.

Les crucifères représentent une des familles de végétaux les plus étudiées, ayant fait l'objet de plus de 20 000 articles scientifiques au cours des dernières décennies. L'importance de ces légumes pour la prévention du cancer tient au fait qu'ils sont les seuls végétaux de l'alimentation à contenir des quantités importantes de glucosinolates, une classe de composés inertes mais transformés en puissantes molécules anticancéreuses (isothiocyanates et indoles) par le bris des cellules végétales lors de la mastication.

La consommation régulière de crucifères est associée à une réduction significative du risque de plusieurs types de cancer. Cet effet protecteur est particulièrement bien documenté pour les cancers du poumon (même chez les fumeurs), de la vessie et de la prostate, mais des études récentes suggèrent que ces légumes pourraient aussi réduire le risque de cancer du côlon, de l'estomac et du sein. Dans ce dernier cas, la consommation quotidienne d'une portion de légume crucifère permet une baisse de 50 % du risque de cancer du sein chez les Chinoises, tandis qu'une portion hebdomadaire de ces légumes réduit de 17 % ce risque dans une population européenne (Italie et Suisse).

Conseils pratiques

Hausser la consommation de légumes crucifères est d'autant plus important qu'elle demeure faible dans la plupart des pays occidentaux, avec à peine 25 à 30 g par jour, comparativement à plus de 100 g en Chine. Certains isothiocyanates, notamment le sulforaphane du brocoli ou le 2-phenéthyl isothiocyanate (PEITC) du cresson de fontaine, possèdent des propriétés anticancéreuses particulièrement puissantes, et l'inclusion de ces deux légumes dans l'alimentation ne peut que maximiser l'effet chimiopréventif des crucifères.

Le meilleur moyen de profiter au maximum des propriétés anticancéreuses des crucifères est de les cuire à la vapeur ou de les faire sauter, pour optimiser leur contenu en isothiocyanates. Exceptionnellement pour cette famille de légumes, les produits surgelés ne sont pas recommandés, car le blanchiment à température élevée nécessaire à la conservation des légumes rend la myrosinase inactive. Cela dit, des travaux récents indiquent que l'addition d'un extrait de radis à ces légumes permet de compenser la perte de cette enzyme, et ces produits surgelés pourraient donc s'avérer intéressants dans un proche avenir.

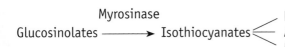

Glucosinolates $\xrightarrow{\text{Myrosinase}}$ Isothiocyanates
- Détoxification des cancérigènes
- Arrêt de la prolifération des cellules cancéreuses
- Mort des cellules cancéreuses

Les caroténoïdes mettent de la couleur dans la prévention du cancer!

Composés phytochimiques: lycopène, bêta-carotène, lutéine, fucoxanthine
Principaux cancers: prostate, poumon, sein

Les caroténoïdes sont des pigments naturels responsables des colorations variant du jaune orangé au rouge violet d'un grand nombre de fruits et de légumes. Bien qu'il existe plus de 600 caroténoïdes distincts, le bêta-carotène (carottes), la lutéine (épinards) ainsi que le lycopène (tomates) représentent à eux seuls près de 80% de l'apport en caroténoïdes.

Le lycopène est le caroténoïde dont l'action anticancéreuse est la mieux établie. La consommation régulière de produits à base de tomate est associée à une réduction d'environ 25% du risque de cancer de la prostate, une protection qui peut même atteindre 53% pour les formes avancées de cette maladie. Cet effet anticancéreux du lycopène est observé principalement chez les hommes de 65 ans et plus qui n'ont pas d'antécédents familiaux de cancer de la prostate. Les autres caroténoïdes alimentaires ne sont pas en reste, car un apport élevé en alpha et bêta-carotène ainsi qu'en lutéine est associé à une baisse significative du risque de cancer du sein hormono-indépendant (ER-) et du cancer du poumon. Dans ce dernier cas, il est intéressant de noter que les habitants des îles Fidji, qui consomment une abondance de légumes verts riches en lutéine, affichent une incidence du cancer du poumon plus faible que d'autres populations du Pacifique dont l'alimentation fait peu de place aux végétaux riches en caroténoïdes. Cette action anticancéreuse n'est pas restreinte aux fruits et aux légumes «terrestres», car des études en laboratoire indiquent que la fucoxanthine des algues possède une puissante activité anticancéreuse, ce qui pourrait contribuer à la longévité exceptionnelle des habitants d'Okinawa, qui consomment ces aliments quotidiennement.

Conseils pratiques

La consommation de fruits et de légumes entiers est essentielle pour profiter des bienfaits des caroténoïdes, plusieurs études ayant démontré que des suppléments contenant de fortes quantités de bêta-carotène n'ont pas d'effets protecteurs contre le cancer et peuvent même augmenter l'incidence de cancer du poumon chez les personnes à risque (fumeurs ou travailleurs exposés à l'amiante).

Par ailleurs, contrairement à plusieurs autres constituants des végétaux qui peuvent être détruits par la chaleur, les caroténoïdes (présents dans les chloroplastes des plantes, où ils sont étroitement associés à plusieurs molécules) voient leur biodisponibilité augmentée par la déstabilisation de ces complexes au cours de la cuisson. Ces molécules sont également très peu solubles dans l'eau, et leur absorption peut dans plusieurs cas être grandement favorisée par la présence de corps gras.

Petits fruits, grands bénéfices

Composés phytochimiques: anthocyanines (delphinidine), acide ellagique
Principal cancer: sein

Fraises, bleuets et framboises sont des sources exceptionnelles de composés phytochimiques anticancéreux capables d'interférer avec plusieurs processus en jeu dans la croissance et le potentiel invasif des cellules cancéreuses. Les polyphénols comme la delphinidine (bleuet) ou l'acide ellagique (framboise et fraise) empêchent la formation d'un nouveau réseau sanguin à proximité des tumeurs (angiogenèse), les privant ainsi d'oxygène et de molécules nutritives. Des études récentes indiquent que les composés phytochimiques du bleuet interfèrent avec la croissance de cellules du cancer du sein triple-négatif. La quantité de bleuets requise pour inhiber la progression de ce cancer est d'environ 100 g par jour pour une femme de 60 kg, une quantité qu'il est facile d'obtenir par l'alimentation. À ce propos, une étude clinique récente indique que la consommation d'une seule portion de bleuets par semaine permet une réduction de 31% du risque de cancer du sein hormono-indépendant chez les femmes ménopausées. Les bleuets pourraient également exercer un effet positif indirect contre le risque de cancer en bloquant spécifiquement la transformation des préadipocytes en adipocytes matures, ce qui réduit l'accumulation de graisse et prévient le développement de l'obésité. Dans la même veine, une analyse des habitudes alimentaires de plus de 200 000 Américains a révélé que les personnes qui consomment deux portions hebdomadaires d'aliments riches en anthocyanines, notamment les bleuets, ont 25% moins de risques d'être touchées par le diabète de type 2 et sont donc moins exposées à l'augmentation du risque de cancer qui accompagne l'hyperglycémie chronique.

Les composés phytochimiques des petits fruits parviennent aussi à atteindre le côlon, où ils sont métabolisés par la flore bactérienne, et pourraient agir localement pour prévenir le cancer colorectal.

Conseils pratiques

La saison des petits fruits étant relativement courte, il est d'usage de les conserver pour consommation ultérieure. La congélation des fruits entiers est considérée comme la méthode de choix pour préserver autant l'intégrité des fruits que leur contenu en composés phytochimiques. Les confitures représentent également une approche valable, car une analyse des polyphénols des fraises conservées de cette façon n'a démontré aucune perte significative même après cinq mois d'entreposage à 25 °C. La cuisson prolongée des petits fruits et leur entreposage subséquent, sous forme de tartes par exemple, semble moins appropriée, car elle est associée à une réduction significative de leur contenu en anthocyanines.

Le thé vert

Composé phytochimique: épigallocatéchine gallate
Principaux cancers: côlon, estomac

De tous les végétaux qui font partie de l'alimentation humaine, les feuilles de *Camellia sinensis* sont celles qui renferment la plus grande proportion de molécules anticancéreuses. Une seule tasse de thé vert peut contenir jusqu'à 200 mg de polyphénols (flavonols, acides phénoliques, catéchines), notamment l'épigallocatéchine gallate (EGCG), la principale molécule responsable de ses effets bénéfiques.

Plus de 11 000 études scientifiques ont démontré que l'EGCG est une molécule polyvalente capable d'interférer avec une foule de processus utilisés par les cellules cancéreuses pour croître et envahir les organes. L'importance de ces multiples activités biologiques est bien illustrée par la réduction marquée du risque de plusieurs cancers associée à la consommation régulière de thé vert, en particulier ceux qui touchent les organes du système digestif (estomac, œsophage et côlon), une réduction pouvant atteindre 60%. Une diminution de 20% du risque de cancer du poumon (chez les non-fumeurs), de 50% de celui de la prostate et de 40% de celui du sein a aussi été observée, confirmant l'effet inhibiteur du thé sur le développement de ces cancers dans des modèles expérimentaux.

Conseils pratiques

Les thés verts japonais, plus riches en catéchines, sont la meilleure source d'EGCG, surtout si les feuilles sont infusées de huit à dix minutes pour en extraire le maximum de polyphénols. La présence de ces molécules est associée à une douce amertume, une saveur qui est peu familière aux Occidentaux, mais qu'il est important d'apprivoiser pour profiter des propriétés anticancéreuses des composés phytochimiques végétaux. Il est toutefois préférable d'éviter de boire le thé trop chaud, car les températures trop élevées semblent annihiler les réductions du risque de cancer de l'estomac observées chez les personnes qui consomment régulièrement cette boisson.

Une poignée de noix par jour éloigne le médecin pour toujours

Composés phytochimiques : acide linolénique, composés phénoliques
Principaux cancers : sein, côlon, prostate, pancréas

Les fruits et les graines oléagineux sont des aliments exceptionnels qui ont été pendant trop longtemps laissés pour compte en raison de la phobie envers tout ce qui contient du gras. Pourtant, il s'agit probablement d'une des classes d'aliments qui exercent le plus d'effets bénéfiques sur la santé. Plusieurs observations indiquent que la simple consommation de trois portions de noix par semaine peut réduire le risque de mort prématurée d'environ 30 % par la réduction significative du risque de maladies du cœur, de diabète de type 2, de maladies respiratoires et de cancer. Dans ce dernier cas, un effet protecteur contre les cancers du côlon et de la prostate a été suggéré et pourrait être le fait du contenu élevé des noix en oméga-3

anti-inflammatoires, en fibres et en composés phénoliques. Récemment, la consommation régulière de noix (deux fois par semaine) a été associée à une réduction importante du risque de cancer du pancréas, possiblement parce qu'elle prévient le diabète de type 2, qui est un important facteur de risque pour ce cancer.

Conseils pratiques

Plusieurs personnes s'abstiennent de consommer des noix sous prétexte que leur contenu en calories est élevé. Pourtant, des études indiquent que la consommation de noix est plutôt associée à un risque réduit d'obésité. Du point de vue botanique, les noix, les noisettes, les châtaignes et les noix de pécan sont les seuls véritables représentants de cette famille, mais en pratique, le terme « noix » englobe aussi les amandes, les noix de cajou, les noix du Brésil, de Grenoble, de macadam et de pin, les pistaches et les arachides. Tous ces fruits sont des collations extraordinaires dont les effets positifs sur la santé demeurent encore souvent insoupçonnés, alors que ces aliments font depuis toujours partie de notre quotidien. Par exemple, une étude indique que les jeunes filles qui mangent régulièrement du beurre d'arachide ont 40 % moins de risques de développer des maladies prolifératives bénignes du sein, des lésions qui augmentent significativement le risque de cancer.

Le soya, une légumineuse anticancéreuse

Composé phytochimique: génistéine
Principal cancer: sein

Les fèves de soya sont une importante source d'iso-flavones, une classe de phytoestrogènes qui interfèrent avec la croissance des cancers hormono-dépendants, en particulier ceux du sein et de la prostate. En ce qui a trait au cancer du sein, les données actuellement disponibles indiquent que c'est la consommation de soya durant l'enfance et l'adolescence qui en réduit le plus le risque, ce qui expliquerait au moins en partie l'écart spectaculaire entre l'incidence de ce cancer en Asie et celle qui prévaut en Occident. Une réduction du risque de cancer de l'endomètre ainsi que du poumon a aussi été observée, illustrant combien l'intégration du soya aux habitudes alimentaires, en particulier durant l'enfance, peut avoir des effets extraordinaires sur le risque de cancer.

Au cours des dernières années, la consommation de produits et surtout de suppléments dérivés du soya par les femmes atteintes d'un cancer du sein a soulevé certaines interrogations, mais un grand nombre d'études récentes démontrent sans équivoque que le soya est sans danger et serait même associé à une diminution importante du risque de récidive (voir p. 235).

Conseils pratiques

Les isoflavones du soya sont présentes en quantités importantes dans les fèves nature (edamames), le tofu ou encore le miso, et ces aliments sont tous des façons simples, rapides et économiques de profiter des propriétés anticancéreuses de ces molécules. Les produits industriels fabriqués avec des concentrés de protéines de soya sont toutefois dépourvus d'isoflavones et ne sont d'aucun intérêt pour la prévention du cancer.

Graines et grains

Composés phytochimiques: acide linolénique, lignanes (sécoisolaricirésinol, matairésinol)
Principaux cancers: sein, côlon

Tout comme les noix, les graines de lin sont une source exceptionnelle d'oméga-3 anti-inflammatoire à courte chaîne, et il est probable que leur consommation régulière permette de réduire l'inflammation chronique et de générer un climat réfractaire à la progression des cellules cancéreuses. Des patients atteints d'un cancer de la prostate ont vu la croissance de leur cancer ralentir significativement grâce à la consommation quotidienne de 30 g de graines de lin moulues.

Les graines de lin, comme les grains entiers, contiennent également des quantités phénoménales

de lignanes, une classe de phytoestrogènes distincts des isoflavones du soya. Des études ont permis de conclure que la consommation de graines de lin ou de pains qui en contiennent est associée à une réduction d'environ 20 % du risque de cancer du sein, conformément à l'effet protecteur observé pour les lignanes provenant d'autres végétaux. Cette diminution du risque pourrait être corrélée avec une réduction de l'inflammation, car la présence de grandes quantités de lignanes urinaires s'accompagne d'une diminution de plusieurs marqueurs inflammatoires.

Conseils pratiques

La réduction du risque de cancer du sein observée à la suite de la consommation de graines de lin ne requiert qu'environ 5 mg de lignanes, une quantité facile à obtenir par l'alimentation (13 mg de lignanes par cuillerée à thé de lin). L'ajout de ces graines moulues aux yogourts, aux céréales du matin ou même à la confection de gâteaux, de muffins ou de pains représente donc une façon facile et peu coûteuse de profiter des bienfaits du lin. Les produits fabriqués à partir de grains entiers – pain, céréales, pâtes alimentaires – constituent aussi une approche intéressante, car en plus de contenir des quantités appréciables de lignanes, ces aliments sont des sources importantes de fibres et peuvent ainsi jouer un rôle indéniable dans la prévention du cancer colorectal.

L'huile d'olive, l'âme du régime méditerranéen

Composés phytochimiques: acide oléique, oléocanthal, hydroxytyrosol, taxifoline
Principal cancer: côlon

Le régime alimentaire des peuples vivant aux abords de la mer Méditerranée procure de nombreux effets positifs sur la santé, notamment pour la prévention des maladies cardiovasculaires et de plusieurs types de cancers. Rien d'étonnant à cela, d'ailleurs, car il s'agit d'une alimentation exemplaire, riche en fruits et en légumes ainsi qu'en gras mono-insaturés et polyinsaturés oméga-3, dans laquelle les sucres complexes des fibres et des céréales sont les sources principales de glucides et dans laquelle les protéines proviennent principalement des poissons et des légumineuses, au lieu des viandes rouges.

Des études populationnelles ont démontré que les personnes qui adhèrent à un régime alimentaire de type méditerranéen ont environ 15 % moins de risques d'être atteintes d'un cancer. L'huile d'olive est la pierre d'assise de ce type d'alimentation, et des résultats récents suggèrent qu'elle pourrait contribuer à la prévention du cancer. Cette huile contient de l'oléocanthal, une molécule anti-inflammatoire similaire à celle de l'ibuprofène et qui pourrait donc exercer des effets similaires dans la prévention du cancer du côlon. D'autre part, au moins deux composés phénoliques présents en grandes quantités dans l'huile d'olive, l'hydroxytyrosol et la taxifoline, inhibent efficacement la formation de nouveaux vaisseaux sanguins et pourraient donc freiner l'évolution d'un large éventail de cancers.

Conseils pratiques

Il faut privilégier les huiles vierges ou extra-vierges, tant pour leur goût supérieur que pour leurs bienfaits sur la santé. Ces huiles contiennent les polyphénols présents dans les olives d'origine, ce qui est facile à ressentir, car un de ces polyphénols, l'oléocanthal, provoque une sensation de chatouillement ou de picotement dans la gorge, cette ardence étant le résultat de son interaction spécifique avec certains récepteurs présents dans le pharynx. Plus ça pique, meilleure est l'action anti-inflammatoire de l'huile d'olive!

Agrumes

Composés phytochimiques: monoterpènes, flavanones
Principal cancer: estomac, œsophage

Surtout reconnus pour leur contenu élevé en vitamine C, les agrumes recèlent également plusieurs composés phytochimiques, des polyphénols et des monoterpènes, qui peuvent contribuer à la prévention du cancer. Des études réalisées en laboratoire suggèrent que ces molécules agissent contre plusieurs types de cellules cancéreuses, et les données épidémiologiques indiquent que la consommation régulière d'agrumes est associée à une réduction du risque des cancers de l'estomac et de l'œsophage.

Les agrumes influencent aussi indirectement le risque de cancer, en modulant les systèmes enzymatiques en cause dans l'élimination des substances étrangères de l'organisme. Le pamplemousse, par exemple, est bien connu pour bloquer les systèmes appelés cytochromes P450, et cette inhibition des cytochromes peut empêcher l'élimination trop rapide de composés anticancéreux, favorisant ainsi leur action contre les lésions précancéreuses.

Conseils pratiques

Comme les agrumes sont très souvent consommés sous forme de jus, il faut garder en tête que ces boissons sont très sucrées et que l'absence de fibres entraîne une absorption très rapide du glucose et du fructose qu'elles contiennent. Redécouvrir le plaisir de manger une orange ou un pamplemousse est donc une bonne façon de profiter des bienfaits de ces fruits exceptionnels tout en évitant les variations trop brusques de la glycémie pouvant contribuer au surpoids.

L'homme qui se borne à se
nourrir ne peut bien se porter :
il y faut aussi des exercices.

Hippocrate (460-370 av. J.-C.)

Chapitre 6

L'exercice physique : du mouvement dans la prévention du cancer

Recommandation
Être actif physiquement au moins 30 minutes par jour.   **Source : WCRF**

Pour s'amuser, le peuple amérindien rarámuri de la Sierra Madre mexicaine se livre depuis des siècles à des compétitions de *rarajipari* : les participants peuvent courir plus de vingt heures sans jamais s'arrêter, franchissant des centaines de kilomètres en poursuivant sans relâche un petit ballon en bois qu'ils frappent du pied. Considérées comme le « jeu de la vie » par les Rarámuris en raison de leur difficulté et de l'incertitude quant au moment où elles se terminent, ces courses rituelles sont surtout une illustration de notre capacité innée à faire des efforts physiques ainsi que de la remarquable endurance du corps humain. Car si l'*Homo sapiens* occupe une place privilégiée dans le monde animal en raison de ses capacités intellectuelles inégalées, il demeure fondamentalement un *Homo activus*, doté d'une physiologie parfaitement adaptée à l'activité physique

intense. Il ne faut pas oublier que si nous sommes devenus aussi intelligents, c'est seulement parce que notre corps s'est adapté à marcher et à courir sur de longues distances, jusqu'à 20 km par jour en moyenne, pour obtenir une nourriture de qualité, suffisamment calorique pour satisfaire aux exigences énergétiques nécessaires au fonctionnement optimal et à l'évolution de ce gros cerveau. Nous ne sommes pas nés seulement pour réfléchir et innover, mais aussi, et peut-être surtout, pour bouger.

Muscles au repos

Cette prédisposition biologique du corps humain à bouger est cependant devenue largement inutilisée à l'époque moderne. À l'exception des

Cette situation reflète les transformations sociales majeures qui découlent de l'industrialisation et, plus récemment, de la révolution technologique : les modes de transport motorisés permettent de franchir de grandes distances sans effort, l'ordinateur occupe une place centrale dans un nombre sans cesse croissant de professions, et la succession de nouveaux appareils électroniques continue de réduire les dépenses énergétiques de nos moindres gestes et activités. Même les loisirs en sont affectés : la télécommande permet de contrôler le téléviseur sans se lever, nous pouvons commander et recevoir un article sans avoir à quitter la maison, ou encore louer le film tant attendu à l'aide d'un simple « clic » sur la télécommande ou l'ordinateur. Globalement, on estime qu'une personne dépense en moyenne 500 calories de moins chaque jour qu'il y a un siècle à peine, une réduction d'autant plus paradoxale que l'apport calorique alimentaire s'est considérablement accru durant cette période.

Ces progrès sont généralement considérés comme positifs, car les travaux éreintants d'antan ont été remplacés par des activités beaucoup moins exigeantes physiquement, et les technologies modernes nous permettent de gagner du temps, un temps précieux que nous pouvons consacrer à améliorer notre productivité au travail ou notre qualité de vie en général. Il s'agit pourtant d'un piège, car si les avantages matériels conférés par la technologie sont indéniables, l'inactivité ou l'immobilité qui résulte de

^ Des coureurs rarámuri de la Sierra Madre (Mexique).

athlètes de haut niveau et des personnes dont la profession est physiquement exigeante (ouvriers, pompiers, soldats), la plupart des habitants des pays industrialisés n'ont que peu d'efforts physiques à fournir dans le cadre de leur travail ou de leurs tâches quotidiennes. Au Canada, par exemple, à peine 15 % de la population fait au moins cent cinquante minutes d'activité physique d'intensité modérée par semaine, une proportion qui devient encore plus faible (11 %) chez les personnes âgées de 60 ans et plus. En moyenne, un adulte consacre chaque jour près de dix heures de sa période d'éveil à des activités sédentaires dépourvues de toute dépense physique !

ces avancées va à l'encontre des besoins de notre corps : les quelque 640 muscles et 206 os, qui comptent à eux seuls pour la moitié de la masse corporelle, n'ont pas été sélectionnés par l'évolution pour que nous demeurions assis dans une voiture ou devant un ordinateur ou un téléviseur pendant la majeure partie de la journée ! Après avoir été actifs pendant deux cent mille ans, nous sommes devenus sédentaires en cinquante ans à peine et il est devenu évident que ce brusque changement à nos habitudes de vie se répercute négativement sur le fonctionnement du corps. Qu'on le veuille ou non, nous avons encore une physiologie héritée des hommes des cavernes, mais nous vivons dans un environnement de passivité métabolique qui ne nous convient pas et subissons les effets secondaires sur la santé que cette mésadaptation peut entraîner.

Avoir le cœur à l'ouvrage

Un des premiers indices des dangers liés à cette sédentarisation provient des travaux du Britannique Jeremy Morris (1910-2009) sur l'incidence des maladies cardiaques chez les contrôleurs et les chauffeurs des bus à impériale londoniens en 1953. Il a observé que les contrôleurs, qui pouvaient monter et descendre près de 750 marches chaque jour, avaient un risque de maladies du cœur diminué de plus de 50 % comparativement à leurs collègues chauffeurs, qui étaient assis pendant plus de 90 % de leur quart de travail. Même phénomène pour les employés du service postal britannique : les facteurs qui livraient le courrier à pied ou à bicyclette étaient beaucoup moins affectés par des troubles cardiaques que les employés qui travaillaient au guichet.

On sait maintenant que cet effet positif de l'exercice sur le cœur est dû à une série d'adaptations physiologiques et métaboliques sur les plans pulmonaire, musculaire et cardiovasculaire qui, globalement, améliorent la consommation d'oxygène et la production d'énergie. Combiné avec une baisse de la tension artérielle, une amélioration du profil des lipides sanguins, une réduction de l'inflammation ainsi qu'une meilleure élasticité des vaisseaux, l'exercice est vraiment un médicament tout-en-un qui cible plusieurs processus indispensables au maintien de la santé cardiovasculaire. D'ailleurs, des études récentes indiquent que l'activité physique est aussi efficace que plusieurs médicaments pour réduire le taux de mortalité chez les personnes affectées par des maladies coronariennes ou qui récupèrent d'un accident vasculaire cérébral.

Contrairement à ce que beaucoup de personnes peuvent penser, les bénéfices de l'activité physique ne se limitent pas au fonctionnement du cœur ou à une amélioration du tonus musculaire. Au cours des dernières années, une vaste gamme d'effets très bénéfiques ont été intimement associés à l'activité physique régulière, ce qui en fait l'aspect du mode de vie qui peut exercer le plus grand effet positif sur la santé (Figure 48). Sans oublier que l'exercice provoque la relâche dans le cerveau d'hormones comme les endorphines et les endocannabinoïdes, qui « récompensent » les personnes actives en stimulant des circuits neuronaux impliqués dans la sensation de plaisir, un peu à la façon d'une drogue euphorisante.

Le cancer aime la tranquillité

De tous les impacts positifs de l'activité physique régulière, la prévention du cancer demeure le plus méconnu. Pourtant, un grand nombre d'études ont clairement démontré que les personnes les plus actives physiquement voient leur risque d'être touchées par plusieurs cancers être réduit considérablement, comparativement à celles qui ont un mode de vie sédentaire. Cet effet protecteur est particulièrement bien documenté pour les cancers du côlon et du sein,

avec des réductions moyennes du risque de 25 % observées dans des dizaines d'études, mais plusieurs données suggèrent que les cancers de l'endomètre, de l'ovaire, du poumon et de la prostate sont également moins fréquents chez les personnes actives (Figure 49). Cette réduction du développement du cancer associée à l'activité physique régulière est due à une combinaison de plusieurs facteurs hormonaux, métaboliques et immunitaires.

Être actif physiquement ne se limite pas à faire bouger les muscles ; il s'agit surtout d'une action qui induit une série de modifications

Principaux bénéfices de l'activité physique régulière

- Réduction du risque de diabète
- Augmentation de la masse osseuse et prévention de l'ostéoporose
- Augmentation du métabolisme du cerveau et prévention de maladies neurodégénératives
- Diminution du risque de certains cancers
- Diminution du stress, amélioration du sommeil et maintien de la fonction immunitaire
- Amélioration de la confiance en soi et de la résilience
- Amélioration de la sexualité
- Réduction du risque de dépression

Figure 48

biochimiques et physiologiques capables d'instaurer un climat inhospitalier pour les cellules précancéreuses et qui interfère avec leur évolution en cancer avancé. Un des effets les plus importants de l'activité physique est de réduire l'inflammation chronique à l'intérieur du corps, privant ainsi les cellules cancéreuses encore immatures d'un outil indispensable à leur croissance. Les muscles des personnes actives captent aussi beaucoup mieux le sucre sanguin en réponse à l'insuline, ce qui permet au pancréas de sécréter de plus faibles quantités de cette hormone et de réduire ses effets néfastes sur la croissance des cellules cancéreuses. La réduction des taux d'hormones stéroïdiennes observée chez les personnes qui sont physiquement actives semble quant à elle contribuer à la prévention des cancers dont la progression est stimulée par ces hormones, notamment les cancers du sein dépendants des œstrogènes. Il ne faut pas non plus négliger l'effet positif de l'activité physique régulière sur le contrôle du poids corporel ; les personnes actives sont généralement plus minces que celles qui sont sédentaires. Et un excès de graisse augmente significativement le risque de cancer en raison de la surproduction de molécules inflammatoires, d'insuline et d'hormones sexuelles (voir chapitre 3). Tous ces facteurs font de l'activité physique un ingrédient indispensable à la prévention du cancer, mais dont le potentiel demeure encore largement inexploité dans les sociétés industrialisées, où la majorité des gens sont inactifs physiquement.

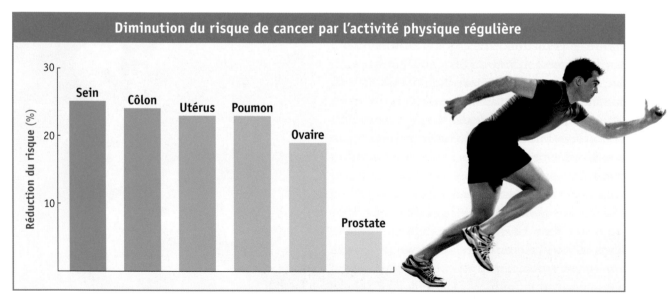

Diminution du risque de cancer par l'activité physique régulière

Réduction du risque (%)

Sein • Côlon • Utérus • Poumon • Ovaire • Prostate

Figure 49

D'après Brown et coll., 2012.

La télé, ça peut être mortel

En plus de priver le corps des effets positifs de l'activité physique, un mode de vie sédentaire peut entraîner des problèmes de santé qui lui sont propres, indépendamment de ceux que cause le manque d'exercice. La sédentarité est associée à des perturbations métaboliques importantes, notamment en matière d'absorption des gras et du sucre sanguins, et représente un important facteur de risque d'obésité et de diverses maladies chroniques. Plusieurs études ont démontré que le temps consacré à des activités sédentaires est corrélé avec une augmentation du risque de mortalité prématurée. Par exemple, les personnes qui passent quotidiennement plus de sept heures devant la télévision ont 85 % plus de risques de mourir prématurément d'une maladie du cœur et 22 % plus de risques de décéder d'un cancer que celles qui ne regardent la télé que moins d'une heure par jour. Une analyse complète de toutes les études réalisées jusqu'à présent indique que le risque quant à l'ensemble des maladies chroniques est augmenté par l'inactivité physique, cet effet étant particulièrement prononcé pour les cancers du sein et du côlon (Figure 50). Une meta-analyse portant sur près de 69 000 personnes atteintes de cancer indique que le nombre d'heures passées en position assise est aussi associé à une hausse du risque de cancer

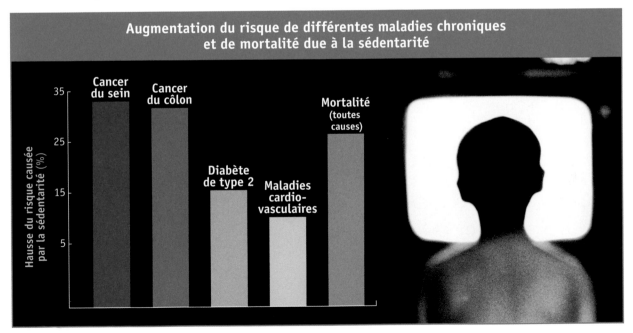

Figure 50

D'après Lee et coll., 2012.

de l'endomètre (66 %) et du poumon (21 %). On estime que jusqu'à 10 % de ces cancers pourraient être prévenus par l'élimination du mode de vie sédentaire, un effet protecteur qui pourrait avoir des répercussions extraordinaires, étant donné la forte incidence de ces deux cancers en Occident. Globalement, le manque d'activité physique fait augmenter de 28 % le risque de mortalité prématurée ; chaque année, il est directement responsable de plus de 5 millions de décès dans le monde, soit autant que le tabagisme.

Actif, mais sédentaire

Au Canada, tout comme dans la plupart des pays industrialisés, on recommande à la population de pratiquer au moins cent cinquante minutes d'activité physique d'intensité modérée à vigoureuse par semaine pour profiter de ses bienfaits sur la santé. Bien qu'il s'agisse d'un minimum, seulement 15 % de la population suivent ces recommandations, et à peine 5 % le font de façon régulière, soit en étant actives au moins trente minutes par jour, cinq jours par semaine.

Si l'adhésion à ces recommandations est essentielle pour la prévention du cancer et d'autres maladies chroniques, il est important de réaliser qu'elle doit s'accompagner d'une réduction des activités sédentaires. Cela peut sembler paradoxal, mais, dans le monde actuel, il est tout à fait possible de combiner un certain niveau d'activité physique, théoriquement suffisant pour réduire le risque de maladies chroniques, tout en demeurant trop sédentaire. Par exemple, une personne peut faire chaque matin une demi-heure de marche rapide (et donc suivre les recommandations de cent cinquante minutes d'activité physique par semaine), mais si elle demeure assise toute la journée au bureau et passe la soirée devant le téléviseur avant d'aller au lit, elle peut consacrer plus de seize heures de sa période d'éveil à des activités passives. En d'autres mots, une personne considérée comme active, selon les critères actuels, peut en réalité ne l'être que pendant 3 % de son temps disponible ! Dans un tel contexte, les effets positifs associés

aux trente minutes d'activité physique seront en grande partie contrecarrés par l'impact négatif de la sédentarité sur le métabolisme. D'ailleurs, la hausse du risque de mortalité observée chez les personnes qui consacrent plusieurs heures par semaine à regarder la télévision est observée même chez celles qui sont actives physiquement plus de sept heures par semaine. Il est donc capital d'être actif physiquement au moins trente minutes par jour pour prévenir le cancer, mais pour être optimale, cette dépense d'énergie doit s'accompagner d'une modification plus globale des habitudes de vie où les périodes consacrées à des activités sédentaires sont en parallèle réduites au minimum.

Activité physique ou exercice?

On définit générale-ment l'activité physique comme tout mouve-ment qui provoque une dépense calorique, qu'il soit accompli dans le cadre d'un travail ou dans la réalisation des tâches quotidiennes. L'exercice est quant à lui considéré comme une catégorie d'activité physique, généralement accomplie dans le cadre des périodes de loisir, et dont l'objectif est d'améliorer la forme physique et la santé de la personne qui s'y adonne. Autrement dit, laver la vaisselle est une activité physique, tandis que le jogging ou un match de tennis sont plutôt des exercices.

L'intensité de ces différentes formes d'activité physique est exprimée en équivalent métabolique (MET), c'est-à-dire le coût métabolique (consommation d'oxygène) de l'activité physique. Un MET équivaut à un métabolisme de repos (environ 3,5 ml de O_2/kg/min ou 1 kcal/kg de poids corporel/h). Une activité physique légère permet de « brûler » jusqu'à trois fois plus d'énergie par minute qu'une personne inactive, tandis que des activités d'intensité moyenne et élevée sont suffisamment exigeantes pour entraîner une dépense calorique de trois et de six fois plus élevée qu'une personne assise, respectivement.

Différents types d'activités physiques

Activité physique légère (< 3,0 METs)

(METs : équivalents métaboliques)

- Marcher lentement
- Travailler assis devant l'ordinateur
- Travailler debout à des activités telles que cuisiner, faire la vaisselle
- Pêcher assis
- Jouer de la plupart des instruments de musique

Activité physique moyenne (3,0-6,0 METs)

- Marcher rapidement
- Ranger ou nettoyer (nettoyer des vitres, passer l'aspirateur ou la vadrouille)
- Tondre le gazon au moyen d'une tondeuse électrique
- Faire du vélo, effort moyen
- Jouer au badminton
- Jouer au tennis (en double)

Activité physique vigoureuse (> 6,0 METs)

- Faire de la randonnée
- Faire du jogging
- Pelleter
- Transporter des charges lourdes
- Faire du vélo, effort élevé
- Jouer au basketball
- Jouer au soccer
- Jouer au tennis (en simple)

Figure 51

Homo activus

Compte tenu de l'organisation du travail et des loisirs à l'ère moderne, adopter un mode de vie suffisamment actif pour prévenir le cancer représente un défi qu'on ne peut prendre à la légère. Il faut d'abord faire preuve d'honnêteté, car la plupart d'entre nous ont tendance à surestimer leur niveau d'activité physique. Par exemple, un sondage récent indique que 73 % des Américains se considèrent physiquement actifs, alors que seulement 15 % d'entre eux le sont réellement.

Il est presque impossible d'être suffisamment actif sans faire de l'exercice physique régulièrement. En pratique, les dépenses d'énergie associées à la plupart des activités physiques quotidiennes sont relativement faibles, bien en deçà de celles qui découlent de l'exercice d'intensité modérée à vigoureuse (voir encadré et Figure 51). Pour toutes les personnes qui n'ont pas un travail exigeant, il devient donc impératif de pratiquer une activité de façon régulière, comme la marche rapide (en adoptant un chien, par exemple), le jogging ou des sports récréatifs, comme le badminton et le tennis.

Mais, on l'a vu, l'exercice ne peut à lui seul permettre d'atteindre le plein potentiel préventif de l'activité physique si le temps qu'on lui consacre est négligeable par rapport à la somme des activités sédentaires. Il faut absolument trouver une façon d'utiliser les quelque quinze heures qui demeurent à notre disposition pour être plus actif physiquement, ne serait-ce qu'en évitant le plus possible de demeurer assis pendant de longues périodes.

On peut illustrer concrètement à quoi peut ressembler un mode de vie actif – combinant activité physique d'intensité modérée à vigoureuse et faible sédentarité – en comparant la journée typique de quatre travailleurs de bureau (Figure 52). La personne la plus sédentaire est évidemment celle qui présentera le risque de cancer le plus élevé: sa journée, totalement dépourvue d'activité physique, consiste seulement à se rendre au travail en voiture, à demeurer assise devant un ordinateur pendant huit heures, puis à retourner à la maison, où elle consacre le reste de sa journée à des tâches légères et à se distraire devant la télévision. Les trois autres personnes sont plus actives, chacune d'elles réalisant la même quantité d'activité physique d'intensité moyenne, mais elles présenteront pourtant des

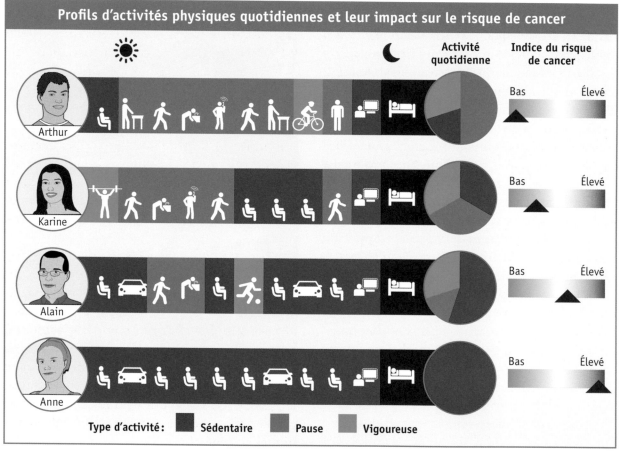

Figure 52

D'après www.aicr.org, 2011.

risques de cancer distincts selon l'emploi du reste de leur temps.

C'est la personne qui trouve le moyen de demeurer active pendant toute la journée qui va bénéficier de la plus grande protection contre le cancer. Tous les moyens sont bons : parler au téléphone debout (le simple fait d'être debout requiert des contractions musculaires et fait dépenser trois fois plus de calories qu'être assis), prendre une pause de quelques minutes toutes les heures pour aller boire de l'eau, marcher à l'extérieur pendant la pause du midi, conserver à portée de main des poids légers lorsqu'on doit lire un texte, etc. Le plus important est de réaliser que la sédentarité est un comportement anormal, complètement mésadapté à la physiologie humaine, et d'éviter autant que possible de rester inactif trop longtemps, quel que soit le type d'activité entrepris.

La sédentarisation croissante des sociétés modernes nous force donc à redéfinir le rôle de l'activité physique dans nos vies. À l'heure actuelle, faire de l'exercice est trop souvent perçu seulement sous un angle énergétique, une action dont la seule fonction est de « brûler » des calories pour conserver sa ligne ou éliminer quelques kilos en trop. Cette vision réductrice peut être dangereuse, car elle risque de faire de l'activité physique une forme de « punition » qu'on ne fait que par obligation ou pour se donner bonne conscience. L'effet positif majeur de l'activité physique sur le risque de développer certains cancers et l'impact désastreux de la sédentarité sur l'incidence de ces maladies illustrent pourtant à quel point les bénéfices d'une vie active dépassent le seul maintien d'un poids corporel normal.

Les nombreux avantages de l'activité physique se traduisent par une augmentation significative de l'espérance de vie, les personnes les plus actives pouvant vivre en moyenne plus de quatre années supplémentaires, comparativement à celles qui sont sédentaires (Figure 53). Avec l'arrêt du tabagisme, l'exercice représente possiblement la modification au mode de vie qui peut entraîner le plus de bienfaits pour la santé, en matière de prévention tant du cancer que des maladies chroniques en général.

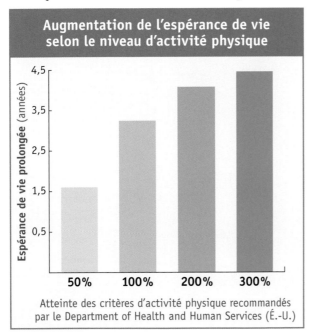

Figure 53 D'après www.nih.gov, 2012.

Si le vin disparaissait
de la production humaine,
je crois qu'il se ferait, dans
la santé et dans l'intellect,
un vide, une absence,
une défection, beaucoup plus
affreux que tous les excès dont
on rend le vin responsable.

Charles Baudelaire (1821-1867)

Chapitre 7

Alcool, vin rouge et cancer

Recommandation
Limiter la consommation quotidienne d'alcool à deux verres pour les hommes et à un verre pour les femmes.

Source : American Cancer Society

Chaque nuit, une adorable musaraigne arboricole du Sud-Est asiatique, le ptilocerque de Low (*Ptilocercus lowii*), passe plusieurs heures à se nourrir du nectar des fleurs d'un palmier (*Eugeissona tristis*). Un comportement qui n'a rien d'étonnant, à première vue, si ce n'est que le nectar produit par ce palmier est la source naturelle d'alcool la plus importante (3,8 %) et que la musaraigne consomme chaque fois l'équivalent de neuf verres de bière pour un humain, sans toutefois présenter le moindre signe d'ébriété ! Une tolérance à l'alcool présent naturellement dans les fruits a aussi été observée chez certaines espèces de chauve-souris, qui peuvent « voler sous influence » sans aucun problème, et chez certains insectes comme la mouche à fruits drosophile, particulièrement attirée par les fruits très mûrs pouvant contenir de 1 à 2 % d'alcool.

Des chercheurs ont même démontré que chez ces mouches, le circuit de la récompense du cerveau est activé par l'alcool, ce qui incite les mâles repoussés sexuellement par les femelles à consommer encore plus de cette substance, un peu comme s'ils cherchaient à « boire » pour « noyer leur peine » ! L'ingestion d'alcool présent naturellement dans les fruits, les nectars et d'autres sources de sucre est donc un phénomène ancestral, probablement aussi vieux que « l'invention » de la fermentation par les levures il y a environ quatre-vingts millions d'années.

Cette adaptation évolutive à la présence d'alcool dans la nature s'est au fil du temps transmise aux humains. Outre la « musaraigne alcoolique », qui serait l'ancêtre commun à tous les primates, des études récentes indiquent que certains grands singes ont acquis la capacité de métaboliser l'alcool il y a environ dix millions d'années. Cette adaptation est possiblement une conséquence de leur vie plus près du sol, où les fruits tombés des arbres étaient une source abondante

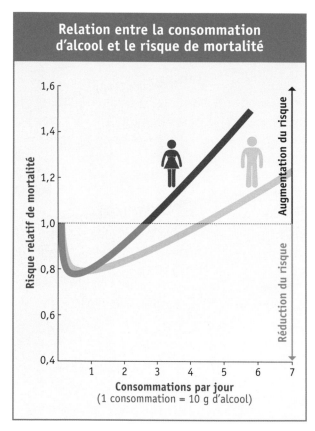

Relation entre la consommation d'alcool et le risque de mortalité

Figure 54 — D'après Di Castelnuovo et coll., 2006.

de nourriture, mais contenaient en mûrissant de l'alcool produit par la fermentation issue de l'activité métabolique des levures. Cette capacité métabolique accrue présentait donc un avantage évolutif certain, car elle permettait à ces singes d'avoir accès à des calories additionnelles. Les orangs-outans, restés arboricoles, ne produisent d'ailleurs pas les enzymes de digestion de l'alcool.

L'alcool n'est donc pas une drogue comme les autres, dans la mesure où notre attirance envers lui n'est pas seulement due à ses effets psychoactifs, mais peut-être surtout au fait qu'il est depuis longtemps entré dans nos habitudes alimentaires. Cette familiarité avec l'alcool explique aussi pourquoi la production de boissons alcooliques, qu'il s'agisse de bière, de vin ou d'alcool de riz, est intimement liée à l'évolution des premières civilisations et joue depuis des temps immémoriaux un rôle important, tant alimentaire que rituel et religieux.

À votre santé !

En dépit de la place importante que l'alcool a toujours occupée dans le quotidien, cette substance est loin d'être inoffensive et exerce même des influences très complexes sur la santé. Cette complexité est bien illustrée par la relation en « J » qui se manifeste entre la quantité d'alcool ingérée et le risque de mort prématurée (Figure 54). La synthèse d'études réalisées auprès de plus d'un million de personnes démontre que la consommation quotidienne de faibles quantités d'alcool (deux verres pour les hommes et un verre pour les femmes) est associée à une réduction significative (20 %) du risque de mortalité, comparativement aux personnes qui ne boivent pas, mais qu'à des quantités plus élevées, cet effet protecteur de l'alcool disparaît complètement pour faire place à une hausse importante du risque de mort prématurée, en particulier chez les femmes. Selon l'OMS, l'abus d'alcool est chaque année directement responsable de 3,3 millions de morts, ce qui correspond à 6 % de tous les décès à l'échelle mondiale.

L'effet protecteur des faibles quantités d'alcool est en grande partie dû à une réduction du risque de maladies cardiaques. Boire quotidiennement un ou deux verres d'alcool, quel qu'il soit, augmente d'environ 10 % le taux de bon cholestérol-HDL, ce qui permet de diminuer les taux de mauvais cholestérol-LDL dans la circulation et donc de réduire la formation de plaques d'athéromes pouvant mener à des maladies coronariennes. L'alcool améliore le contrôle de la glycémie et a des propriétés anticoagulantes et anti-inflammatoires, des facteurs pouvant tous contribuer à la réduction du risque de maladies du cœur.

La fenêtre de consommation d'alcool qui permet de réduire la mortalité est cependant beaucoup plus étroite qu'on peut le penser. Par exemple, la consommation quotidienne de plus de 20 g d'alcool par une femme est suffisante pour annuler presque tout effet positif associé à l'alcool. Pour les personnes qui boivent, cette délicate balance fait en sorte qu'il est important de

Contenu moyen du vin en différents composés phénoliques

Composés phénoliques	Concentration (mg/L)	
	Vin rouge	Vin blanc
Flavonoïdes		
Flavonols	100	–
Anthocyanines	90	–
Flavanols (monomères)	100	15
Proanthocyanidines et tanins condensés	1000	25
Autres	75	–
Non flavonoïdes		
Stilbènes (resvératrol)	7	0,5
Acides benzoïques	60	15
Hydroxycinnamates	60	130
Tanins hydrolysables (barils de chêne)	250	100
Total	**1742**	**285,5**

Figure 55

D'après Waterhouse, 2002.

bien choisir le type d'alcool qui peut maximiser ses effets positifs sur la réduction de la mortalité.

Plusieurs études suggèrent que la consommation régulière et modérée de vin rouge pourrait entraîner des bénéfices supérieurs à ceux des autres types d'alcool. Une étude danoise réalisée auprès de 24 523 personnes a révélé que les consommateurs modérés de vin rouge ont un risque de mort prématurée trois fois plus faible que ceux qui préfèrent la bière ou les spiritueux (34 % contre 10 %), un effet directement lié à l'incidence réduite des maladies du cœur et des cancers. Des résultats similaires ont été obtenus en Californie et en France, et suggèrent que le contenu unique du vin en composés phytochimiques, les polyphénols notamment, pourrait à lui seul exercer des effets positifs qui dépassent ceux associés à la présence d'alcool.

Le secret est dans la fermentation

Le vin n'est pas une boisson alcoolique comme les autres. Alors que la bière et les spiritueux ne contiennent que des molécules de structures relativement simples (carbonyles, esters, acides monocarboxyliques, acides volatils) et biologiquement inactives, le vin rouge contient quant à lui plusieurs milligrammes de molécules phénoliques extraites de la peau du raisin au cours du processus de fermentation (Figure 55). Ces molécules complexes font partie d'un système de défense très sophistiqué élaboré par la vigne pour se défendre

contre les rayons UV ainsi que différents micro-organismes qui cherchent à profiter du contenu riche en sucre du raisin. Absolument essentiels aux propriétés organoleptiques du vin rouge, ces composés phénoliques agissent aussi de plusieurs façons sur le corps humain, contribuant ainsi aux effets positifs d'une consommation modérée. Les vins blancs, fermentés en absence de la peau du raisin, contiennent une quantité beaucoup plus faible de ces molécules phénoliques et exercent par conséquent des effets bénéfiques moins prononcés.

Le resvératrol est la molécule du vin rouge qui a reçu le plus d'attention jusqu'ici en raison de ses propriétés biologiques exceptionnelles, en particulier ses activités antioxydante, anti-inflammatoire, antiplaquettaire et vasodilatatrice, de même que ses nombreux effets métaboliques. Cependant, les proanthocyanidines et certains flavonols (quercétine) et flavanols (catéchine) pourraient également participer aux bienfaits cardiovasculaires du vin rouge. Il est d'ailleurs intéressant de noter que le vin rouge, même désalcoolisé, améliore l'élasticité des vaisseaux, augmente la capacité antioxydante du plasma et réduit l'oxydation du cholestérol-LDL, des paramètres qui sont tous associés à un effet cardioprotecteur. Puisque cet impact positif n'est pas observé

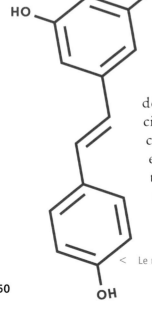

< Le resvératrol.

avec la consommation de vin blanc, largement dépourvu de flavonoïdes et de resvératrol, il est probable que les quantités élevées de composés phénoliques dans le vin rouge jouent un rôle important dans la réduction du risque de mortalité observée.

Détoxification incomplète

Le rôle bénéfique du vin rouge sur la santé ne doit cependant pas faire oublier que l'alcool qu'il contient demeure une substance très toxique qu'il faut consommer avec beaucoup de modération pour minimiser ses effets néfastes sur la santé. Dès les premières minutes qui suivent son ingestion, l'alcool est absorbé par l'estomac, et surtout par l'intestin grêle, et se retrouve très rapidement dans la circulation sanguine, qui l'acheminera vers le foie pour y être métabolisé (Figure 56). Grâce à l'action de l'alcool déshydrogénase (ADH), l'alcool est d'abord oxydé en acétaldéhyde, qui est à son tour transformé en acétate par l'aldéhyde déshydrogénase (ALDH) présent dans les mitochondries des cellules hépatiques. Ce métabolisme permet de transformer une substance très toxique (l'alcool) en produit inoffensif (l'acétate), mais cette détoxification n'élimine pas complètement les effets néfastes de l'alcool, car l'acétaldéhyde formé au cours de cette réaction est une molécule très réactive qui peut causer d'énormes dommages au matériel génétique des cellules. Rappelons

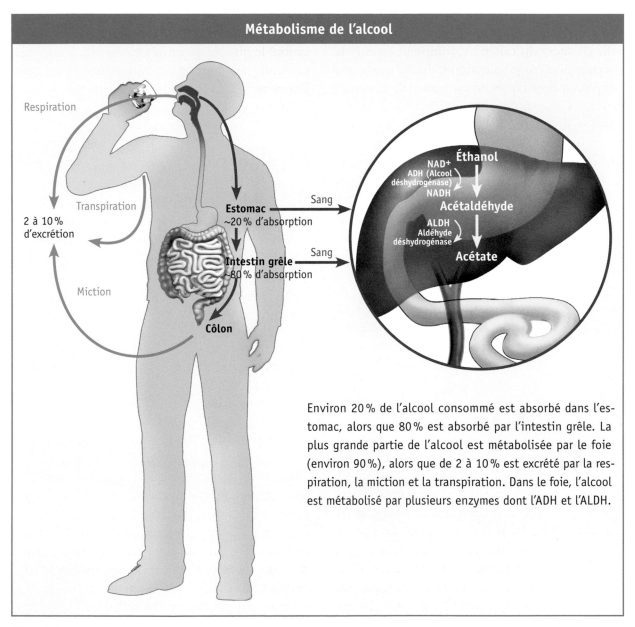

Métabolisme de l'alcool

Respiration

Transpiration

2 à 10 %
d'excrétion

Miction

Estomac
~20 % d'absorption

Sang

Intestin grêle
~80 % d'absorption

Sang

Côlon

Éthanol

NAD+
ADH (Alcool
déshydrogénase)
NADH

Acétaldéhyde

ALDH
Aldéhyde
déshydrogénase

Acétate

Environ 20 % de l'alcool consommé est absorbé dans l'estomac, alors que 80 % est absorbé par l'intestin grêle. La plus grande partie de l'alcool est métabolisée par le foie (environ 90 %), alors que de 2 à 10 % est excrété par la respiration, la miction et la transpiration. Dans le foie, l'alcool est métabolisé par plusieurs enzymes dont l'ADH et l'ALDH.

Figure 56

L'ingestion rapide de quantités importantes d'alcool dans un court laps de temps, un « calage » populaire surtout auprès des jeunes, est aussi associée à une hausse très importante d'acétaldéhyde. En plus d'être néfastes à long terme, ces beuveries sont dangereuses à court terme, car elles doublent le risque d'accident vasculaire cérébral, même chez les personnes jeunes. Des variations dans l'expression des enzymes ADH et ALDH peuvent aussi grandement affecter la sensibilité d'une personne à l'alcool. Les grands buveurs, par exemple, ont des niveaux plus élevés d'ADH et peuvent métaboliser jusqu'à 40 ml d'alcool par heure, trois fois plus qu'une personne qui boit raisonnablement. Des variations génétiques peuvent aussi influencer l'efficacité des enzymes ADH et ALDH, modifier de façon spectaculaire le métabolisme de l'alcool et générer des quantités très importantes d'acétaldéhyde (voir encadré p. 156).

Alcool et cancer

L'un des effets les mieux documentés de l'abus d'alcool est l'augmentation du risque de plusieurs cancers, en particulier ceux de la bouche, du larynx, de l'œsophage, du côlon, du foie ainsi que du sein. En 1997, le Centre international de recherche sur le cancer (IARC) a classé l'alcool parmi les agents cancérigènes du groupe 1, soit une substance dont la cancérogénicité chez l'être humain est prouvée. Dans la plupart des cas, cependant, la hausse du risque de cancer n'est pas

que l'acétaldéhyde est apparenté au formol (formaldéhyde), qui est traditionnellement utilisé en pathologie pour fixer les tissus biologiques à des fins de conservation permanente...

Plusieurs facteurs influencent le métabolisme de l'alcool et vont de ce fait modifier les quantités d'acétaldéhyde générées lors de sa transformation. En premier lieu, la présence de nourriture dans l'estomac permet de retarder quelque peu l'absorption de l'alcool. C'est pour cette raison qu'il est toujours préférable de manger lorsqu'on consomme de l'alcool, surtout pour les femmes, qui sont particulièrement sensibles à ses effets physiologiques (voir encadré).

L'alcool est sexiste

Si un homme et une femme de taille similaire boivent la même boisson alcoolique, les effets physiologiques de l'alcool seront en général beaucoup plus prononcés chez la femme. Cette différence s'explique en grande partie par la plus grande proportion de graisse dans le corps féminin, ce qui réduit le volume d'eau et augmente du coup la concentration d'alcool dans le sang. Les femmes ont également moins d'alcool déshydrogénase dans l'estomac, et ce métabolisme plus lent permet à une plus grande quantité d'alcool d'atteindre la circulation sanguine et d'entrer en contact avec l'ensemble des organes du corps. Les femmes qui boivent des quantités importantes d'alcool sont donc plus à risque que les hommes de mourir prématurément des suites de maladies associées à l'excès d'alcool, comme les cancers du système digestif supérieur et du sein.

Historiquement, la consommation d'alcool par les femmes était un phénomène marginal, et même plutôt mal vu, mais les changements majeurs à la structure et au fonctionnement des sociétés modernes ont dans la majorité des cas rendu ces restrictions morales désuètes. En Occident, par exemple, entre 60 % (États-Unis) et 96 % (Danemark) des femmes boivent régulièrement de l'alcool, parfois même en quantités importantes. Au Canada, 20 % des femmes prennent même une « cuite » (quatre verres ou plus en une seule soirée) au moins une fois par mois, cette proportion atteignant 45 % chez les femmes de 18 à 24 ans. Des études récentes ont montré que cette consommation élevée d'alcool avant la première grossesse est potentiellement dangereuse, car elle augmente considérablement le risque de cancer du sein. Nous ne sommes donc pas tous égaux face à l'alcool, et les femmes doivent garder en tête qu'elles sont physiologiquement plus vulnérables aux effets néfastes de cette substance.

due à l'alcool en tant que tel, mais plutôt à l'acétaldéhyde produit au cours de son métabolisme.

Le système digestif supérieur (bouche, larynx, œsophage) est particulièrement vulnérable aux effets de l'acétaldéhyde. Par exemple, le simple fait d'utiliser régulièrement un rince-bouche contenant de l'alcool augmente de trois fois le risque de cancer de ces organes, un impact qui serait lié au contact de lésions buccales avec l'acétaldéhyde formé par la flore bactérienne de la bouche. L'ingestion de boissons alcooliques constitue évidemment un risque encore plus important, et les Asiatiques, qui ont un métabolisme de l'alcool altéré par des mutations de l'ADH et de l'ALDH, ont

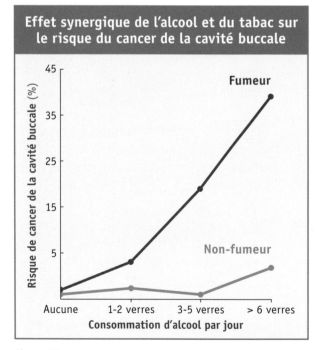

Effet synergique de l'alcool et du tabac sur le risque du cancer de la cavité buccale

Fumeur

Non-fumeur

Risque de cancer de la cavité buccale (%)

Aucune 1-2 verres 3-5 verres > 6 verres

Consommation d'alcool par jour

Figure 57 D'après Castellsagué et coll., 2004.

jusqu'à vingt fois plus de risques d'être atteints d'un cancer de l'œsophage en raison des fortes quantités d'acétaldéhyde qui sont produites. Ce danger menace aussi les personnes dont le métabolisme de l'alcool est normal mais qui consomment de grandes quantités d'alcool, car la salive même des grands buveurs contient un taux d'acétaldéhyde de dix à vingt fois plus élevé que celui de leur sang en raison de la transformation de l'alcool en acétaldéhyde par les bactéries de la bouche. Cette quantité d'acétaldéhyde toxique peut même être augmentée de 700 % chez les personnes qui fument en buvant, un phénomène qui contribue à la forte synergie qui existe entre la consommation d'alcool et le tabagisme pour l'ensemble de ces cancers. Par exemple, les grands buveurs (six verres d'alcool et plus par jour) qui fument quotidiennement plus d'un paquet de cigarettes ont jusqu'à quarante fois plus de risques d'avoir un cancer de la cavité buccale que celles qui boivent modérément et ne fument pas (Figure 57). L'usage simultané d'alcool et de tabac crée donc un « cocktail » cancérigène particulièrement explosif qui expose les cellules de la bouche, du larynx et de l'œsophage à des concentrations très élevées de composés pouvant endommager l'ADN et induire l'éclosion d'un cancer.

La quantité d'acétaldéhyde qui entre en contact avec les organes du système digestif supérieur peut varier considérablement selon le type d'alcool consommé. Certains alcools forts génèrent de grandes quantités de cette molécule toxique, même lorsqu'ils sont ingérés en petites

Quand l'alcool rend malade

Beaucoup d'Asiatiques, en particulier les Japonais, les Coréens et les Chinois, sont dotés d'une version « hyperactive » de l'ADH (de quarante à cent fois plus efficace que la normale) qui accélère la transformation de l'alcool en acétaldéhyde. La hausse rapide et subite des taux de cette molécule toxique dans le sang fait en sorte que l'ingestion d'alcool, même en petites quantités, provoque chez ces personnes l'apparition d'effets secondaires comme des rougeurs, des maux de tête et des nausées. Ce phénomène, surnommé le « flush asiatique », est encore plus accentué chez les personnes accablées d'un autre défaut génétique, qui empêche quant à lui l'ALDH de transformer efficacement l'acétaldéhyde en acétate. L'accumulation d'acétaldéhyde à la suite de l'ingestion d'alcool devient alors si importante qu'elle peut générer une tachycardie, de violentes nausées et des vomissements. Pour les

quelque 540 millions de personnes dans le monde qui ont une déficience en ALDH, la sévérité de ces effets secondaires est telle qu'elle impose généralement l'abstinence totale.

Contenu en acétaldéhyde de diverses boissons alcooliques	
	Concentration d'acétaldéhyde par consommation (mg/15 ml alcool)
Calvados	2,7
Autres spiritueux (cognac, rhum)	2,3
Bière et cidre	2,7
Vin	**1,3**

Figure 58   D'après Linderborg et coll.,2011.

gorgées, sans compter que plusieurs de ces boissons contiennent déjà de l'acétaldéhyde qui s'est formé au cours de leur fabrication (Figure 58). Le pire exemple est sans doute le calvados, une eau-de-vie de cidre d'origine normande dont la consommation contribue à l'incidence très élevée de cancers de l'œsophage observée dans cette région de la France. À l'inverse, il semble que le vin rouge soit beaucoup moins dommageable, non seulement parce qu'il contient deux fois moins d'acétaldéhyde que d'autres alcools, mais aussi parce que son ingestion cause une hausse beaucoup moins prononcée de la concentration salivaire de cette molécule toxique que celle de la bière ou de certains spiritueux. Une étude réalisée auprès d'un million de femmes indique que si la consommation d'alcools autres que le vin augmente le risque de cancer de la bouche de 38 %, cette hausse du risque n'est que de 7 % chez les buveurs modérés de vin rouge.

Il semble donc que la plus grande réduction de mortalité due à la consommation de vin rouge observée dans plusieurs études soit liée non seulement à un effet protecteur plus prononcé contre les maladies du cœur, mais aussi à un effet moins néfaste que d'autres types d'alcool sur le risque de cancer.

Vin rouge et cancer

Le vin ne représente que 8 % de la consommation mondiale d'alcool, loin derrière les spiritueux (50 %) et la bière (35 %). Cette situation est regrettable, car non seulement le vin rouge semble moins toxique que d'autres alcools, mais plusieurs recherches suggèrent que cette boisson pourrait même jouer un rôle dans la prévention de certains types de cancers. Par exemple, alors que les buveurs de bière et de spiritueux sont plus à risque de cancer du poumon, la consommation modérée de vin rouge est quant à elle associée à une réduction significative du risque de ce cancer. Dans la même veine, la hausse du risque de plusieurs types de cancers associés à la consommation d'alcool n'est pas observée chez les consommateurs de vin rouge, celui-ci étant même associé à une réduction du risque de certains cancers. Ces observations concordent avec les résultats d'une étude de grande envergure réalisée auprès d'un million de femmes suivies pendant dix ans, qui montre que le vin rouge pourrait jouer un rôle bénéfique dans la prévention de plusieurs types de cancers (Figure 59). Dans certains cas, l'effet protecteur semble principalement attribuable à la présence d'alcool, la consommation de n'importe quel type de boisson alcoolique, qu'il s'agisse de vin rouge, de bière ou de spiritueux, étant en effet associée à une réduction du risque de quatre cancers, soit ceux de la thyroïde, du rein et du rectum, ainsi que les lymphomes non hodgkiniens.

Par contre, la hausse du risque de cancer du foie, de la bouche et du côlon qui touche les buveuses de bière ou de spiritueux disparaît presque complètement chez celles qui préfèrent le vin rouge, et la tendance est même renversée dans le cas du cancer du côlon. Puisque ces cancers sont des dommages collatéraux de la consommation régulière d'alcool, ces observations illustrent bien la supériorité du vin rouge et l'importance de privilégier cette boisson pour profiter des bienfaits de l'alcool tout en minimisant ses effets négatifs.

En plus de leur action pharmacologique sur la santé du cœur, il est probable que ce sont les polyphénols qui sont aussi responsables de l'impact positif du vin rouge sur le risque de cancer.

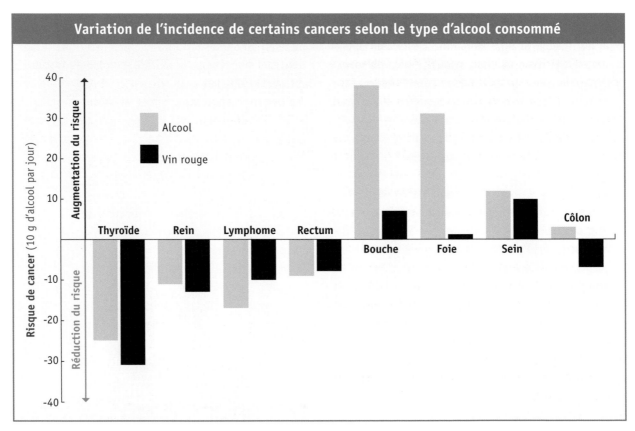

Variation de l'incidence de certains cancers selon le type d'alcool consommé

Figure 59

D'après Allen et coll., 2009.

Le resvératrol, par exemple, possède l'une des actions anticancéreuses les plus puissantes du monde végétal, étant capable d'inhiber l'initiation autant que la promotion et la progression du cancer. En laboratoire, le resvératrol inhibe la croissance d'une très grande variété de cellules dérivées de tumeurs humaines en bloquant leur prolifération ou en induisant leur mort par le processus d'apoptose. Une action anticancéreuse est également suggérée par la capacité du resvératrol à empêcher la croissance de plusieurs tumeurs dans des systèmes modèles. Le resvératrol est cependant métabolisé très rapidement après son absorption intestinale, et les concentrations sanguines de la molécule d'origine sont relativement faibles, ce qui a soulevé des doutes sur sa capacité réelle à interférer avec le développement du cancer chez l'humain. Des observations récentes indiquent toutefois que ce métabolisme n'interférerait pas avec les propriétés anticancéreuses du resvératrol, car les formes métabolisées de la molécule, les sulfates de resvératrol, sont captées par les cellules, et le resvératrol est par la suite régénéré et peut induire l'arrêt de croissance des cellules cancéreuses. Grâce à ce mécanisme, les concentrations de resvératrol absorbées par la consommation modérée de vin rouge seraient donc suffisantes pour interférer avec le développement du cancer, surtout lorsque ces vins sont élaborés à partir de cépages qui contiennent des quantités appréciables de la molécule, en particulier le pinot noir (Figure 60).

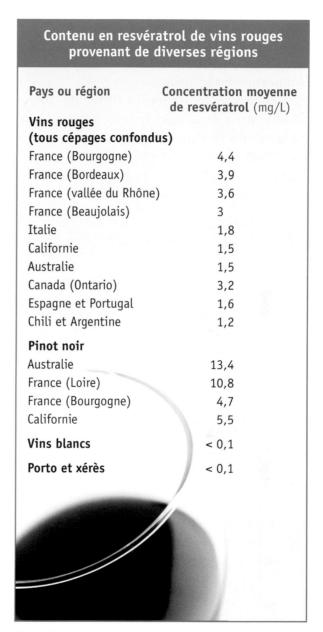

Contenu en resvératrol de vins rouges provenant de diverses régions

Pays ou région	Concentration moyenne de resvératrol (mg/L)
Vins rouges (tous cépages confondus)	
France (Bourgogne)	4,4
France (Bordeaux)	3,9
France (vallée du Rhône)	3,6
France (Beaujolais)	3
Italie	1,8
Californie	1,5
Australie	1,5
Canada (Ontario)	3,2
Espagne et Portugal	1,6
Chili et Argentine	1,2
Pinot noir	
Australie	13,4
France (Loire)	10,8
France (Bourgogne)	4,7
Californie	5,5
Vins blancs	< 0,1
Porto et xérès	< 0,1

Figure 60　　　　D'après Goldberg et coll., 1995.

Alcool et santé des seins : un mariage impossible ?

Le lien entre la consommation d'alcool et le risque de cancer est cependant plus complexe en ce qui concerne le cancer du sein. Alors que certaines études ont observé un effet protecteur du vin rouge contre le développement de ce cancer, même chez les femmes à haut risque en raison d'une mutation BRCA1, la consommation modérée de toute forme d'alcool, dont le vin rouge, a été associée à plusieurs reprises à une légère hausse (environ 10 %) du risque de ce cancer (Figure 59). Étant donné la forte incidence de ce cancer en Occident, cette observation suscite des inquiétudes. Bien qu'elles soient légitimes, il est néanmoins important de rappeler que la consommation d'alcool n'est que l'un des nombreux facteurs qui influencent le risque de cancer du sein. Des femmes qui n'ont jamais bu d'alcool de leur vie, par exemple celles qui vivent dans certains pays musulmans (Algérie, Pakistan, Égypte), ont des incidences de cancer du sein plus élevées que les Boliviennes, les Mexicaines ou les Polonaises, alors que ces dernières boivent en moyenne l'équivalent de plus de deux litres d'alcool pur par année.

L'aspect le plus important des effets sur la santé associés à la consommation modérée d'alcool par des femmes âgées de 50 ans et plus demeure la réduction prononcée du risque des maladies du cœur, qui est beaucoup plus importante que la hausse du risque du cancer du sein. Le risque d'une femme dans ce groupe d'âge d'être touchée par un cancer du sein au cours des dix prochaines années est de 2,4 % ; une augmentation de 10 % par la consommation d'alcool fait donc passer ce risque à 2,6 %, ce qui se traduit par 4 cas de cancer du sein supplémentaires par 1 000 femmes (Figure 61).

Par contre, les femmes de 50 ans ont un risque élevé (46 %) d'être affectées par une maladie du cœur, et ce risque est diminué de 30 % environ par la consommation modérée d'alcool. Sur une population de 1 000 femmes, l'alcool épargnera donc 140 cas de maladies coronariennes, un bénéfice beaucoup plus important que l'augmentation de 4 cas du risque de cancer. À faibles doses, il n'y a pas de doute que la consommation d'alcool, et particulièrement de vin rouge, exerce globalement un effet positif correspondant à la baisse de mortalité observée dans l'ensemble des études épidémiologiques.

La complexité des effets de l'alcool sur la santé humaine est le meilleur exemple de la réserve à exercer dans la recommandation ou l'interdiction de certaines habitudes afin de protéger la santé publique. Dogmatisme et opinion personnelle sont trop souvent exprimés sur ces sujets complexes, et il est important de présenter l'ensemble des avantages et des désavantages de certaines habitudes et de laisser chaque personne décider en fonction du risque qu'elle estime être en mesure d'assumer par rapport à sa santé.

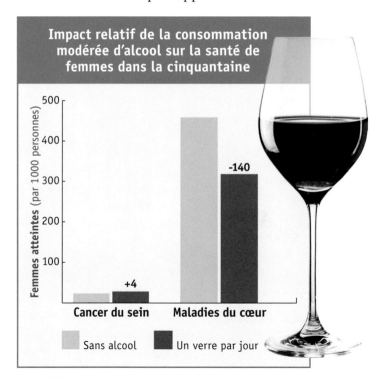

Figure 61

La variété est la véritable
épice de la vie, qui lui
donne toute sa saveur.
William Cowper (1731-1800)

Chapitre 8

Régime sans sel pour les cellules cancéreuses !

Recommandation
Limiter la consommation de produits conservés dans du sel ainsi que des produits contenant beaucoup de sel.

Source : WCRF

Transformer la nourriture pour la rendre plus attrayante est l'un des actes qui nous distinguent le plus des autres animaux. C'est l'expression concrète de notre désir de ne pas simplement survivre, mais de *vivre*, de jouir au maximum de notre brève existence en recherchant des plaisirs qui vont bien au-delà de la satisfaction de nos besoins primaires. La conquête du sel et des épices représente en ce sens une étape charnière de notre histoire, non seulement parce qu'elle a complètement modifié notre relation avec la nourriture, mais aussi parce qu'elle a transformé le monde dans lequel nous vivons. Car c'est l'attrait exercé par le sel et les épices qui a poussé les explorateurs aux quatre coins du monde et a permis la découverte de nouvelles routes et de nouveaux continents, et c'est au commerce du sel et des épices qu'on doit l'émergence du colonialisme et du capitalisme qui ont refaçonné l'échiquier géopolitique planétaire. Bien que ces denrées soient aujourd'hui des produits de consommation courants faciles d'accès, il faut se rappeler qu'assaisonner un plat n'est pas un geste banal, mais bien un héritage d'une valeur inestimable légué par l'une des périodes les plus importantes de l'histoire.

Le sel de la terre

Le sel utilisé dans l'alimentation est l'un des minéraux les plus simples de la planète. Il est apparu il y a plus de quatre milliards d'années, lorsque la vapeur d'eau formée par l'activité volcanique

Sel ou sodium?

La grande majorité du sodium de notre alimentation provient du sel (NaCl), et les termes «sodium» et «sel» sont souvent considérés comme des synonymes. Cependant, c'est seulement la quantité de sodium ingérée qui importe du point de vue de la santé, et c'est donc le contenu en sodium, et non en sel, qui est indiqué sur les étiquettes nutritionnelles.

Le sel étant composé de 40% de sodium et de 60% de chlore, il est facile de faire la conversion:
– pour convertir une quantité de sodium en taux de sel, il faut multiplier cette quantité par 2,5;
– pour convertir une quantité de sel en taux de sodium, il faut multiplier cette quantité par 0,4.

intense est retombée sous forme de pluies très acides qui ont extrait le sodium présent en abondance dans la croûte terrestre, entraînant son association avec le chlore et l'accumulation du minéral ainsi formé, le chlorure de sodium ou NaCl, dans les océans.

Les premiers organismes vivants (archéobactéries) qui ont vu le jour dans ces océans primitifs ont dû s'adapter à la présence de quantités relativement importantes de sel, de sorte que, malgré son apparente simplicité, ce minéral a joué un rôle très important dans l'évolution de la vie. Encore aujourd'hui, toutes les espèces vivantes ont besoin de sel pour survivre, certains organismes halophiles (qui aiment le sel) ayant même conservé la capacité de croître dans des milieux contenant des quantités extrêmes de sel, par exemple la mer Morte (27% de sel, comparativement à 3% pour les océans), ou encore lors de la fermentation de certains aliments très salés (sauce soya, sauce de poisson).

Chez les humains, le sodium joue un rôle capital dans le contrôle du volume et du pH sanguins, dans la contraction des muscles et dans la transmission de l'influx nerveux, et on estime qu'un apport alimentaire quotidien minimal d'environ 500 mg de sel (200 mg de sodium) est requis pour compenser les pertes naturelles du minéral, principalement par la sudation. Pour les hommes préhistoriques, les produits de la chasse et de la cueillette représentaient la seule source de sodium, et il est probable que leur apport alimentaire en sel était tout juste suffisant pour combler leurs besoins physiologiques. Mais les changements alimentaires majeurs qui ont accompagné la transition vers l'agriculture, soit une réduction de l'apport en viande et une consommation accrue de céréales ne contenant que très peu de sel, ont menacé cet équilibre et forcé les humains à déployer des efforts considérables pour découvrir des sources alternatives de sel. La découverte que l'ajout de sel augmentait considérablement la durée de conservation des aliments est venue ouvrir un nouveau chapitre de l'histoire de l'alimentation humaine et a fait de ce condiment une substance indispensable à la survie des civilisations (voir encadré page suivante).

Sel et cancer

Si la conservation des aliments avec le sel permettait de réduire les variations dans la disponibilité saisonnière de plusieurs aliments, cette pratique avait un impact négatif sur la santé. En plus d'être étroitement associé à une hausse de la tension artérielle et à un risque accru d'accidents vasculaires cérébraux, le sel représente un important facteur de risque de cancer de l'estomac, selon un grand nombre d'observations. En Amérique, par exemple, le cancer gastrique représentait une cause importante de mortalité au début du XXe siècle, mais l'avènement de la réfrigération a permis une plus grande disponibilité en fruits et en légumes frais, et une diminution de l'apport en aliments salés, phénomènes accompagnés

^ Des tas de sel dans la mer Morte.

L'or blanc

Les animaux sont instinctivement attirés vers le sel, et il est probable que l'observation de leur trajet vers les terrains salifères, où ils allaient lécher le sol, ait donné aux humains l'idée d'utiliser ces sources de sel pour combler leurs propres besoins physiologiques. C'est cependant la découverte de son rôle dans la conservation des aliments qui a provoqué une véritable révolution dans l'utilisation du sel. En déshydratant les aliments par le phénomène d'osmose, le sel permet de réduire la contamination par les micro-organismes et de prolonger considérablement leur durée de conservation, une propriété particulièrement utile lors de déplacements sur des grandes distances. Le sel est donc rapidement devenu un ingrédient d'une grande valeur économique et politique, et la découverte de sources de sel et le contrôle des routes permettant son transport ont grandement contribué à accroître la richesse de plusieurs villes et États. Pour les Romains, par exemple, le sel était indispensable à l'expansion de l'empire, et l'une des premières routes construites fut la *Via Salaria*, la route du sel, reliant Rome à l'Adriatique. Les soldats romains étaient même payés avec du sel, une coutume qui est à l'origine du mot «salaire», du latin *salarium* (ration de sel). La plupart des pays ont par la suite imité les Romains et construit des routes permettant de transporter le sel, une des plus spectaculaires étant celle empruntée par les longues caravanes de dromadaires pour traverser le Sahara et qui ont fait de Tombouctou, au Mali, la «perle du désert» au XIVe siècle.

d'une chute spectaculaire de l'incidence de ce cancer. Dans la même veine, plusieurs études épidémiologiques ont révélé que la consommation élevée de sel est corrélée avec une augmentation marquée du risque de cancer de l'estomac (Figure 62). Les habitants de plusieurs pays d'Asie, par exemple, consomment en moyenne deux fois plus de sel que les Occidentaux et sont très durement frappés par cette maladie, le cancer gastrique représentant encore aujourd'hui une des principales tumeurs à affecter les populations du Japon et de la Corée. Cette forte incidence ne semble pas être d'origine génétique, car les Japonais qui émigrent en Occident et réduisent leur

apport en aliments salés voient leur risque de cancer de l'estomac diminuer considérablement. L'alimentation traditionnelle des Asiatiques fait une large place à des aliments très salés, qu'il s'agisse du *kimchi* coréen, du miso et des *tsukemonos* japonais ou encore du *nuoc-mâm* vietnamien, et il semble que ces habitudes alimentaires jouent un rôle important dans le développement de ce cancer et contribuent également à la forte incidence de cancer du nasopharynx qui touche cette région. Il est aussi intéressant d'observer que les pays où le sel a joué un rôle historique important, qu'il s'agisse du Mali bordant les caravanes de sel africaines, du Chili et de ses importantes

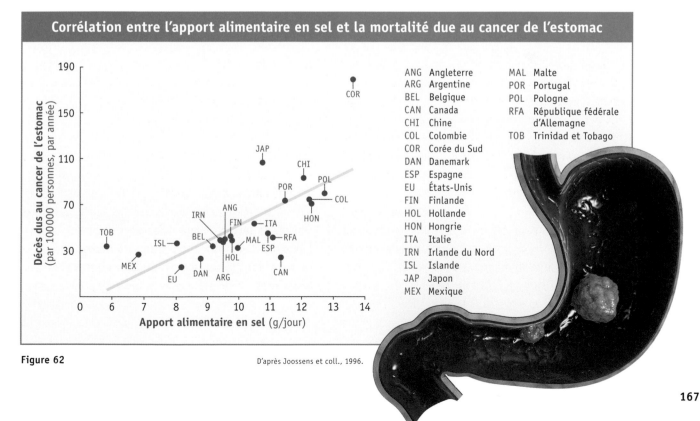

Corrélation entre l'apport alimentaire en sel et la mortalité due au cancer de l'estomac

ANG	Angleterre	MAL	Malte
ARG	Argentine	POR	Portugal
BEL	Belgique	POL	Pologne
CAN	Canada	RFA	République fédérale d'Allemagne
CHI	Chine		
COL	Colombie	TOB	Trinidad et Tobago
COR	Corée du Sud		
DAN	Danemark		
ESP	Espagne		
EU	États-Unis		
FIN	Finlande		
HOL	Hollande		
HON	Hongrie		
ITA	Italie		
IRN	Irlande du Nord		
ISL	Islande		
JAP	Japon		
MEX	Mexique		

Figure 62   D'après Joossens et coll., 1996.

mines de sel ou encore du Portugal, où la morue salée fait depuis longtemps partie intégrante des habitudes alimentaires, ont tous une alimentation riche en sel qui est corrélée avec une incidence élevée de cancer de l'estomac.

La bactérie qui aimait le sel

L'infection par le pathogène *Helicobacter pylori* est elle aussi reconnue comme un important facteur de risque de cancer de l'estomac. Cette bactérie fort particulière a la caractéristique de résister aux conditions très acides de l'estomac humain et de parvenir ainsi à coloniser les cellules gastriques grâce à son flagelle en forme d'hélice (d'où son nom de *Helicobacter*) qui lui permet de se « visser » sur ces cellules, un peu à la manière d'un tire-bouchon. Une adaptation qui reflète probablement le fait que nous cohabitons avec cette bactérie depuis au moins soixante mille ans !

On estime que la moitié des habitants du monde sont infectés par *H. pylori*, mais que dans la majorité des cas l'infection est asymptomatique,

c'est-à-dire que la bactérie demeure dans un état latent sans provoquer de dommages au système digestif. Chez environ 1 % des personnes infectées, par contre, la bactérie provoque une inflammation de la muqueuse de l'estomac, ce qui introduit des mutations dans le matériel génétique des cellules et augmente le risque de cancer. Bien que ces différentes susceptibilités à l'infection à *H. pylori* puissent refléter la présence de souches distinctes de la bactérie, des études récentes suggèrent que la présence excessive de sel dans l'alimentation servirait d'élément déclencheur à cette cascade inflammatoire en stimulant la production de protéines procancéreuses par la bactérie. En d'autres mots, sans être un agent cancérigène en tant que tel, le sel peut être considéré comme un facteur qui favorise l'apparition et l'évolution du cancer de l'estomac en procurant à *H. pylori* les conditions optimales pour exprimer son potentiel inflammatoire et oncogénique.

Antibiotiques végétaux

La consommation abondante de fruits et de légumes est associée à une diminution du risque de cancer gastrique qui serait en partie attribuable à la capacité de la vitamine C d'inhiber la formation de nitrosamines dans l'estomac et de protéger les cellules de la muqueuse contre le stress oxydatif. Il est aussi intéressant de noter que des composés phytochimiques présents dans certains légumes pourraient participer à la prévention du

< La bactérie *Helicobacter pylori* vue en microscopie électronique.

∧   De la morue salée, dans l'Algarve, au Portugal.

cancer de l'estomac en neutralisant l'infection à *H. pylori*. Le sulforaphane du brocoli, par exemple, a une puissante action antibiotique contre cette bactérie, et une étude clinique réalisée au Japon a démontré que la consommation de pousses de brocoli, une source exceptionnelle de sulforaphane, permet de diminuer de moitié les quantités de *H. pylori* présentes dans la muqueuse des personnes infectées.

Le sel de l'industrie alimentaire

Le sel est aujourd'hui devenu la principale substance utilisée pour rehausser la saveur des aliments, à l'échelle mondiale, chaque personne consommant en moyenne quelque 10 g de sel (4 g de sodium) chaque jour. Une proportion de plus de 75 % de cette quantité provient des produits alimentaires fabriqués industriellement et est donc consommée de façon tout à fait involontaire (Figure 63). Il s'agit d'un apport excessif, presque trois fois plus élevé que la quantité recommandée par les organismes de santé publique (soit 1,5 g de sodium), qui a des conséquences néfastes sur l'organisme. On estime par exemple que plus de 2 millions de personnes décèdent prématurément de maladies du cœur directement imputables à une consommation excessive de sodium. Des données récentes ont révélé que le sel alimentaire peut aussi

Sources alimentaires de sel

11 % **Salière domestique**

12 % **Présent naturellement dans les aliments**

77 % **Ajouté aux aliments préparés (industrie ou restauration)**

Figure 63

s'accumuler dans les tissus du corps, où il active certaines cellules immunitaires connues pour participer au phénomène d'auto-immunité. L'augmentation marquée des maladies auto-immunes observée au cours des cinquante dernières années coïncide d'ailleurs avec l'utilisation excessive de ce condiment par l'industrie alimentaire.

Le sel fait partie de notre culture alimentaire et joue un rôle essentiel dans les propriétés organoleptiques de plusieurs plats. Pour l'industrie alimentaire, par contre, le sel n'est qu'un moyen de conserver ou de donner un peu de goût à des produits de piètre valeur gustative, ce qui expose la population à des quantités astronomiques de sodium, sans aucune mesure avec les quantités auxquelles notre physiologie est adaptée. La seule façon efficace de réduire l'apport en sel est de diminuer la consommation de ces produits industriels et de cuisiner soi-même le plus souvent possible pour se « sevrer » de l'excès de sel. Et surtout, il faut se rappeler qu'assaisonner un plat ne se résume pas à ajouter du sel ! Il existe plusieurs centaines d'épices et d'arômes différents provenant de toutes les régions du globe, et ces ingrédients savoureux peuvent nous permettre d'explorer de nouveaux horizons culinaires, sans compter que ces produits végétaux contiennent très souvent des quantités appréciables de molécules aux multiples effets bénéfiques sur la santé, notamment en matière de prévention du cancer.

La santé par les épices

L'utilisation d'épices à des fins culinaires est probablement aussi vieille que l'humanité elle-même, car des graines de pavot, d'aneth et de coriandre ont été retrouvées sur des sites occupés par les hommes préhistoriques il y a plus de vingt mille ans. Ce goût des épices est particulièrement bien illustré par la découverte récente de résidus de graines d'herbe à ail (*Alliaria petiolata*) dans des poteries utilisées pour la cuisson des aliments il y a environ six mille ans aux abords de la mer Baltique. Puisque ces graines n'ont que peu de valeur nutritionnelle, mais ont en revanche une saveur piquante similaire à celle de la moutarde, leur présence témoigne d'un intérêt précoce des chefs préhistoriques pour les mets relevés...

Plusieurs observations suggèrent que notre attirance envers les épices, au-delà de leur goût, provient en grande partie de leurs effets positifs sur la santé. Comme tous les végétaux, les épices et les aromates produisent de grandes quantités de composés bactéricides, fongicides et insecticides pour leur auto-défense mais qui sont aussi d'une grande utilité pour l'alimentation humaine, car l'action antimicrobienne des épices et des aromates permet d'augmenter le temps de conservation des aliments, notamment celui des viandes. Une propriété particulièrement importante pour les habitants des régions les plus chaudes du monde, puisque l'analyse de la composition de recettes de viandes typiques à ces régions révèle des quantités beaucoup plus importantes d'épices que dans les mets des pays nordiques (Figure 64). Et ces épices sont parfois d'une puissance redoutable, comme peuvent l'affirmer les gourmets qui ont fait l'expérience d'un *meen vevichathu* du sud de l'Inde, d'un *pollo mole poblano* mexicain ou d'un *doro wat* éthiopien particulièrement relevés ! Il est probable que les personnes qui utilisaient couramment ces épices aient été en meilleure santé en raison de leur consommation d'aliments plus salubres, ce qui a contribué à répandre cette coutume dans l'ensemble de la population et, par la suite, à faire en sorte que manger des plats très épicés devienne une caractéristique culturelle commune à plusieurs régions chaudes du monde.

Il n'est pas nécessaire que les épices mettent la bouche « en feu » pour ralentir la croissance bactérienne. Des herbes comme l'origan, le thym, le romarin ou encore la coriandre possèdent des activités antimicrobiennes qui n'ont rien à envier à celles du poivre, des chilis, de la muscade ou du curcuma des pays chauds, certains extraits de ces aromates étant même actifs contre le très dangereux *Staphylococcus aureus* résistant à la méticilline. Si les premiers contacts des Européens avec les épices provenant de l'Inde, du Sud-Est asiatique ou de l'Indonésie ont attisé les passions et servi de catalyseur à l'exploration du monde, ce sont surtout les propriétés bactéricides des aromates présents en abondance autour du bassin

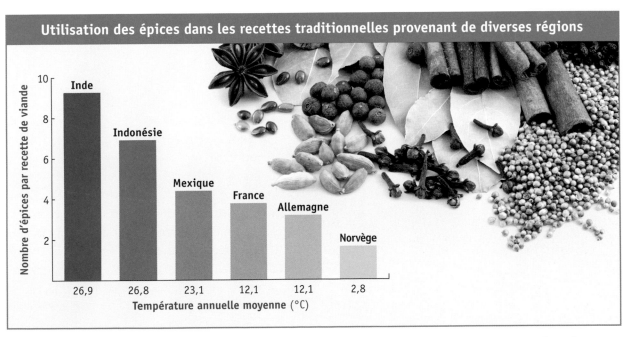

Utilisation des épices dans les recettes traditionnelles provenant de diverses régions

Nombre d'épices par recette de viande (axe vertical, graduations 2, 4, 6, 8, 10)

Inde — Indonésie — Mexique — France — Allemagne — Norvège

Température annuelle moyenne (°C) : 26,9 — 26,8 — 23,1 — 12,1 — 12,1 — 2,8

Figure 64

D'après Billing et Sherman, 1998.

méditerranéen qui ont joué un rôle de premier plan dans l'évolution des traditions culinaires de ces régions, et ces herbes demeurent aujourd'hui la « signature » de la cuisine sud-européenne et nord-africaine.

Épices anticancer

Les épices et les aromates font partie d'un club sélect de végétaux dont les bénéfices pour la santé incluent également une puissante action anticancéreuse. Un des premiers indices en ce sens vient de l'observation que les personnes qui consomment de grandes quantités d'épices, les Indiens

par exemple, ont globalement une incidence de cancer quatre fois plus faible que les habitants des pays qui épicent beaucoup moins leur nourriture, comme ceux de l'Europe ou de l'Amérique du Nord (Figure 65). Cette différence est particulièrement notable pour certains cancers qui frappent de plein fouet la population occidentale, notamment ceux du côlon et de la prostate, l'incidence de ces cancers étant respectivement dix et vingt-cinq fois moins élevée en Inde qu'en Occident. La consommation d'épices n'est bien sûr pas le seul facteur responsable de ces différences; le cancer est une maladie complexe et multifactorielle fortement influencée par le mode de vie, et aucun aliment, quel que soit son contenu en

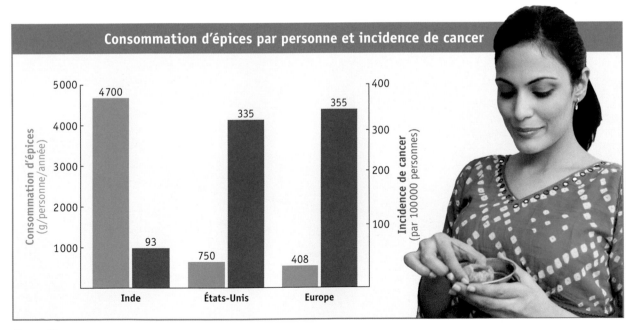

Figure 65

molécules anticancéreuses, n'est capable de prévenir à lui seul l'éclosion de cette maladie. Il n'en demeure pas moins que certaines épices pourraient jouer un rôle important dans la prévention du cancer en raison de leur contenu en composés phytochimiques polyvalents, capables d'interférer avec une foule de processus essentiels à la progression des tumeurs (Figure 66). Par exemple, la plupart des épices exercent une forte activité anti-inflammatoire qui modifie l'environnement dans lequel se trouvent les cellules cancéreuses, les privant de ce fait des facteurs procancéreux sécrétés par les cellules inflammatoires essentiels à leur

Activités anticancéreuses d'épices consommées couramment

	Principales molécules actives	Activité anti-inflammatoire	Inhibition de la croissance des cellules cancéreuses	Induction apoptose	Inhibition angiogenèse
Curcuma	Curcumine	•	•	•	•
Gingembre	[6]-gingérol	•		•	•
Piment chili	Capsaïcine	•	•	•	
Cannelle	Cinnamaldéhyde	•	•		
Muscade	Eugénol	•	•		
Sésame	Sésamine		•		
Poivre	Pipérine	•			
Persil	Apigénine	•	•		•
Romarin	Carnosol	•	•	•	
Coriandre	Géraniol		•		
Basilic	Acide ursolique	•	•	•	

Figure 66

D'après Aggarwal et coll., 2009.

croissance. Certains composés phytochimiques des épices et des aromates peuvent aussi entraver la croissance tumorale en agissant directement sur les cellules cancéreuses, soit en les empêchant de proliférer, soit en provoquant leur mort par le processus d'apoptose.

Dans certains cas, les molécules actives des épices et des aromates peuvent aussi stopper la formation d'un nouveau réseau de vaisseaux sanguins par angiogenèse, ce qui « affame » les cellules cancéreuses en les empêchant d'obtenir les nutriments et l'oxygène nécessaires à leur survie. L'utilisation culinaire des épices et des aromates n'est donc pas utile seulement pour rehausser la saveur de nos plats quotidiens ; ces végétaux sont des concentrés de composés biologiquement actifs dotés d'une puissante action anticancéreuse et capables de freiner la progression des cellules tumorales, prévenant ainsi plusieurs types de cancers.

Le curcuma, l'or de l'Inde

Le curcuma est le meilleur exemple des bénéfices associés à un apport régulier de ces composés phytochimiques anticancéreux. Il est utilisé depuis des millénaires par les habitants de l'Inde – des résidus de cette épice ont été retrouvés sur la paroi de poteries de cuisson utilisées il y a quatre mille cinq cents ans par la civilisation harappéenne, au nord-ouest du pays. Aujourd'hui, les Indiens consomment à eux seuls 80 % de toute la production mondiale de cette épice, ce qui se

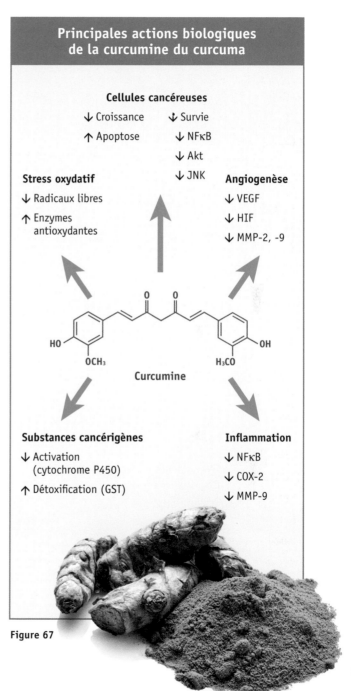

Principales actions biologiques de la curcumine du curcuma

Cellules cancéreuses
↓ Croissance   ↓ Survie
↑ Apoptose   ↓ NFκB
                ↓ Akt
                ↓ JNK

Stress oxydatif
↓ Radicaux libres
↑ Enzymes antioxydantes

Angiogenèse
↓ VEGF
↓ HIF
↓ MMP-2, -9

Curcumine

Substances cancérigènes
↓ Activation (cytochrome P450)
↑ Détoxification (GST)

Inflammation
↓ NFκB
↓ COX-2
↓ MMP-9

Figure 67

177

traduit par un apport alimentaire quotidien d'environ 2 g de curcuma par personne.

Plusieurs milliers d'articles scientifiques publiés au cours des dernières années suggèrent que cette consommation abondante de curcuma pourrait jouer un rôle important dans la faible incidence de plusieurs cancers observée en Inde. Le curcuma est beaucoup plus qu'un simple ingrédient à la saveur délicate qui se marie à merveille avec les goûts et arômes plus prononcés d'autres épices, comme dans les currys. Il s'agit d'un végétal complexe qui contient quelque 235 composés phytochimiques distincts dotés de propriétés anti-inflammatoires et anticancéreuses. Cependant, c'est le principal polyphénol du curcuma, la curcumine, qui a le plus retenu l'attention jusqu'à maintenant en raison de sa présence en grande quantité dans l'épice (2 à 5 % du poids), de même que pour sa puissante action inhibitrice envers plusieurs processus en jeu dans l'initiation et la progression du cancer (Figure 67). Par exemple, la curcumine représente une défense de première ligne contre le cancer en raison de sa remarquable activité antioxydante, qui protège des dommages à l'ADN provoqués par les radicaux libres, et de ses effets sur le métabolisme des substances cancérigènes. En interagissant directement avec les systèmes de détoxification du corps, cette épice empêche l'activation de ces cancérigènes ou accélère leur élimination du corps.

Plusieurs études réalisées au cours des dernières années indiquent que l'action anti-inflammatoire exceptionnelle de la curcumine est la grande responsable de ses effets bénéfiques contre le cancer. Cette molécule a la capacité de paralyser spécifiquement les protéines NFκB et COX-2, des régulateurs clés de la réponse inflammatoire, diminuant par le fait même la production de facteurs qui participent à la survie et à la progression des cellules cancéreuses (voir chapitre 1). Tous ces effets font du curcuma l'un des végétaux comestibles démontrant les activités anticancéreuses les plus puissantes, soulevant même l'intéressante possibilité que cette épice puisse être utilisée à des fins thérapeutiques, par exemple comme complément à la chimiothérapie traditionnelle. Plus d'une soixantaine d'essais cliniques ont été effectués et une trentaine sont actuellement en cours pour mesurer l'efficacité du curcuma dans le traitement de divers cancers (côlon, sein, pancréas, myélome) et d'autres maladies. Les résultats préliminaires sont encourageants, car la consommation de curcuma ou de curcumine est bien tolérée, même à des doses relativement élevées, et certains patients répondent favorablement au traitement. Par exemple, une étude suggère que la curcumine améliore la réponse à la chimiothérapie chez des femmes atteintes de formes avancées de cancer du sein.

L'union fait la force

Outre les recettes issues des cuisines indienne et asiatique, le curcuma peut s'intégrer harmonieusement à une grande variété de plats, qu'il s'agisse de soupes, de sauces ou de vinaigrettes. Il est aussi

plus facile qu'auparavant d'avoir accès à des racines entières de curcuma, et l'épice fraîchement râpée est une excellente façon d'apprécier son goût subtil, sans compter que certaines études indiquent que son activité antioxydante serait supérieure à celle de l'épice moulue. Les poudres de curry offertes sur le marché contiennent également du curcuma, mais en quantité cinq fois plus faible (0,3 % contre 1,5 %, en moyenne, pour les poudres de curcuma). L'ajout de curcuma supplémentaire à ces préparations est donc indiqué.

Mais quelle que soit la provenance du curcuma, la règle d'or pour profiter de ses bénéfices est d'augmenter sa biodisponibilité en le dissolvant dans un corps gras en présence de poivre. La curcumine est normalement peu absorbée par l'intestin en raison de sa transformation par une classe d'enzymes appelées UDP-glucuronosyltransférases, mais la pipérine du poivre interfère avec ce métabolisme et permet d'augmenter plus de deux mille fois l'absorption de la molécule active. Des études indiquent que cette action de la pipérine est d'une importance capitale pour permettre à la curcumine de contrer les dommages causés à l'ADN par des agents cancérigènes et d'inhiber la croissance de cellules souches de cancer du sein. Il semble que l'absorption de la curcumine puisse aussi être grandement augmentée par l'ajout d'autres épices, comme le gingembre et le cumin, deux ingrédients couramment employés dans la préparation des currys. Il s'agit d'un autre exemple de la grande sagesse des traditions culinaires du monde, qui ont réussi à identifier au fil du temps les combinaisons les plus efficaces, tant en matière de saveurs que de bénéfices pour la santé.

Expérience gastronomique

D'autres épices et aromates contiennent aussi des quantités importantes de composés phytochimiques et peuvent contribuer à la prévention du cancer. Par exemple, l'apigénine et la lutéoline, deux polyphénols particulièrement abondants dans le persil et le thym, ou encore la cinnamaldéhyde de la cannelle, détiennent toutes la propriété de faire obstacle à la formation de nouveaux vaisseaux sanguins par angiogenèse et pourraient donc prévenir l'apparition de plusieurs cancers. Des effets anticancéreux ont également été observés pour la capsaïcine des piments chilis et le gingérol du gingembre. Une alimentation contenant une grande variété d'épices et d'aromates permet donc l'absorption d'un éventail de molécules phytochimiques qui, collectivement, attaquent les cellules cancéreuses sur plusieurs fronts et peuvent ainsi avoir un impact synergique favorisant la prévention du cancer.

Il ne faut pas non plus négliger l'effet majeur des épices sur les propriétés organoleptiques des aliments que nous consommons, surtout à une époque où le gras, le sucre et le sel saturent nos sens et sont devenus les principaux goûts auxquels nous sommes exposés. La monotonie de ce mode d'alimentation, où la satisfaction des besoins primaires prime sur la diversité des saveurs, peut faire oublier que manger est une expérience sensorielle unique dont le raffinement a nécessité des millénaires d'expérimentation par les diverses traditions culinaires du monde. Dans plusieurs cas, la stimulation des sens associée aux saveurs prononcées des épices est rapidement relayée au cerveau et active le centre de la satiété, ce qui fait en sorte que les personnes qui mangent des mets relevés sont rassasiées plus rapidement et évitent d'absorber un surplus de calories. Cet effet anorexigénique est particulièrement bien documenté pour les piments chilis, la baisse d'appétit associée à leur consommation étant aussi attribuable à une diminution de la ghréline (l'hormone de l'appétit) induite par son principal constituant, la capsaïcine.

Il n'y a donc que des avantages à utiliser une abondance d'épices et d'aromates pour assaisonner nos plats quotidiens. Elles sont dépourvues de sucre, de gras et donc de calories, mais, aussi, les épices exaltent nos sens et permettent de créer une nourriture plus goûteuse et plus satisfaisante tout en apportant à l'organisme plusieurs molécules végétales aux propriétés anticancéreuses. Recommander une diminution du sel dans l'alimentation n'est pas seulement une bonne stratégie pour prévenir les maladies cardiovasculaires et certains cancers, il s'agit de la meilleure façon de mettre du piquant dans la prévention du cancer !

Elle a tellement changé
depuis cet hiver.

Son teint est devenu si foncé,
si ordinaire.

Jane Austen (1775-1817),
dans *Orgueil et préjugés* (1813)

Chapitre 9

La face cachée du soleil

Recommandation

Protéger la peau en évitant l'exposition inutile au soleil. Lorsqu'il n'est pas possible de demeurer à l'ombre, porter des vêtements protecteurs ou appliquer de la crème solaire.

Source : American Cancer Society

Pendant la majeure partie de l'ère chrétienne, la blancheur du visage et de la peau a été considérée comme une marque de supériorité, tant parce qu'un teint pâle symbolisait la pureté et le divin que parce qu'il permettait d'établir une distinction visible entre l'élite et le petit peuple, dont le teint basané rappelait qu'il était forcé de trimer dur dans la chaleur intense du soleil pour survivre. Pour les classes aisées, le soleil était un ennemi qu'il fallait fuir à tout prix pour protéger sa réputation sociale, une préoccupation magnifiquement illustrée par les vêtements longs, chapeaux et ombrelles des personnages peints par de nombreux impressionnistes du XIXᵉ siècle. La blancheur du teint était si importante qu'elle pouvait parfois être accentuée en utilisant de la poudre de riz ou même du fard blanc à base de céruse, en dépit des risques élevés de saturnisme,

l'intoxication associée à la présence de plomb dans ce maquillage.

Par un renversement de situation dont seule l'histoire a le secret, la révolution industrielle allait complètement modifier cette attitude face au soleil. Car avec la migration des ouvriers des champs vers les usines, c'étaient maintenant les travailleurs qui exhibaient un teint blanchâtre, forçant les classes bourgeoise et aristocratique à redécouvrir les « vertus » du hâle pour se distinguer !

On attribue souvent à la modiste Coco Chanel la popularisation du bronzage, car elle a été l'une des premières personnalités en vue à afficher sans vergogne un teint hâlé à son retour de vacances de la Riviera française, en 1923. Mais c'est surtout la révolution radicale des habitudes de vie qui survint à cette époque qui a servi de déclencheur, en particulier les nouvelles libertés

< *Femme au parasol* (1886), de Claude Monet (1840-1926).

vestimentaires accordées par l'émancipation des femmes, qui pouvaient alors exposer davantage leur peau, et l'évolution des activités de loisir en plein air rendues plus accessibles grâce aux congés payés. Le teint hâlé devint un signe de succès et de réussite financière, un luxe qui permettait de se distinguer des personnes ordinaires, esclaves de leur travail à l'intérieur. En quelques années à peine, une peau bronzée était donc passée d'un signe de vulgarité à un symbole de beauté et de santé, l'expression visible d'un mode de vie dynamique et excitant.

Une arme à double tranchant

Comme c'est souvent le cas dans la vie en général, aucune de ces attitudes excessives face au soleil n'est adéquate, pas plus la protection obsessive que l'exposition sans retenue. Dès la Grèce antique, on avait remarqué que l'exposition au soleil pouvait avoir des vertus thérapeutiques, contre la tuberculose et l'arthrite notamment, une connaissance qui fut exploitée par les Romains avec l'invention des solariums (Esculape, le dieu romain de la médecine, était le fils d'Apollon, dieu de la lumière). Le grand médecin perse Avicenne était du même avis, mais fut néanmoins le premier à remarquer que l'excès de soleil était nocif et qu'il fallait éviter de brûler la peau. Dès l'Antiquité donc, le soleil était déjà reconnu comme une arme à double tranchant qui pouvait être nocive, tant dans les excès que dans les carences.

Rayons et rayonnements

Comme toutes les étoiles, le Soleil est une gigantesque centrale thermonucléaire qui génère une quantité phénoménale d'énergie par la fusion d'atomes d'hydrogène. Cette énergie est propulsée vers la Terre sous forme d'ondes électromagnétiques de longueurs variables, composées de 50 % d'infrarouges, responsables de la chaleur du soleil, de 40 % de lumière visible et de 10 % d'ultraviolets. Toutes les formes de rayonnement, qu'il s'agisse d'ondes radio, de micro-ondes, de la lumière visible ou des rayons gamma (radioactifs), sont causées par des particules identiques, les photons, mais qui se propagent à des fréquences différentes (Figure 68). Le photon d'un rayon gamma émis par une source radioactive, par exemple, est propagé à une fréquence tellement élevée que son énergie peut extraire un électron de la matière qu'il rencontre ; on parle alors de radiations ionisantes. Les rayons UV ont une fréquence moindre que les rayons gamma ou les rayons X et sont dits « non ionisants », mais leur énergie est néanmoins suffisamment élevée pour endommager les systèmes biologiques en générant des radicaux libres.

Depuis les bombes qui ont frappé Hiroshima et Nagasaki, en 1945, on craint beaucoup tout ce qui est qualifié de « nucléaire », mais il faut être conscient que les rayons UV provenant du Soleil sont aussi le résultat du processus de fusion nucléaire et que certains d'entre eux peuvent causer des dommages considérables à la peau.

Pour ce qui est des radiofréquences utilisées par les téléphones cellulaires, certaines études ont soulevé la possibilité d'une légère hausse du risque de cancer du cerveau (gliome et méningiome), ce qui a amené l'IARC à classer ces radiations comme potentiellement cancérigènes (cancérigènes du groupe 2B). Les études récentes sont cependant rassurantes car elles n'indiquent pas d'augmentation significative du risque de cancer du cerveau durant les dix premières années suivant la première utilisation. Certaines études ont toutefois rapporté une hausse significative de neurinome, une tumeur bénigne du nerf acoustique, chez les très grands utilisateurs. On ne peut donc encore conclure à une absence complète d'effets à plus long terme ; plusieurs experts recommandent donc de limiter la durée des appels, en particulier chez les jeunes utilisateurs, ou encore d'utiliser un casque d'écoute au lieu de porter le téléphone à l'oreille. Les radiations qui émanent des tours cellulaires, des systèmes d'accès Internet sans fil (Wi-Fi) ou des compteurs communicants sont quant à elles beaucoup plus éloignées du corps et les études réalisées jusqu'à présent indiquent qu'elles ne sont pas associées à un risque accru de cancer.

On sait maintenant que cette double action du soleil est une conséquence de la présence d'une vaste gamme d'ondes électromagnétiques dans le rayonnement solaire, dont certaines ont des effets bénéfiques pour la santé alors que d'autres peuvent causer des dommages considérables (voir encadré p.185).

Des bienfaits importants

Tout d'abord, le positif : il est évident que le soleil est essentiel à la vie ! Le rayonnement solaire visible rend possible la photosynthèse des végétaux, il fait que nous pouvons distinguer les formes et les couleurs, et il contrôle même, par notre cycle nycthéméral, plusieurs de nos fonctions physiologiques, grâce à l'horloge biologique du noyau suprachiasmatique de l'hypothalamus du cerveau.

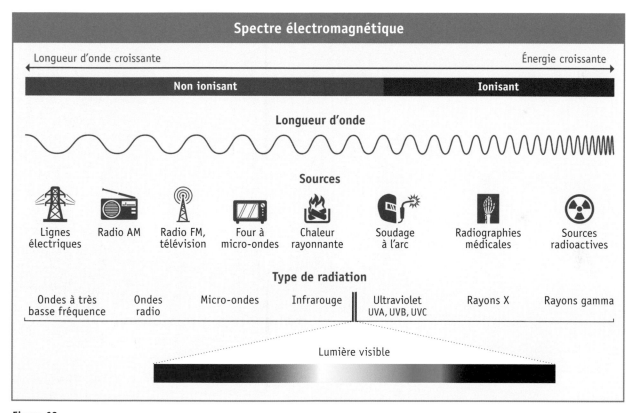

Figure 68

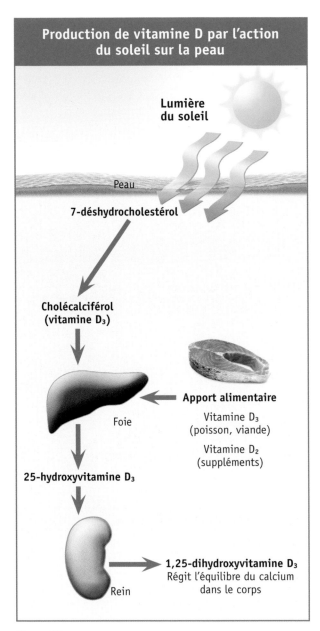

Production de vitamine D par l'action du soleil sur la peau

Lumière du soleil

Peau

7-déshydrocholestérol

Cholécalciférol (vitamine D₃)

Foie

Apport alimentaire

Vitamine D₃ (poisson, viande)

Vitamine D₂ (suppléments)

25-hydroxyvitamine D₃

1,25-dihydroxyvitamine D₃
Régit l'équilibre du calcium dans le corps

Rein

Figure 69

L'action des rayons UVB du soleil sur la peau provoque aussi la transformation d'une molécule appelée 7-déshydrocholestérol en vitamine D₃ (cholécalciférol), celle-ci étant par la suite modifiée par le foie et les reins en 1,25-dihydroxyvitamine D, la forme biologiquement active de la vitamine (Figure 69). La vitamine D joue un rôle fondamental dans l'absorption du calcium et du phosphore et représente de ce fait un important régulateur de la masse osseuse; d'ailleurs, une carence en vitamine D durant l'enfance entraîne le rachitisme, une maladie des os, et c'est pour cette raison que le lait de vache est obligatoirement enrichi en vitamine D en Amérique du Nord.

Lorsqu'elle se produit sur une courte période de temps, les effets de cette radiation se limitent à la production de vitamine D; en cas d'exposition excessive de la peau au soleil, par contre, le surplus d'énergie qui lui est transféré augmente les probabilités que d'autres constituants cellulaires soient touchés et endommagés par la radiation. C'est là que se résume toute la problématique qui entoure l'impact du soleil sur la santé: comment s'exposer au soleil pour profiter de ses bienfaits tout en évitant les problèmes occasionnés par l'excès de radiations UV?

Ultraviolets ultraviolents

Les ultraviolets sont des rayons invisibles ne générant pas de chaleur; ils sont émis par le Soleil sous trois formes: les UVA, de loin les plus abondants;

les UVB, plus énergétiques mais beaucoup moins nombreux (5 %); et les UVC, très dangereux mais complètement absorbés par la couche d'ozone (Figure 70). Même s'ils sont souvent considérés comme moins dangereux, étant donné leur énergie plus faible, les UVA pénètrent plus profondément dans la peau et causent des dommages importants en provoquant la formation de radicaux libres qui dégradent les fibres de collagène et causent un vieillissement prématuré de la peau. Des résultats de recherches récentes indiquent que la formation de radicaux libres par les UVA participerait également à la progression du cancer.

Les UVB sont quant à eux partiellement bloqués par la couche d'ozone, mais les rayons qui parviennent à atteindre la surface de la Terre peuvent générer plusieurs problèmes en cas d'exposition excessive. Parmi eux, le plus fréquent est le fameux coup de soleil, ou érythème, qui accable la grande majorité des vacanciers, surtout lors de voyages dans les pays chauds. Des études réalisées récemment ont démontré que cette réaction est la manifestation visible (et douloureuse) d'un processus de guérison déclenché par les cellules saines en réponse aux dommages causés par les UVB. La peau est « nettoyée » des cellules mortes et de celles qui présentent des altérations génétiques par cette réaction inflammatoire bénéfique physiologiquement. Mais ce mécanisme n'est pas parfait et les coups de soleil à répétition augmentent le risque que des cellules altérées échappent au processus de « guérison » et deviennent cancéreuses.

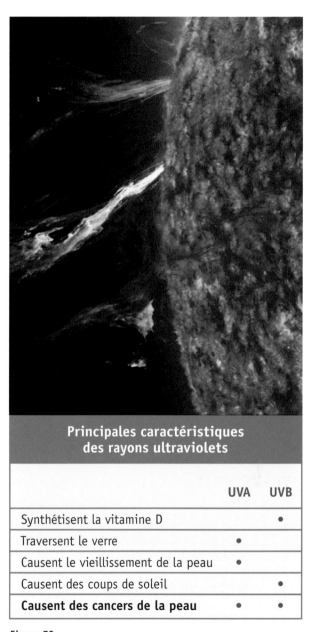

Principales caractéristiques des rayons ultraviolets

	UVA	UVB
Synthétisent la vitamine D		•
Traversent le verre	•	
Causent le vieillissement de la peau	•	
Causent des coups de soleil		•
Causent des cancers de la peau	•	•

Figure 70

génétiques nécessaires à l'apparition de cellules cancéreuses autant que de moduler l'environnement cellulaire pour favoriser leur progression.

Visage pâle

La mélanine est le pigment sélectionné par l'évolution pour protéger la peau des rayons UV, une propriété qui découle de la capacité de ce polymère complexe d'absorber l'énergie de la radiation et de réduire ainsi les dommages aux cellules. Sécrétée par les mélanocytes présents dans l'épiderme, la mélanine est présente sous deux formes distinctes, soit l'eumélanine (noire ou brun foncé) et la phéomélanine (rouge ou jaune). La différence de couleur de la peau et des cheveux d'une personne à l'autre n'est pas le résultat de la quantité de mélanocytes présents dans leur peau, mais bien celui de la quantité et du type de pigments qu'ils sécrètent.

À l'origine, l'espèce humaine avait une peau noire pour se protéger de la forte radiation qui inonde le continent africain. La migration des premiers humains hors d'Afrique s'est accompagnée de changements importants de la pigmentation, en particulier chez les habitants des contrées plus froides. À ces latitudes plus élevées, une diminution de la mélanine et une peau plus blanche procuraient un net avantage de survie, car la pénétration plus profonde des rayons de soleil dans l'épiderme permettait une synthèse accrue de la vitamine D.

La surexposition à ces rayons cause également la formation de radicaux libres ainsi qu'une inflammation pathologique, deux processus qui procurent à ces cellules précancéreuses un environnement propice à leur développement. Les rayons UV, qu'ils soient de type A ou B, constituent donc des agents cancérigènes « par excellence », capables de provoquer les mutations

Il s'agirait toutefois d'une adaptation relativement récente, car on estime que les trois gènes responsables de la peau pâle sont apparus dans la population européenne il y a seulement quinze mille ans.

Ces différences de pigmentation de la peau ont de grandes répercussions sur la sensibilité des individus à une exposition prolongée aux UV (Figure 71). Il existe six grands types de peau, ou phototypes, et la règle générale est que plus la peau, les cheveux et les yeux d'une personne sont clairs, plus le risque de cancer de la peau est important, jusqu'à cent fois plus élevé que celui d'une personne à la peau noire. Les personnes rousses sont particulièrement à risque, car la phéomélanine qu'elles produisent comme principal pigment est non seulement moins efficace pour bloquer les rayons du soleil, mais elle génère énormément de radicaux libres lorsqu'elle est stimulée par les rayons UV, ce qui accentue les dommages aux cellules de la peau. D'ailleurs, des observations récentes suggèrent aussi que les personnes rousses ont un risque accru de mélanome, même en l'absence de rayonnement UV, en raison du stress oxydatif généré par la phéomélanine.

Si avoir une peau foncée à la naissance est synonyme de risque plus faible de cancers de la peau, cela ne signifie pas pour autant qu'une personne au teint clair peut atteindre le même niveau de protection par le bronzage. Lorsque la peau est exposée aux UV, un gène important, le suppresseur de tumeur p53, détecte immédiatement les dommages causés à l'ADN des cellules

par les UV et réagit en orchestrant la production de mélanine pour protéger tant bien que mal la peau contre des dommages supplémentaires. Cette réponse est très importante (la plupart des cancers de la peau sont le résultat d'une perte de p53) et est même associée à une production parallèle d'endorphine, qui rend l'exposition au soleil agréable. Mais le pouvoir protecteur de cette mélanine « de secours » est modeste et ne peut prévenir l'ensemble des dommages causés par les expositions subséquentes au soleil. En d'autres mots, le bronzage a beau être une réaction de défense de la peau, il n'offre qu'une très faible protection, soit

Phototypes de la peau selon Fitzpatrick

	Type	Couleur de peau et de cheveux	Exemples	Sensibilité aux UV	Risque de cancer de la peau
	1	Peau laiteuse, cheveux très blonds ou roux	Scandinaves, Irlandais, Écossais (d'origine celte)	Extrêmement sensible, brûle toujours, ne bronze jamais	Extrêmement élevé
	2	Peau claire, cheveux blonds	Caucasiens de l'Europe du Nord	Très sensible, brûle facilement, bronze très peu	Très élevé
	3	Peau intermédiaire, cheveux châtains	Caucasiens d'Europe centrale	Brûle parfois, bronze graduellement	Élevé
	4	Peau mate, cheveux bruns ou noirs	Méditerranéens, Hispaniques, certains Asiatiques	Brûle rarement, bronze très bien	Faible
	5	Peau brune, cheveux bruns ou noirs	Méditerranéens, Moyen-Orientaux, Indiens, certains Afro-Américains	Brûle très rarement, bronze intensément	Faible
	6	Peau noire, cheveux noirs	Afro-Américains, Africains	Ne brûle jamais, bronze intensément	Très faible

Figure 71

l'équivalent de l'indice de protection 3 des crèmes solaires. La situation est encore pire pour le bronzage artificiel, car les rayons UVA utilisés dans les cabines ne confèrent aucune protection subséquente contre les rayons UVB du soleil, ce qui peut augmenter considérablement le risque de cancer (voir encadré p. 196).

Cancers cutanés

Plusieurs études réalisées au cours des dernières décennies ont démontré hors de tout doute que l'exposition excessive au soleil est synonyme d'un risque accru de cancers de la peau, dont le mélanome. Après avoir évalué l'ensemble des études disponibles à ce sujet, le Centre international de recherche sur le cancer (IARC) concluait en 1992 que les rayons UV constituaient le principal facteur environnemental responsable des cancers de la peau. Les plus fréquents sont les carcinomes basocellulaires et spinocellulaires, mais le mélanome demeure le plus dangereux, puisqu'il peut atteindre la circulation sanguine et se disséminer sous forme de métastases.

Le principal facteur de risque de mélanome est l'exposition intermittente et intense au soleil, surtout lorsqu'elle s'accompagne d'un érythème, tandis qu'une exposition modérée et chronique n'a pas d'impact négatif et pourrait même être associée à une légère diminution du risque. Cette hausse du risque de mélanome est particulièrement prononcée chez les personnes fortement

La très vaste majorité (85 %) des personnes atteintes d'un mélanome sont d'origine caucasienne et habitent dans les pays riches, l'Océanie étant le plus durement touchée en raison de son ensoleillement intense et de sa proportion importante d'habitants au teint pâle originaires de régions nordiques. Par exemple, les habitants de la région d'Auckland, en Nouvelle-Zélande, avaient en 1999 la plus forte incidence de mélanome au monde. Cela dit, le mélanome, de même que les cancers de la peau en général, n'épargnent pas les habitants des pays moins ensoleillés. Au Canada, par exemple, l'incidence des cancers cutanés a explosé au cours des quarante dernières années, avec une augmentation de trois à quatre fois du risque d'être touché par un carcinome cutané et une incidence de mélanome multipliée par dix (Figure 73). Même les pays scandinaves, pourtant situés à des latitudes supérieures (>54° de latitude N.) et qui reçoivent 75 % moins de rayons UVB que les pays de l'équateur, sont durement frappés par le mélanome, avec des incidences jusqu'à trois fois plus élevées que des régions plus ensoleillées comme l'Italie ou l'Espagne.

Une portion de ces augmentations de cas de mélanomes peut être attribuée à une meilleure détection, mais ces variations reflètent néanmoins un changement important des comportements face au soleil au cours des dernières décennies. Par exemple, il est maintenant d'usage, pour les habitants des régions nordiques, de visiter régulièrement des pays chauds en hiver,

exposées au soleil durant leur enfance, mais demeure aussi significative pour les personnes qui ont subi des expositions excessives à l'âge adulte.

L'aspect le plus inquiétant du mélanome est sa forte progression au cours des dernières années. Auparavant très rare, le mélanome a vu son incidence augmenter d'environ 5 % par année depuis les années 1950, ce qui en fait le cancer affichant la progression la plus fulgurante. Par exemple, alors que la probabilité d'un Américain de développer un mélanome au cours de sa vie était d'environ 0,07 % en 1930, ce risque était de 2 % en 2010, une augmentation de près de trente fois (Figure 72).

l'acquisition d'un bronzage étant souvent le principal objectif de ces vacances. Puisque l'apparition d'un mélanome est directement liée à des expositions occasionnelles et intenses au soleil, ces habitudes contribuent à la hausse de ce cancer dans les pays nordiques.

Crèmes solaires

La mauvaise utilisation des crèmes solaires est un autre facteur qui peut contribuer à la hausse des cancers de la peau. Des études réalisées auprès d'« adorateurs » du soleil indiquent que ces lotions peuvent être utilisées par certaines personnes dans le but d'augmenter la durée d'exposition au soleil et d'obtenir un bronzage encore plus prononcé. Ce comportement pourrait expliquer pourquoi certaines études épidémiologiques ont décelé une augmentation du risque de mélanome associée à l'utilisation des crèmes solaires, ce qui a amené l'IARC à conclure que ces produits favorisent le développement du mélanome s'ils sont utilisés dans le cadre d'expositions intentionnelles au soleil. Autrement dit, la quantité d'écran solaire appliquée ou son facteur de protection solaire ne sont que de peu d'utilité si le but d'une personne est de bronzer le plus possible, car le bronzage est un indicateur que des dommages à l'ADN se sont déjà produits au niveau des cellules de la peau.

La recherche scientifique suggère toutefois que l'application de crèmes solaires à des fins

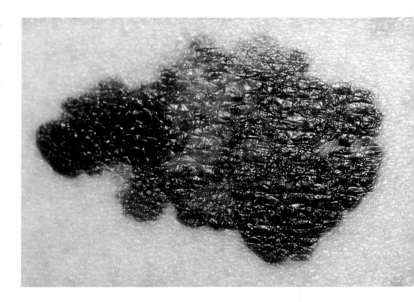

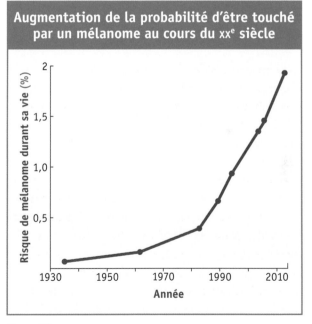

Figure 72   D'après D'Orazio et coll., 2013.

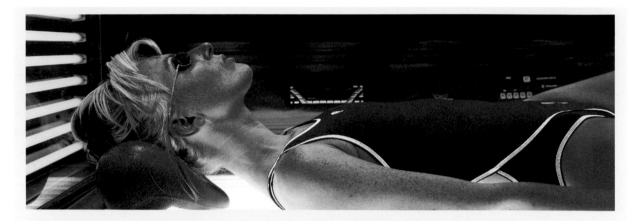

Du soleil en boîte

Industrie en pleine expansion en Amérique et en Europe, le bronzage en cabine est promu comme une solution de rechange «santé» au soleil, comme une façon d'augmenter ses niveaux de vitamine D sans s'exposer aux effets négatifs du soleil. Il s'agit d'une proposition pour le moins étrange, dans la mesure où les rayons UVA émis par ces machines sont beaucoup moins efficaces que les UVB pour permettre la synthèse de la vitamine D. Mais l'aspect le plus dangereux de ces «rayons en boîte» serait leur lien de cause à effet avec une hausse très importante de cancer, soit 75 % du risque de mélanome, en particulier chez les femmes. Le Centre international de recherche sur le cancer (IARC) a d'ailleurs récemment inclus les cabines de bronzage dans la catégorie des agents à haut risque de cancer, concluant à un potentiel cancérigène aussi élevé que la fumée de cigarette. Des études récentes indiquent que, loin d'être inoffensifs, les UVA n'offrent aucune protection contre les rayons UVB, ce qui fait que les personnes qui se font bronzer artificiellement avant leurs vacances dans l'espoir de se protéger du soleil s'exposent à des doses importantes de radiations sans être conscientes du danger encouru. Les UVA déclenchent aussi la production de radicaux libres dans la peau, un stress oxydatif qui peut favoriser l'évolution des mélanomes produits par l'action des rayons UVB. Les mélanocytes des personnes au teint clair qui produisent de la mélanine en réponse au soleil deviennent vulnérables aux rayons UVA et peuvent évoluer en mélanome en raison du stress oxydatif provenant de l'action de ces rayons. Le bronzage en cabine est donc à proscrire, non seulement à cause du faux sentiment de protection conféré par le bronzage artificiel, mais surtout pour l'énorme risque encouru par l'exposition à des doses très élevées de rayons UVA cancérigènes.

préventives réduit les risques de kératoses actiniques (un précurseur de cancer cutané), de cancers spinocellulaires et de mélanomes chez les personnes qui vivent sous un climat très ensoleillé comme l'Australie. On recommande donc l'emploi d'écrans solaires avec un indice de protection solaire d'au moins 15 dès qu'on s'expose au soleil durant plus de quinze minutes. Récemment, des écrans qui protègent à la fois des UVA et des UVB ont fait leur apparition, et ces produits représentent une option très intéressante pour les personnes qui doivent passer de longues périodes au soleil dans le cadre de leurs activités.

Détection des mélanomes

Ce n'est que récemment que les dangers relatifs aux UV ont été mieux compris, de sorte que la plupart des adultes d'aujourd'hui ont subi des coups de soleil à répétition durant leur enfance et sont donc plus à risque de développer ce cancer. Il est dès lors important de chercher à repérer la présence de mélanomes sur la peau, car lorsqu'il est diagnostiqué à un stade précoce, ce cancer peut la plupart du temps être guéri. Les mélanomes ressemblent souvent à des nævi, ou grains de beauté, et évoluent parfois à partir de ces taches. Il faut être très attentif à toute apparition de nævus ou à toute variation dans leur apparence, surtout si un de ses parents proches (mère, père, frères et sœurs, enfants) a déjà

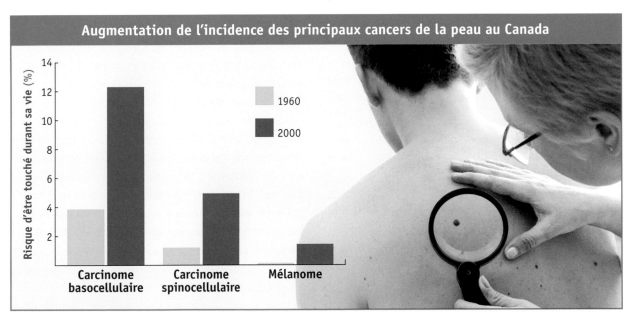

Figure 73

D'après Demers et coll., 2005.

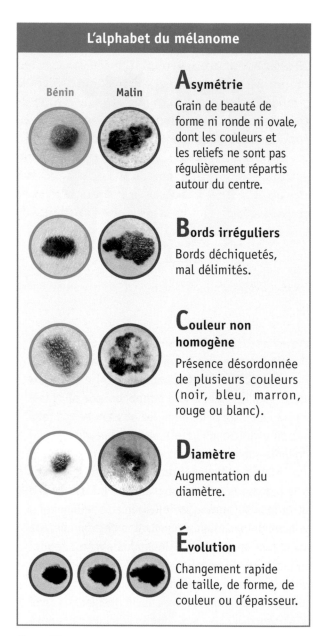

L'alphabet du mélanome

Bénin **Malin**

Asymétrie

Grain de beauté de forme ni ronde ni ovale, dont les couleurs et les reliefs ne sont pas régulièrement répartis autour du centre.

Bords irréguliers

Bords déchiquetés, mal délimités.

Couleur non homogène

Présence désordonnée de plusieurs couleurs (noir, bleu, marron, rouge ou blanc).

Diamètre

Augmentation du diamètre.

Évolution

Changement rapide de taille, de forme, de couleur ou d'épaisseur.

Figure 74

eu un mélanome. Ce qu'on appelle l'« abcde » du mélanome est un guide facile à retenir à ce propos (Figure 74).

Il est aussi intéressant de noter que ce sont les cancers de la peau qui ont permis de mettre en évidence une étonnante propriété des tumeurs : une odeur spécifique, issue de leur métabolisme unique et qui peut être détectée par certains chiens. Ces métabolites volatils font maintenant l'objet d'une recherche active, dans une discipline de la biochimie appelée métabolomique (voir encadré p. 199).

On entend parfois dire que le soleil est « plus fort » qu'autrefois et que c'est la raison pour laquelle il est devenu si nocif. Ce n'est évidemment pas le cas. Le soleil brille avec la même intensité depuis des milliards d'années, et si les cancers de la peau sont si fortement en hausse, c'est essentiellement parce que nos comportements ont changé et que des personnes s'exposent occasionnellement à des quantités démesurées de rayons ultraviolets. Un peu de rayonnement UV est indispensable à l'organisme, car il stimule la production de la vitamine D, qui joue un rôle important dans l'absorption du calcium et du phosphore des aliments, et un rôle décisif à la fois dans le développement du squelette, dans la fonction immunitaire et dans la prévention de certains cancers. Il ne fait aucun doute qu'un peu de lumière solaire soit bon pour la santé ; en revanche, de cinq à quinze minutes seulement d'exposition occasionnelle des mains, du visage et des bras au soleil, deux ou trois fois par semaine en été, sont amplement suffisantes pour maintenir cette vitamine à des taux optimaux pour la santé.

Le soleil doit donc être considéré comme une source exceptionnelle d'une substance essentielle à la santé, la vitamine D, mais qui est tellement puissante qu'on doit faire preuve d'une extrême prudence à son endroit. Il faut respecter et craindre le soleil, non pas en l'évitant totalement, mais en s'exposant à la plus petite dose possible, de façon à profiter de ses bienfaits tout en évitant ses effets secondaires dangereux. Il faut sortir au grand air pour produire de la vitamine D, car les rayons UVB sont absorbés par les vêtements et le verre. L'aspect le plus important à retenir est d'éviter à tout prix les coups de soleil, car les expositions occasionnelles et excessives qui brûlent la peau sont les principaux facteurs de risque de mélanome, surtout lorsqu'elles se produisent en bas âge et chez des personnes au teint clair. La grande majorité des études indiquent que l'exposition régulière et modérée au soleil ne représente pas un facteur de risque important de cancer de la peau, et pourrait même réduire l'incidence de certains cancers.

L'odeur du cancer

En 1989, la revue médicale *The Lancet* rapportait le cas étrange d'une femme qui avait consulté un médecin parce que son dalmatien n'arrêtait pas de renifler une tache en apparence tout à fait anodine sur sa jambe. Sage décision, car l'analyse a révélé que la tache était un mélanome très agressif qui ne lui aurait laissé que peu de chances de survie s'il n'avait pas été détecté rapidement. Plusieurs études ont par la suite confirmé que les chiens sont capables de détecter une panoplie de cancers, notamment ceux du sein, de la peau, du côlon et de la prostate, parfois même dans les stades initiaux de la maladie. Par exemple, certaines races de chiens spécialement entraînées (berger allemand, labrador retriever) sont capables d'identifier 71 % des personnes atteintes de cancer du poumon simplement en reniflant leur haleine, et 97 % des cancers du côlon lorsqu'ils sont mis en présence de leurs selles. C'est que le métabolisme anormal des cellules cancéreuses produirait des composés volatils inhabituels qui peuvent être détectés par l'odorat très développé des chiens.

Si le « dépistage canin » systématique du cancer est peu probable, étant donné le temps requis pour l'entraînement des animaux, ces exploits indiquent que le cancer a bel et bien une odeur caractéristique et qu'on peut envisager le développement de tests de dépistage du cancer basés sur la détection de composés volatils présents dans la peau, l'haleine, l'urine ou les selles des patients.

Le bonheur vient de l'attention
prêtée aux petites choses,
et le malheur, de la négligence
des petites choses.

Proverbe chinois

Chapitre 10

Protections supplémentaires

L'absence de tabagisme, une saine alimentation, le contrôle du poids corporel et l'activité physique régulière peuvent réduire de deux tiers le risque de cancer, et la mise en œuvre de ces habitudes de vie représente un aspect incontournable de toute approche préventive. Mais en plus de ces effets protecteurs bien documentés, la recherche des dernières années a également identifié plusieurs aspects additionnels de notre quotidien qui peuvent influencer de façon non négligeable la probabilité d'être touché par un cancer. Il vaut vraiment la peine de se familiariser avec ces facteurs et des gestes simples, à la portée de tous, qui peuvent maximiser les bénéfices de la prévention de cette maladie.

Recommandation
Les jeunes femmes devraient se faire vacciner contre le VPH. Source : OMS

À l'échelle mondiale, environ 12 % de tous les cancers sont causés par des agents infectieux, un très grand nombre d'entre eux étant d'origine virale (Figure 75).

Les infections par le virus du papillome humain (VPH) sont responsables de la majorité de ces cancers d'origine virale et représentent même jusqu'à 5 % de tous les cancers diagnostiqués chaque année dans le monde. Plusieurs dizaines de VPH différents existent, les plus dangereux étant les variantes VPH 16 et VPH 18, responsables de la grande majorité des cancers du col de l'utérus. La plupart des femmes seront infectées par l'un ou l'autre de ces virus au cours de leur

< Des particules formées à partir de la capside du virus du papillome humain (VPH), vues en microscopie électronique colorisée.

Virus connus pour augmenter le risque de cancer chez l'humain

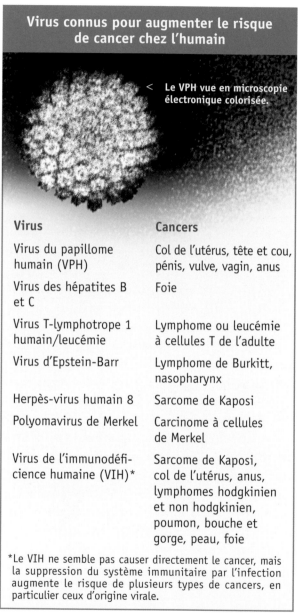

< **Le VPH vue en microscopie électronique colorisée.**

Virus	Cancers
Virus du papillome humain (VPH)	Col de l'utérus, tête et cou, pénis, vulve, vagin, anus
Virus des hépatites B et C	Foie
Virus T-lymphotrope 1 humain/leucémie	Lymphome ou leucémie à cellules T de l'adulte
Virus d'Epstein-Barr	Lymphome de Burkitt, nasopharynx
Herpès-virus humain 8	Sarcome de Kaposi
Polyomavirus de Merkel	Carcinome à cellules de Merkel
Virus de l'immunodéficience humaine (VIH)*	Sarcome de Kaposi, col de l'utérus, anus, lymphomes hodgkinien et non hodgkinien, poumon, bouche et gorge, peau, foie

*Le VIH ne semble pas causer directement le cancer, mais la suppression du système immunitaire par l'infection augmente le risque de plusieurs types de cancers, en particulier ceux d'origine virale.

Figure 75

D'après www.cancer.org, 2013.

vie, mais le système immunitaire réussira dans la plupart des cas à les neutraliser et à empêcher le développement d'un cancer. Lorsque cette défense échoue, par contre, l'intégration de l'ADN du virus dans le matériel génétique des cellules saines peut résulter en la production de deux protéines (appelées E6 et E7) qui abolissent la fonction de deux suppresseurs de tumeurs importants (p53 et Rb), provoquant ainsi la prolifération incontrôlée des cellules. Une approche préventive demeure donc la clé pour combattre ce cancer, et le dépistage du cancer du col de l'utérus par les tests de Papanicolaou (mieux connus sous le nom de tests Pap), suivis d'une colposcopie ou d'une biopsie

pour les patientes qui présentent des lésions précancéreuses, a permis de réduire radicalement le nombre de décès dus à ce cancer au cours des dernières années, en particulier en Occident.

Le combat contre le VPH est cependant loin d'être gagné, car la baisse significative des cancers du col de l'utérus s'est accompagnée d'une hausse inquiétante de certains cancers de la tête et du cou causés par ce virus. Par exemple, le cancer de l'oropharynx, qui touche la portion de la gorge derrière la bouche, incluant la base de la langue, le palais mou et les amygdales, est quinze fois plus fréquent chez les personnes qui sont infectées par le VPH. Historiquement, ce cancer

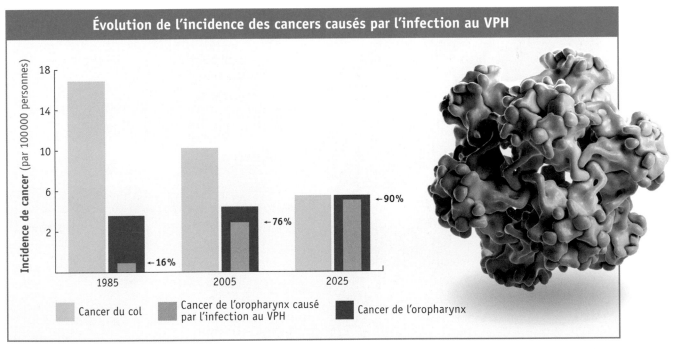

Évolution de l'incidence des cancers causés par l'infection au VPH

Incidence de cancer (par 100 000 personnes)

←16%
←76%
←90%

1985 2005 2025

■ Cancer du col   ■ Cancer de l'oropharynx causé par l'infection au VPH   ■ Cancer de l'oropharynx

Figure 76

D'après Chaturvedi et coll., 2011.

était une conséquence de l'usage du tabac, d'une consommation excessive d'alcool ou d'une combinaison de ces deux facteurs, mais, avec la diminution du tabagisme qui s'est produite au cours des dernières années, c'est l'infection par le VPH qui est désormais le principal facteur de risque du cancer de l'oropharynx. On estime que plus de 70 % des cas actuels sont causés par le virus, une proportion qui pourrait même atteindre 90 % au cours des prochaines décennies (Figure 76). Si la tendance se maintient, les spécialistes prévoient même que le nombre de cancers de l'oropharynx causés par le VPH surpassera dès 2020 celui des cancers du col de l'utérus dans les pays industrialisés. La hausse de l'incidence des cancers oropharyngiques pourrait dépendre des changements dans les mœurs sexuelles, puisqu'elle est fortement associée à la pratique de contacts buccogénitaux avec un grand nombre de partenaires. Des études récentes indiquent que le virus est présent dans la bouche de 7 % des adolescents et des adultes américains (10 % pour les hommes et 3 % chez les femmes) et pourrait de ce fait être transmis au cours de tels rapports sexuels.

Au cours des dernières années, des vaccins qui neutralisent l'action des VPH 16 et 18 ont été homologués pour la prévention du cancer du col de l'utérus en raison de leur activité exceptionnellement apte à gêner le développement des lésions précancéreuses et des verrues génitales causées par ces virus. Compte tenu des résultats extraordinaires obtenus jusqu'à présent, ainsi que de l'absence d'effets secondaires majeurs, la plupart des agences de santé publique recommandent d'administrer ces vaccins aux jeunes femmes avant leur exposition éventuelle aux virus, soit au début de l'adolescence. La hausse récente des cancers oropharyngiques et la présence du virus dans la bouche d'une proportion significative des hommes suggèrent que ces programmes de vaccination devraient même être appliqués dans un proche avenir à l'ensemble de la population, si les vaccins s'avèrent aussi efficaces à neutraliser le VPH buccal. Fait intéressant, une étude préliminaire indique qu'un de ces vaccins prévient 93 % des infections de la bouche par le virus. En attendant, limiter autant que possible le nombre de partenaires et utiliser un condom demeurent les meilleures façons de réduire la probabilité de contracter le VPH ou de le transmettre à son partenaire.

Recommandation
Les mères devraient allaiter leurs enfants pendant une période de six mois. Source : WCRF

Selon l'analyse réalisée par le WCRF lors de la rédaction de son deuxième rapport, l'allaitement maternel pendant une période de six mois réduit très légèrement (d'environ 2 %) le risque de cancer du sein chez ces femmes. Cet effet est probablement dû à l'arrêt de la production des gonadotropines en réponse à la sécrétion de prolactine, car la diminution des œstrogènes qui s'ensuit réduit l'exposition du tissu mammaire à ces hormones. Des données récentes suggèrent qu'un effet similaire pourrait influencer le cancer des ovaires, les femmes qui ont allaité durant leur vie ayant environ 20 % moins de risques d'être touchées par ce cancer.

L'allaitement est bien sûr bénéfique pour l'enfant, mais on néglige trop souvent l'impact de l'alimentation de la mère sur le risque de maladies pouvant affliger ces enfants, une fois parvenus à l'âge adulte. Par exemple, les femmes qui adoptent une alimentation principalement composée d'aliments industriels riches en sucre et en gras exposent très tôt leurs enfants à ces aliments et peuvent de ce fait influencer leurs préférences alimentaires pour le reste de leur vie. Des études suggèrent que l'exposition des enfants aux substances dérivées de la malbouffe et présentes dans le lait maternel peut reprogrammer le circuit cérébral de la récompense et les rendre plus dépendants au plaisir du sucre et du gras, ce qui peut les entraîner plus tard à surconsommer ces aliments. La consommation abondante de gras par les mères qui allaitaient était suffisante pour reprogrammer l'hypothalamus de leurs bébés et perturber pour toute leur vie leur métabolisme énergétique.

L'allaitement est une période très importante dans la vie d'une mère et de son enfant, non seulement pour les bénéfices nutritionnels offerts par le lait maternel et pour la réduction du risque de cancer chez la mère, mais aussi parce que c'est une occasion unique de familiariser les enfants avec la saveur d'aliments bénéfiques pour la santé, en particulier les végétaux, et d'influencer leur santé à long terme.

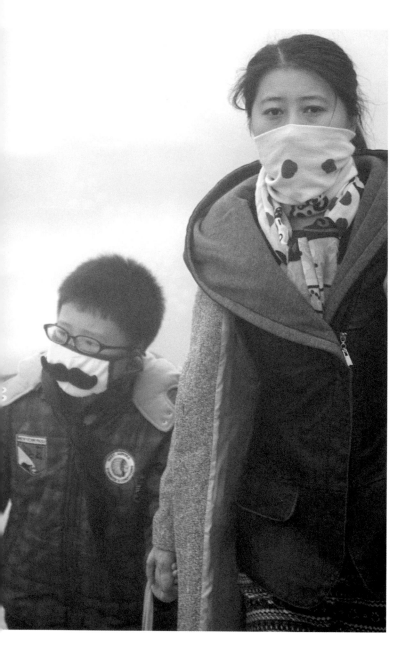

Recommandation
Il faut limiter l'exposition à des substances chimiques cancérigènes responsables de la pollution de l'air ambiant ou de l'air à l'intérieur des habitations. **Source: OMS**

L'un des aspects les plus sombres de l'industrialisation est la dégradation majeure de l'environnement qui a accompagné l'amélioration du niveau de vie de la population. Bien que nous ayons la chance de profiter d'un confort et d'une qualité de vie sans précédent, la pollution atmosphérique, le réchauffement climatique et les résidus chimiques toxiques qui contaminent les eaux et les sols nous rappellent que ces progrès se sont souvent réalisés au détriment de l'intégrité du monde qui nous entoure et que cette situation peut entraîner de graves problèmes de santé.

La pollution de l'air est la principale source d'exposition de la population mondiale aux contaminants d'origine humaine. Selon les dernières estimations de l'OMS, la pollution de l'air est responsable de 7 millions de morts environ chaque année, 4 millions de ces décès étant causés par la pollution de l'air intérieur, tandis que 3 millions de personnes meurent des suites de l'exposition à la pollution de l'air extérieur. La très grande majorité des décès (94%) sont causés par les maladies cardiovasculaires et pulmonaires, le cancer du poumon n'étant responsable que de 6% de la mortalité associée à cette forme de pollution.

La hausse du risque de cancer du poumon, causée autant par la pollution de l'air intérieure

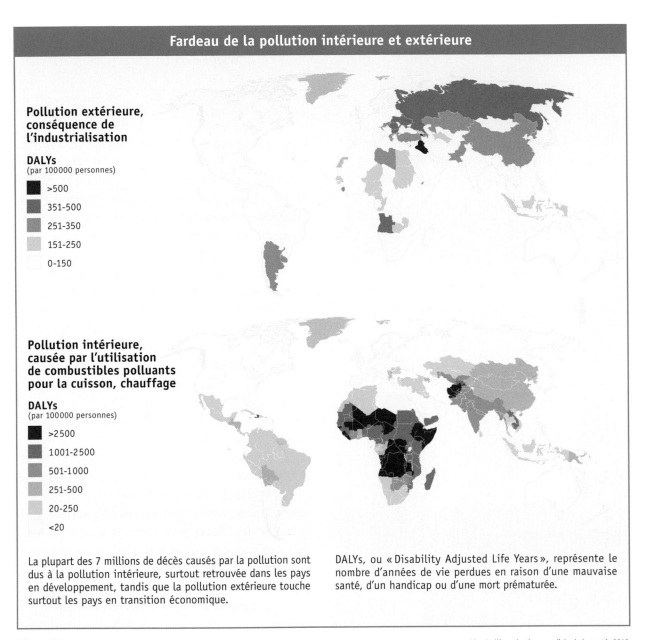

Fardeau de la pollution intérieure et extérieure

Pollution extérieure, conséquence de l'industrialisation

DALYs
(par 100000 personnes)

- >500
- 351-500
- 251-350
- 151-250
- 0-150

Pollution intérieure, causée par l'utilisation de combustibles polluants pour la cuisson, chauffage

DALYs
(par 100000 personnes)

- >2500
- 1001-2500
- 501-1000
- 251-500
- 20-250
- <20

La plupart des 7 millions de décès causés par la pollution sont dus à la pollution intérieure, surtout retrouvée dans les pays en développement, tandis que la pollution extérieure touche surtout les pays en transition économique.

DALYs, ou « Disability Adjusted Life Years », représente le nombre d'années de vie perdues en raison d'une mauvaise santé, d'un handicap ou d'une mort prématurée.

Figure 77

D'après l'Organisation mondiale de la santé, 2013.

et extérieure, est une conséquence des effets cancérigènes de certaines substances trouvées dans l'air pollué, en particulier les émanations diesel, les particules fines ainsi que certains solvants. Selon l'OMS, ces substances seraient responsables d'environ 10 % de la mortalité liée au cancer du poumon, soit huit fois moins que la cigarette, mais néanmoins un facteur de risque significatif. L'air pollué serait également associé à un risque

accru de cancer de la vessie, conséquence du processus d'élimination de ces substances toxiques par l'urine et de leur interaction avec la muqueuse de cet organe.

Le fardeau imposé par la pollution de l'air est cependant réparti de façon très inégale à l'échelle du globe. L'Asie du Sud-Est, les régions du Pacifique ouest et l'Afrique sont très durement touchées par la pollution de l'air intérieur, conséquence de l'utilisation de bois, de charbon ou de fumier comme principales sources de combustibles pour la cuisson des aliments (Figure 77). L'industrialisation très rapide qui est survenue au cours des dernières années en Asie contribue quant à elle aux dangers associés à la pollution de l'air extérieur : 85 % environ des quelque 3 millions de décès causés par l'air pollué dans cette région en découlent. Les habitants de Hong Kong, par exemple, respirent un air qui contient en moyenne plus de 30 µg de particules fines par mètre cube, soit trois fois plus que la norme fixée par l'OMS, tandis que ceux d'Ottawa, au Canada, ne sont exposés qu'à 5 µg/m³. La situation peut cependant être bien pire dans certaines villes de la Chine et de l'Inde, où des taux supérieurs à 200 µg/m³ ont été mesurés.

Il s'agit d'une situation désolante, dans la mesure où l'on ne peut réellement contrôler notre exposition à ces polluants et éliminer tous les risques qui leur sont associés. En revanche, il faut mettre les choses en perspective : la pollution de l'air, aussi néfaste soit-elle, représente un risque de cancer et de maladies chroniques beaucoup

---

Principaux facteurs de risque responsables des maladies en Amérique du Nord, par ordre d'importance (OMS)

1. Tabagisme
2. Indice de masse corporelle élevé
3. Hypertension
4. Hyperglycémie
5. Inactivité physique
6. Alimentation faible en fruits
7. Alcool
8. Alimentation faible en noix et en graines
9. Cholestérol élevé
10. Drogues
11. Alimentation riche en sodium
12. Alimentation riche en charcuteries
13. Alimentation faible en légumes
14. **Pollution de l'air**
15. Alimentation riche en gras trans

Figure 78   D'après Lim et coll., 2012.

plus faible que plusieurs aspects de notre mode de vie, sur lequel nous avons un plein contrôle (Figure 78). En Amérique du Nord, par exemple, les estimations faites par l'OMS indiquent que la pollution de l'air arrive au 14e rang en importance des principaux facteurs de risque responsables des maladies, loin derrière le tabagisme, l'obésité, l'inactivité physique, l'abus d'alcool et de drogues et une mauvaise alimentation.

La société est heureusement de plus en plus consciente des dommages associés aux polluants de l'air, et des standards visant à contrôler l'ozone et les particules fines ont été mis en place dans différentes régions du monde. Dans certaines régions, notamment en Amérique du Nord, les taux de contamination par plusieurs substances polluantes ont d'ailleurs décliné de façon significative au cours des dernières années. Il reste

cependant beaucoup de travail à faire et chacun d'entre nous peut participer activement à la résolution du problème en adoptant un mode de vie qui contribue à réduire la pollution atmosphérique. Justement, des recherches récentes suggèrent que les aliments dotés de propriétés détoxifiantes, notamment les crucifères tel le brocoli, accélèrent l'élimination des contaminants de l'air et pourraient donc représenter une défense de première ligne contre les dommages causés par la pollution de l'air.

Toxiques environnementaux

En plus des polluants de l'air, de nombreuses substances chimiques synthétiques sont également retrouvées dans l'eau, les sols, ainsi que

Principales classes de perturbateurs endocriniens	
Perturbateurs endocriniens	**Principales sources**
Bisphénol A	Plastiques, résines, bouteilles, boîtes de conserve, composites dentaires.
Phtalates	Cosmétiques, produits ménagers, PVC, emballages, jouets, emballages alimentaires, solvants.
Parabènes	Agents de conservation pour aliments, cosmétiques, médicaments.
Éthers de glycol	Solvants, lave-vitres, désodorisants, eau de toilette, shampooing.
Composés polybromés	Retardateurs de flamme (textiles, téléviseurs, ordinateurs).
Composés perfluorés	Traitements antitaches et imperméabilisants (vêtements, emballages alimentaires), antiadhésifs, cires, insecticides.
Composés polychlorés (dioxines, BPC)	Incinérateurs, dépotoirs.
Pesticides (DDT, dieldrine, lindane, atrazine, trifluraline, perméthrine)	Effluents en terres agricoles.

Figure 79

dans plusieurs produits d'usage courant (insecticides, plastiques, cosmétiques, textiles) et même dans notre nourriture (additifs alimentaires, colorants, édulcorants). Leur impact sur la santé a fait l'objet d'un très grand nombre d'études, mais les données actuellement disponibles ne permettent pas de conclure que l'exposition à ces molécules augmente de façon significative le risque de cancer, du moins dans les quantités auxquelles la majorité de la population est exposée. Par exemple, les études de grande envergure démontrent clairement que les additifs alimentaires, les édulcorants comme l'aspartame, ou encore des molécules comme l'aluminium ou les parabènes (présentes dans les déodorants, entre autres), ne posent aucun risque pour la santé et n'augmentent pas le risque de cancer.

Il est toutefois important de souligner que l'exposition à des doses plus élevées de certains contaminants environnementaux, dans le cadre d'exposition professionnelle notamment, a été à maintes reprises associée à une hausse du risque de certains cancers. Par exemple, plusieurs produits chimiques industriels possèdent la caractéristique commune d'agir comme « perturbateurs endocriniens », c'est-à-dire qu'ils peuvent interférer avec le fonctionnement normal du système hormonal. Ces molécules sont présentes dans une vaste gamme de produits industriels (plastiques, cosmétiques, boîtes de conserve, produits ménagers et ignifuges, entre autres) (Figure 79) et peuvent à fortes doses induire le développement de différents cancers du système reproducteur (vagin, sein, prostate et testicules). Des études ont d'ailleurs rapporté que les personnes qui sont exposées à des doses relativement élevées de perturbateurs endocriniens dans le cadre de leur activité professionnelle auraient un risque accru de développer certains cancers, notamment celui du sein. Il a été aussi récemment suggéré que des contaminants toxiques présents dans certains produits industriels (essence, ignifuges, dissolvants, textiles anti-taches) pourraient hausser le risque de cancer du sein chez les femmes qui sont exposées à des doses élevées de ces substances, en particulier lorsque cette exposition se produit avant la première grossesse.

Dans l'état actuel des connaissances, il semble donc que les effets procancéreux des substances toxiques de notre environnement ne sont observés qu'à des quantités élevées de ces molécules, plusieurs fois supérieures à celles auxquelles la population est normalement exposée. L'existence d'un risque accru de cancer à plus fortes doses de contaminants indique cependant qu'il faut demeurer très vigilant envers ces substances et tout mettre en œuvre pour les remplacer par des alternatives moins toxiques ou à tout le moins réduire au minimum leur présence dans l'environnement. Cette méfiance est d'autant plus importante que de nouvelles molécules synthétiques font constamment leur apparition dans notre quotidien, sans que leur impact à long terme sur la santé soit clairement

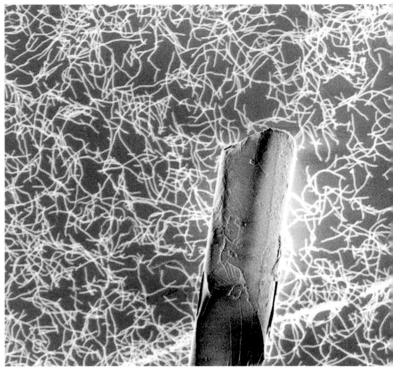

∧ Réseau de nanotubes de carbone vis-à-vis d'un cheveu humain déposé sur une puce en silicium.

établi. Les nanotubes de carbone sont à cet égard un bon exemple, ces produits de la nanotechnologie étant employés pour la fabrication d'un nombre croissant de produits, autant d'usage industriel (dans les industries aérospatiale, électronique, automobile et médicale) que domestique (dans les peintures, les écrans solaires, les cosmétiques). Malheureusement, la mise en marché de ces nouveaux produits se fait de manière laxiste, sans grand contrôle de sécurité, et l'innocuité de ces nouvelles molécules est loin d'être prouvée. Il faut garder en tête que les nanomatériaux sont 50 000 fois plus petits que l'épaisseur d'un cheveu et peuvent donc franchir les barrières physiologiques et s'accumuler dans les tissus pour y provoquer des lésions. Ces particules sont aussi très légères et peuvent donc se retrouver dans l'air et être captées par les poumons, d'une façon analogue aux fibres d'amiante. L'impact de ces nanoparticules sur le risque de cancer demeure à établir, mais des études récentes indiquent qu'elles pourraient accélérer le développement des adénocarcinomes du poumon chez les animaux. Ces observations sont inquiétantes, dans la mesure où les nanotechnologies sont en pleine expansion, et qu'on envisage même d'utiliser les nanoparticules pour administrer certains médicaments. Comme pour l'ensemble des substances étrangères auxquelles nous sommes exposés, le principe de précaution devrait s'appliquer aux nanoparticules et il est à souhaiter qu'une évaluation très rigoureuse de leur impact sur la santé humaine sera effectuée avant que ces substances ne deviennent ubiquitaires.

Il est sans doute dans notre nature d'évoquer la participation de facteurs extérieurs, hors de notre contrôle, afin d'expliquer les maux qui nous affligent, mais il est important de relativiser les risques posés par ces facteurs et de se rappeler que ce sont d'abord et avant tout nos habitudes de vie qui demeurent les grandes responsables de l'incidence élevée de cancer dans les sociétés industrialisées.

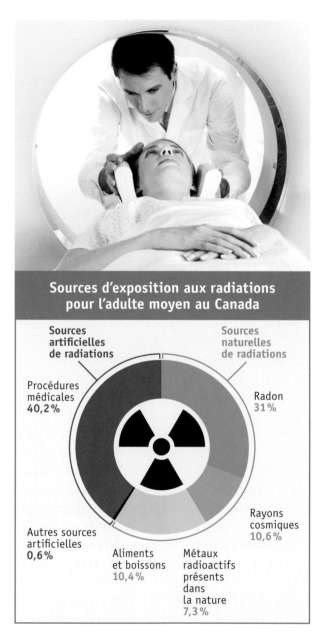

Figure 80 D'après la Commission canadienne de sûreté nucléaire, 2012.

Le radon, un gaz radioactif

Le radon 222 (^{222}Rn) est un gaz inerte et inodore produit par la désintégration radioactive de l'uranium naturellement présent dans la croûte terrestre. Ce gaz radioactif compte à lui seul pour la moitié des radiations d'origine naturelle auxquelles nous sommes exposés, une quantité qui demeure toutefois plus faible que celles qui proviennent de diverses techniques médicales modernes telles que l'imagerie ou la radiothérapie (Figure 80). Il est d'ailleurs important de noter que la radiation provenant d'un balayage tomographique (*CT-scan*) peut être mille fois plus élevée que celle des rayons X traditionnels, ce qui fait craindre à des experts que l'utilisation abusive de cette technique, telle que pratiquée dans certains pays, pourrait être responsable d'une augmentation de cancers dans un avenir rapproché. Pour ce qui est du radon, ses concentrations en plein air sont beaucoup trop faibles pour causer des dommages, mais ce gaz peut s'accumuler dans des espaces clos (le sous-sol des maisons, par exemple), où il peut être inhalé et exposer les cellules pulmonaires aux radiations alpha de cet isotope. Les personnes exposées de façon chronique au radon, celles qui travaillent dans les mines d'uranium par exemple, ont un risque accru de cancer du poumon. Le Centre international de recherche sur le cancer (IARC) a par conséquent classé le radon comme substance cancérigène.

Pour la population en général, l'exposition au radon représente cependant un facteur de risque de cancer du poumon beaucoup plus faible que le tabagisme, la très grande majorité des gens étant exposés à des doses de radon de 100 Bq/m³ et moins. Seulement 0,5 % de toute la mortalité liée au cancer du poumon est causée par le radon seul, loin derrière l'impact catastrophique de la cigarette sur ce cancer, soit 83 % de la mortalité (Figure 81). Les fumeurs sont aussi les personnes les plus susceptibles de subir des dommages causés par le radon, avec une mortalité six fois plus élevée que celle des non-fumeurs. Autrement dit, l'effet néfaste du radon sur le risque de cancer du poumon pourrait être réduit à presque zéro simplement en éliminant le tabagisme.

Bien que le radon ne représente pas un facteur de risque majeur de cancer chez les non-fumeurs,

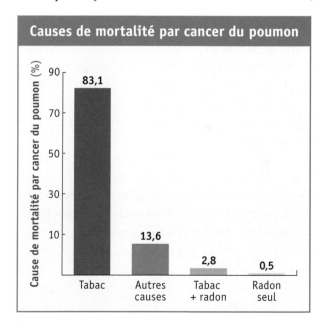

Causes de mortalité par cancer du poumon

Figure 81   D'après Gray et coll., 2009.

les personnes qui désirent connaître leur niveau d'exposition peuvent consulter les sites internet des agences de santé publique de leur pays pour se familiariser avec la démarche à suivre. La quantification du radon est généralement peu coûteuse, et les mesures correctrices proposées en cas d'exposition au-dessus de la normale (aération, ventilation et étanchéité) suffisent généralement à résoudre le problème.

Endormir le cancer

Pour plusieurs, dormir est une « perte de temps », un moment inutile où il ne se passe rien et qu'il faut réduire au strict minimum pour pouvoir profiter au maximum de la vie. Cette dépréciation du sommeil ne date pas d'hier: pour les Grecs anciens, dormir était comme une « petite mort » (Hypnos, le dieu du sommeil, était le frère jumeau de Thanatos, le dieu de la mort), car « l'homme, quand il dort, est sans valeur aucune », disait Platon.

Cette aversion face au sommeil est étonnante, car, loin d'être du temps perdu, il est essentiel pour régénérer les réserves d'énergie du corps, éliminer les déchets métaboliques du cerveau produits par l'activité des neurones pour consolider les apprentissages et la mémoire, ainsi que pour permettre

le bon fonctionnement du système immunitaire. De nombreuses études ont également démontré qu'un sommeil déficient (moins de six heures par nuit) augmente le risque de mort prématurée, conséquence d'une hausse de plusieurs maladies chroniques, comme les maladies du cœur, les accidents vasculaires cérébraux ou encore le diabète. Ces effets négatifs pourraient être en partie expliqués par la hausse du risque d'obésité observée chez les personnes qui dorment peu.

Les études réalisées jusqu'à présent dans ce domaine de la recherche suggèrent que les troubles du sommeil sont aussi associés à une hausse du risque de certains cancers. Par exemple, les personnes qui dorment moins de six heures par nuit ont une incidence de polypes colorectaux, un important facteur de risque de cancer du côlon, de 50 % plus élevée que celles qui dorment sept heures. Les hommes âgés qui éprouvent des problèmes à dormir voient leur risque de cancer de la prostate augmenter significativement, en particulier pour les formes les plus invasives de la maladie. Dans la même veine, les femmes ménopausées qui souffrent d'insomnie sont plus à risque d'être touchées par un cancer de la thyroïde, mais ce manque de sommeil ne semble toutefois pas influencer leur risque de cancer du sein.

La relation entre le sommeil et le risque de mortalité est cependant complexe. Par exemple, les personnes qui travaillent de nuit pendant de longues périodes (vingt à trente ans) ont environ 50 % plus de risque de développer certains types de cancer (sein, prostate, côlon, vessie et lymphome non hodgkinien) même si elles dorment suffisamment. Plusieurs études suggèrent que l'altération du cycle jour/nuit chez ces travailleurs cause une diminution de la sécrétion de mélatonine, une hormone dotée de plusieurs propriétés anticancéreuses. Ces personnes doivent donc porter une attention particulière à l'adoption de bonnes habitudes de vie pour compenser autant que possible l'impact négatif causé par le dérèglement de l'horloge biologique interne. Un sommeil trop long (plus de neuf heures) est lui aussi associé à une hausse du risque de maladies chroniques et de mort prématurée. Le risque de cancer colorectal, par exemple, est fortement augmenté chez les personnes qui dorment plus de neuf heures par nuit, en particulier celles qui présentent un excès de poids ou qui ronflent. Il est probable que la durée plus longue passée au lit par ces personnes reflète un sommeil de mauvaise qualité marqué par des réveils fréquents, ce qui augmente la sécrétion de cortisol, une hormone du stress, et de molécules inflammatoires qui peuvent favoriser la croissance de cellules cancéreuses. En outre, un sommeil perturbé est souvent le signe de troubles respiratoires du sommeil, les apnées, caractérisées par des arrêts fréquents de la respiration qui provoquent des fluctuations

de la pression sanguine et l'apparition de conditions inflammatoires. En plus d'augmenter le risque d'événements cardiaques, ces apnées ont récemment été associées à un risque accru de cancer, possiblement parce qu'elles favorisent la vascularisation des tumeurs ainsi que le recrutement de cellules inflammatoires autour d'elles, ce qui crée un climat propice aux mutations génétiques. Puisque la surcharge pondérale, en particulier l'obésité, représente la principale cause des apnées du sommeil, il est probable que ces perturbations du sommeil contribuent à la hausse du risque de cancer associée au surpoids.

Nous devrions passer le tiers de notre vie à dormir : il s'agit d'une période de repos absolument essentielle à la prévention de l'ensemble des maladies chroniques, dont le cancer, et un ingrédient indispensable au maintien d'une bonne santé.

Les facteurs psychologiques

Dès le début de l'ère chrétienne, le médecin Claude Galien (129-201) soutenait que les femmes mélancoliques étaient plus souvent touchées par le cancer que celles dont le tempérament était normal. Cette influence de facteurs psychologiques sur l'apparition du cancer a été l'un des aspects les plus étudiés de cette maladie, sans toutefois qu'un lien incontestable puisse être clairement établi. Par exemple, on a soupçonné que certains traits de caractère (extraversion, névrose) pouvaient prédisposer certaines personnes au cancer en raison du stress associé à la répression des émotions négatives, mais une telle corrélation n'a pas été observée dans les études de grande envergure. L'impact des traumatismes psychologiques qui découlent d'événements douloureux de l'existence a aussi fait l'objet d'un grand nombre d'études, certaines rapportant une hausse du risque de cancer du sein, par exemple, alors que d'autres n'observent pas cette relation. Un exemple parmi les plus frappants est le diagnostic d'un cancer chez un enfant, l'une des sources de stress les plus intenses pouvant survenir au cours d'une vie. Une étude réalisée auprès de 11 380 parents dont les enfants ont combattu un cancer indique que ces personnes ne présentent aucun risque accru de cancer, et les mères de ces enfants ne semblent pas plus à risque de cancer du sein. Les survivants des camps de concentration nazis, exposés aux pires épreuves auxquelles un être humain peut être soumis, ont affiché une espérance de vie identique et même dans certains cas supérieure à celle des personnes qui n'ont pas subi ce traumatisme. Une étude récente, réalisée auprès de 14 203 Français, indique qu'il ne semble pas non plus exister de correspondance entre l'incidence d'épisodes dépressifs et la survenue de cancer, même en cas de dépressions sévères, ou encore entre le stress de la vie moderne et l'*incidence* de plusieurs types de cancers, y compris celui du sein. Dans l'état actuel des connaissances, la contribution de ces facteurs psychologiques semble très faible et surtout beaucoup moins prononcée que celle d'autres facettes de notre mode de vie. Cela dit, le stress est néanmoins reconnu comme un facteur qui accélère la disparition des télomères, de petites régions situées à l'extrémité des chromosomes qui empêchent une perte trop rapide de notre matériel génétique au cours du vieillissement. Comme une disparition accélérée des télomères a été associée au développement de plusieurs maladies liées à l'âge, on ne peut donc complètement exclure la participation du stress au développement de certains cancers. En ce sens, il n'y a pas de doute que les traits de personnalité ou les événements tragiques peuvent influencer indirectement le risque de cancer s'ils sont associés à certains comportements malsains comme le tabagisme, l'abus d'alcool, l'inactivité physique ou la mauvaise alimentation.

Il est aussi important de distinguer l'impact de ces facteurs psychologiques sur l'incidence du cancer de celui qu'ils peuvent exercer sur la progression de la maladie. À ce propos, il est bien documenté que la majorité des personnes qui ont survécu à un cancer éprouvent des difficultés à bien dormir, avec une prévalence de l'insomnie jusqu'à trois fois plus élevée que dans la population en général. L'insomnie est de plus en plus considérée comme un important facteur de risque de dépression, et plusieurs études réalisées au cours des dernières décennies ont démontré que la détresse psychologique, qu'il s'agisse d'anxiété, de dépression chronique ou d'un soutien social déficient, représente un facteur associé à un risque accru de *progression* du cancer. Chez les personnes atteintes d'un cancer, il est donc important de réduire le stress psychologique au minimum, et une amélioration du sommeil est une étape incontournable pour y parvenir. Des études ont révélé que des modifications au mode de vie, comme la pratique d'exercice physique ou d'activités comme le yoga, de même que des interventions psychologiques, comme la thérapie cognitive comportementale, peuvent dans plusieurs cas améliorer la qualité du sommeil, et ainsi aider les personnes malades à demeurer plus sereines face à cette épreuve.

Le désir de prendre des médicaments
constitue peut-être la plus grande
différence entre l'homme et l'animal.
William Osler (1849-1919)

Chapitre 11

Le mirage des suppléments

Recommandations

Ne pas utiliser de suppléments pour prévenir le cancer.

Source : WCRF

Un apport quotidien de 1 000 UI de vitamine D durant l'automne et l'hiver est recommandé.

Source : Société canadienne du cancer

Au cours des dernières décennies, une quantité phénoménale de suppléments ont fait leur apparition sur le marché. Qu'il s'agisse de multivitamines, d'antioxydants, de suppléments d'oméga-3 ou d'extraits de plantes, tous ces produits sont promus comme des compléments essentiels au maintien d'une bonne santé, capables de pallier les déséquilibres alimentaires. L'industrie des suppléments a compris depuis longtemps que le mode de vie occidental nuit à l'adoption de saines habitudes de vie, que ce soit en raison de la grande disponibilité des aliments de mauvaise qualité, du peu de temps disponible pour la préparation des repas ou encore d'un contexte de vie peu propice à l'activité physique. Pour remédier à ces limitations, on propose un nombre toujours croissant de produits dits « naturels », censés résoudre les problèmes de santé occasionnés par ce mode de vie, sans que nous ayons à remettre en question nos mauvaises habitudes.

Cette « pilulisation » de l'alimentation est particulièrement insidieuse lorsqu'elle prétend pouvoir remplacer les bénéfices qui découlent de la consommation régulière de fruits et de légumes. On sait depuis plusieurs années que les personnes qui consomment régulièrement ces végétaux sont en meilleure santé et présentent un risque moindre de plusieurs types de cancers, une protection liée à la présence de composés phytoprotecteurs qui restreignent la progression des lésions précancéreuses. Aux yeux de l'industrie, cependant, l'impact positif des végétaux est essentiellement dû à leur contenu en quelques vitamines et antioxydants, de sorte qu'un apport

massif de certaines de ces molécules, sous forme de suppléments, devrait lui aussi être bénéfique pour la santé et permettre d'obtenir des effets anticancéreux identiques, sinon supérieurs à ceux que procurent les végétaux. Cette extrapolation n'a pourtant aucun fondement scientifique et peut même s'avérer dangereuse, tant parce qu'elle crée un faux sentiment de sécurité que parce qu'elle expose les personnes à des quantités beaucoup trop élevées de certaines substances.

Trop, c'est comme pas assez

Prévenir le cancer à l'aide de suppléments de vitamines et d'antioxydants est une idée très attrayante, d'un point de vue commercial, mais qui ne correspond pas du tout à la réalité scientifique. Un nombre impressionnant d'études, réalisées sur de larges segments de la population, ont démontré hors de tout doute que ces suppléments n'ont aucun impact positif sur la santé, qu'il s'agisse du cancer, des maladies cardiovasculaires ou de l'espérance de vie. À cet égard, les résultats obtenus par les essais randomisés sont particulièrement révélateurs, car ces études sont considérées comme l'étalon de référence de la recherche clinique (les sujets sont répartis au hasard, ce qui minimise les distorsions statistiques). La conclusion de l'analyse systématique de plusieurs dizaines de ces études est sans équivoque : les personnes qui consomment des suppléments, qu'il s'agisse de multivitamines, de vitamines C ou E ou de bêta-carotène, ne montrent aucune réduction du risque de cancer.

Non seulement ces suppléments sont inefficaces pour prévenir le cancer ou d'autres maladies chroniques, mais la consommation de certains d'entre eux est au contraire associée à une hausse du risque de mortalité, selon plusieurs études (Figure 82). De fortes quantités de vitamine E semblent particulièrement nocives, puisqu'elles provoquent à la fois une augmentation marquée du risque de cancer du poumon chez les fumeurs, lorsqu'elles sont combinées avec la bêta-carotène, une hausse importante du risque de cancer de la prostate, ainsi qu'une diminution significative de l'espérance de vie. Comme l'écrivait le médecin de la Renaissance Paracelse : « Toutes les choses sont poison, et rien n'est poison ; seule la dose détermine ce qui n'est pas un poison. » À la lumière des données actuellement disponibles, les suppléments sont possiblement l'une des meilleures illustrations modernes de cette vérité.

^ Gravure représentant Paracelse (1493-1541).

Rompre l'équilibre

L'absence d'effet protecteur des suppléments d'antioxydants et la toxicité exercée par certains d'entre eux illustrent le danger de réduire une maladie aussi complexe que le cancer à un simple combat entre oxydants et antioxydants. Les radicaux libres n'ont pas que des effets néfastes sur l'organisme : l'exercice physique régulier, par exemple, génère des quantités importantes de radicaux libres, mais il représente pourtant un des principaux facteurs du mode de vie qui permet de prévenir la récidive de plusieurs cancers. La génération de radicaux libres a aussi été associée à une augmentation de la longévité de plusieurs organismes, un impact positif qui est renversé par les suppléments d'antioxydants. Les mécanismes responsables de ces effets bénéfiques laissent voir le rôle fondamental joué par les radicaux libres dans l'attaque des cellules immunitaires contre des pathogènes, de même que leur participation au processus d'élimination des cellules anormales précancéreuses par le processus d'apoptose.

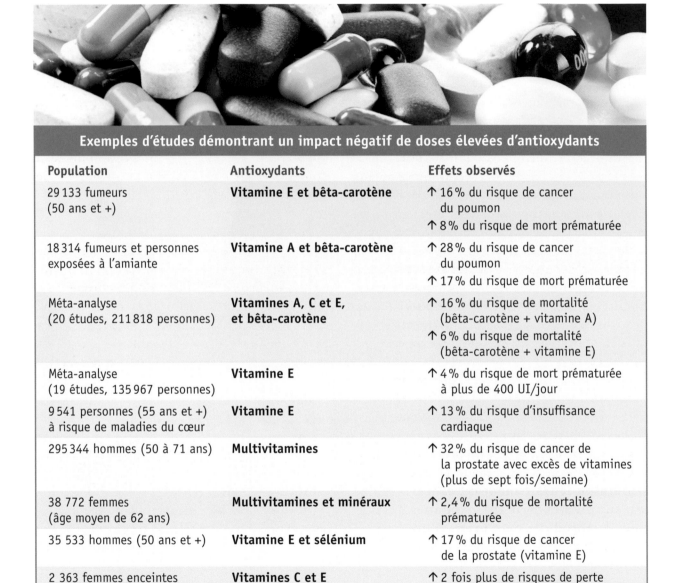

Exemples d'études démontrant un impact négatif de doses élevées d'antioxydants		
Population	**Antioxydants**	**Effets observés**
29 133 fumeurs (50 ans et +)	**Vitamine E et bêta-carotène**	↑ 16 % du risque de cancer du poumon ↑ 8 % du risque de mort prématurée
18 314 fumeurs et personnes exposées à l'amiante	**Vitamine A et bêta-carotène**	↑ 28 % du risque de cancer du poumon ↑ 17 % du risque de mort prématurée
Méta-analyse (20 études, 211 818 personnes)	**Vitamines A, C et E, et bêta-carotène**	↑ 16 % du risque de mortalité (bêta-carotène + vitamine A) ↑ 6 % du risque de mortalité (bêta-carotène + vitamine E)
Méta-analyse (19 études, 135 967 personnes)	**Vitamine E**	↑ 4 % du risque de mort prématurée à plus de 400 UI/jour
9 541 personnes (55 ans et +) à risque de maladies du cœur	**Vitamine E**	↑ 13 % du risque d'insuffisance cardiaque
295 344 hommes (50 à 71 ans)	**Multivitamines**	↑ 32 % du risque de cancer de la prostate avec excès de vitamines (plus de sept fois/semaine)
38 772 femmes (âge moyen de 62 ans)	**Multivitamines et minéraux**	↑ 2,4 % du risque de mortalité prématurée
35 533 hommes (50 ans et +)	**Vitamine E et sélénium**	↑ 17 % du risque de cancer de la prostate (vitamine E)
2 363 femmes enceintes à risque de prééclampsie	**Vitamines C et E**	↑ 2 fois plus de risques de perte fœtale ou de mortalité périnatale

Figure 82

Les concentrations anormalement élevées d'antioxydants pris sous forme de suppléments perturbent le délicat équilibre entre les niveaux de radicaux libres normalement générés par les cellules et les défenses antioxydantes naturelles de l'organisme. En conséquence, au lieu de prévenir le cancer, ces doses massives d'antioxydants peuvent paradoxalement favoriser le développement de cette maladie en interférant avec le fonctionnement normal de l'organisme, notamment les systèmes en jeu dans l'élimination des tumeurs naissantes. En clinique, ces suppléments peuvent aussi contrecarrer le traitement des tumeurs par la chimiothérapie ou la radiothérapie, car ce sont les radicaux libres générés par ces traitements qui permettent de réduire la masse tumorale. D'ailleurs, les tumeurs qui opposent le plus de résistance à ces traitements sont souvent celles qui possèdent les plus hauts niveaux de défense antioxydante.

Certaines études révèlent que la prise de suppléments d'antioxydants pendant et après un traitement de radiothérapie réduit l'efficacité des radiations et augmente significativement le risque de récidive. En définitive, que ce soit pour la prévention ou le traitement du cancer, les suppléments d'antioxydants sont des produits dépourvus d'utilité qui peuvent même parfois s'avérer dangereux. Ils sont donc fortement déconseillés.

Médicaliser l'alimentation

L'utilisation des suppléments laisse supposer que de simples comprimés ne contenant qu'une seule ou que quelques molécules pourraient remplacer une alimentation de qualité. Cette « médicalisation » de l'alimentation est très insidieuse, car elle sous-entend que l'acte de manger ne sert qu'à apporter au corps les vitamines et les minéraux dont il a besoin. Alors pourquoi se préoccuper de son alimentation si on peut obtenir ces éléments en avalant chaque matin une pilule ? Il s'agit d'une vision absurde, non seulement parce qu'elle dévalorise l'acte de manger, mais aussi parce qu'elle se trompe de cible : s'il y a une chose qui ne manque pas à l'alimentation moderne, c'est bien un apport adéquat en vitamines et en minéraux ! Notre société n'est pas en carence, mais plutôt en surabondance alimentaire ! Et, grâce à la fortification des produits laitiers et des farines,

même les personnes qui s'alimentent mal (malbouffe, produits industriels) ont généralement un apport adéquat en vitamines et en minéraux, qui dépasse même souvent les quantités journalières recommandées. Dans ce contexte, prendre des suppléments pour combler ses besoins en vitamines, c'est un peu comme ajouter une cinquième patte à une chaise : on peut avoir le sentiment qu'elle est plus solide, mais, en réalité, son ajout ne fait aucune différence et n'apporte rien d'utile.

Ce faux sentiment de sécurité qui peut être attribué à la consommation de suppléments est dangereux, car les végétaux qu'ils sont censés remplacer contiennent non seulement des vitamines, mais aussi et surtout une variété impressionnante de composés phytochimiques qui agissent de manière très importante dans la prévention des maladies chroniques. Par exemple, si une personne décidait de ne manger aucun fruit ou légume et de se fier uniquement aux suppléments de vitamine C pour combler ses besoins, elle n'apporterait à son organisme que cette vitamine. À l'inverse, une personne qui évite les suppléments et préfère croquer dans une pomme obtiendra elle aussi une bonne dose de vitamine C, mais elle absorbera en même temps plusieurs dizaines de polyphénols naturellement présents dans la pelure du fruit (Figure 83). Cette diversité biochimique des végétaux est telle qu'on estime qu'une personne qui consomme une abondance de fruits, de légumes, de grains entiers, de noix et de certaines boissons comme le thé vert absorbe chaque jour environ 10 000 composés phytochimiques différents, plusieurs d'entre eux déploient des activités anticancéreuses bien documentées. Il va de soi qu'aucun supplément ne pourra jamais parvenir à reproduire une telle diversité biochimique ni à pallier une alimentation carencée en végétaux.

L'industrialisation de la santé

Si les suppléments sont inefficaces, comment expliquer que cette industrie demeure florissante, avec des ventes annuelles totalisant 30 milliards de dollars aux États-Unis seulement ? Ce succès repose d'abord sur le fait que les résultats négatifs de ces études demeurent inconnus de la plupart des gens (et même de la plupart des professionnels de la santé). Les suppléments ne doivent pourtant pas être considérés comme des substances inoffensives, en particulier ceux qui contiennent des doses élevées de vitamine E. Il est d'ailleurs troublant de constater que des produits contenant 800 UI de vitamine E sont en vente libre dans les pharmacies, en dépit du fait que cette quantité est deux fois supérieure à celle

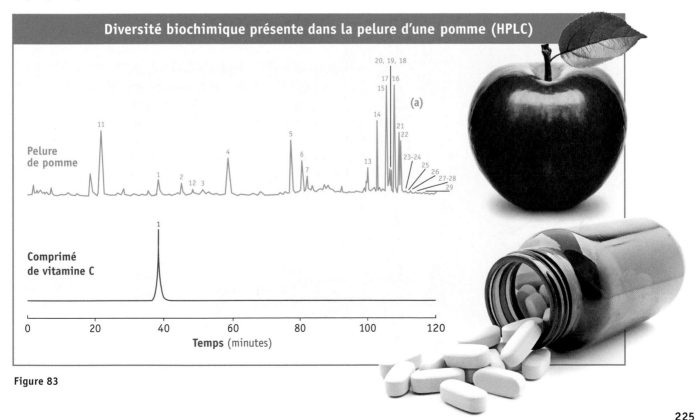

Diversité biochimique présente dans la pelure d'une pomme (HPLC)

Pelure de pomme

Comprimé de vitamine C

Temps (minutes)

Figure 83

Fausse représentation

Trois indices infaillibles permettent d'éviter de gaspiller temps et argent sur des suppléments inefficaces ne présentant aucun impact positif sur la santé.

Méfiez-vous des allégations santé extravagantes. Lorsqu'un effet semble trop beau pour être vrai, c'est qu'il n'est pas vrai ! Et cela, même si c'est une personnalité connue qui en fait la promotion. Qu'il s'agisse de pilules qui permettent d'éliminer 10 kilos en une semaine, d'eau « ionisée » miraculeuse ou d'une nouvelle molécule censée protéger le corps contre toutes les maladies, tous ces produits ne sont que des versions modernes des poudres de perlimpinpin vendues par les charlatans d'antan.

Méfiez-vous des produits exotiques. Ce n'est pas parce qu'un produit est extrait de fruits ou de plantes qui nous sont inconnus ou qui proviennent de pays lointains qu'il est pour autant doté de propriétés miraculeuses. Comme le dit le proverbe, a beau mentir qui vient de loin...

Méfiez-vous du jargon pseudoscientifique. Pour donner de la crédibilité à un produit, des termes prétendument scientifiques sont souvent utilisés dans sa description. Mais « éprouvé en laboratoire », « 100 % naturel », « ADN végétal natif » ou autres termes qui ne veulent rien dire sont d'abord et avant tout des outils de marketing élaborés par des entreprises de communications pour attirer un public cible.

qui a été associée à une hausse de mortalité dans plusieurs études.

Il faut donc adopter une attitude très méfiante face à ses produits, surtout lorsqu'ils font miroiter des bénéfices extraordinaires (voir encadré). Tous les suppléments, quelle que soit leur nature, ne sont faits que d'une infime partie des molécules actives présentes dans les aliments desquels elles sont extraites, et celles-ci ne peuvent à elles seules reproduire l'impact positif sur la santé de l'ensemble de ces molécules. Un saumon n'est pas un simple réservoir d'oméga-3 à longues chaînes, et les polyphénols ne sont qu'un des facteurs qui rendent la consommation de bleuets bénéfique pour la santé. Cette approche réductrice véhiculée par l'industrie est vouée à l'échec, d'autant plus qu'en extrayant ces molécules de leur contexte naturel, elles sont la plupart du temps absorbées moins efficacement par l'intestin. Ainsi, une étude récente a démontré que les molécules contenues dans des suppléments de brocoli sont beaucoup moins bien absorbées que celles qui proviennent de la consommation de ce légume ; seul l'aliment complet est capable d'inhiber une enzyme favorable au développement du cancer. Même si elles sont absorbées, ces molécules peuvent néanmoins être altérées au cours des processus d'extraction ou d'entreposage. Les oméga-3, par exemple, sont des molécules très fragiles, et des études ont révélé que les suppléments peuvent contenir une forme chimiquement modifiée qui est dépourvue d'activité et peut même interférer

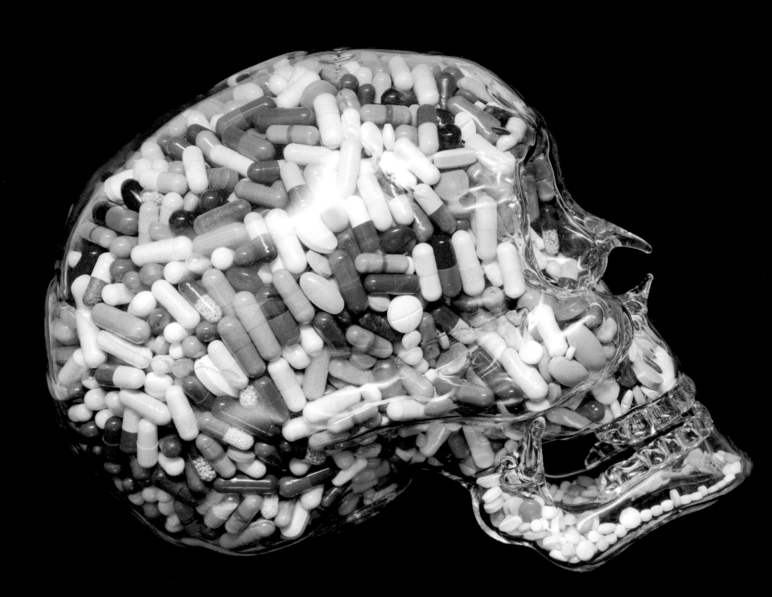

avec l'action des oméga-3. Non-disponibilité pharmacologique dans les tissus, instabilité biochimique des molécules extraites, absence de contrôle de la qualité des produits: autant de raisons de bannir ces produits de notre quotidien.

Il est donc important de remettre l'utilisation des suppléments en question et de réaliser qu'il s'agit d'une stratégie sans issue, tant du point de vue de la santé que de celui de notre relation avec la nourriture. Consommer des suppléments est d'une certaine façon à l'opposé de ce qu'a toujours représenté l'alimentation dans l'évolution des cultures du monde: au lieu de chercher à simplifier ce que nous mangeons, les traditions culinaires ont toujours au contraire privilégié la complexité, la création de nouvelles saveurs et de textures par la modification des aliments quotidiens. La fermentation du soya en miso, du lait en yogourt ou en fromage, ou encore du raisin en vin provoque dans chaque cas des changements majeurs dans la composition des aliments de départ, et ces modifications sont une source de bénéfices pour la santé et de plaisirs gastronomiques.

Les suppléments ne peuvent en aucune manière remplacer la formidable diversité biochimique du monde végétal, car c'est de l'interaction et de la synergie des multiples molécules issues de cette biodiversité que proviennent les effets protecteurs des plantes contre le développement du cancer.

L'exception à la règle

Tout en remettant en question l'utilisation des suppléments, il faut toutefois éviter de sombrer dans le dogmatisme et d'assumer que tous les suppléments sont à éviter sans exception. Par exemple, la prise de suppléments d'acide folique au moment de la conception est associée à une réduction marquée des anomalies du tube neural (anencéphalie et spina-bifida), et ces suppléments sont donc fortement recommandés à toutes les femmes qui désirent un enfant.

En matière de prévention du cancer, la vitamine D est un supplément qui peut générer des effets protecteurs, en particulier pour les habitants des régions boréales et australes du globe. Contrairement aux autres vitamines, qui peuvent être obtenues facilement par l'alimentation, la vitamine D est plutôt rare dans la nature et est en majeure partie produite à la suite de l'exposition de la peau au soleil (voir chapitre 9). Le faible ensoleillement, pendant la saison hivernale, fait donc en sorte que de nombreuses personnes ont des concentrations sanguines de vitamine D plus faibles que les taux recommandés, ce qui peut entraîner des complications métaboliques complexes, étant donné le rôle important de cette vitamine dans plusieurs processus physiologiques.

Dès 1980, plusieurs études ont suggéré que la carence en vitamine D pourrait favoriser le développement de certains types de cancer. Le premier indice en ce sens provient d'observations montrant que la mortalité associée au cancer du côlon était la plus élevée chez les personnes qui étaient le moins exposées à la lumière du soleil, comme les habitants des grandes villes ou ceux de régions situées à des latitudes élevées. Depuis, pas moins de quinze types de cancers ont été associés au manque d'exposition au soleil, cette relation étant particulièrement importante pour ceux du côlon, du sein, de la prostate et les lymphomes non hodgkiniens. La vitamine D semble être la grande responsable de cet effet protecteur, puisqu'une étude a démontré que la prise quotidienne de 1 000 UI de vitamine D par des femmes ménopausées réduit de plus de 60 % leur risque général de cancer, et une réduction de 37 % du cancer du poumon a aussi été observée à la suite de la prise de 400 UI par jour. Dans la même veine, les personnes qui présentent une carence en vitamine D (< 30 nmol/L) ont un risque de

42 % plus élevé de mourir prématurément d'un cancer que celles dont les taux de cette vitamine sont normaux.

Les taux sanguins de vitamine D semblent également jouer un rôle important dans la survie des personnes qui sont atteintes d'un cancer. Les femmes affectées par un cancer du sein et qui présentent des taux de vitamine D insuffisants (< 50 nmol/L) ont presque deux fois plus de risques de récidive à la suite du traitement et de décéder de la maladie. De la même façon, les personnes qui reçoivent un diagnostic de cancer du sein, de la prostate ou du côlon pendant l'été ou l'automne, la période de l'année où les taux de vitamine D sont les plus élevés, ont une possibilité de survie augmentée significativement par rapport à celles qui sont diagnostiquées en hiver ou au printemps. Un impact similaire est observé chez les patients atteints d'un cancer du poumon : une intervention chirurgicale réalisée en été sur des patients ayant des taux élevés de vitamine D est associée à une survie sans récidive deux fois supérieure à celle du même traitement réalisé en hiver.

Une vitamine anticancer

L'ensemble de ces observations suggère fortement que la carence en vitamine D augmente le risque de développer certains types de cancers et que la normalisation des taux sanguins de cette vitamine pourrait représenter une méthode peu coûteuse et sécuritaire de réduire l'incidence de cancer de la population et d'améliorer la probabilité de survie de personnes touchées par cette maladie. À l'heure actuelle, la plupart des habitants des pays nordiques ont une concentration moyenne de vitamine D d'environ 40 à 50 nmol/L, soit de beaucoup inférieure à celle qui est maintenant considérée comme la quantité optimale pour cette vitamine (75 nmol/L). Le potentiel de prévention associé à une normalisation de ces taux est énorme : on estime que le simple fait de hausser la concentration de vitamine D de 25 nmol/L pourrait réduire l'incidence de tous les cancers de 17 %, une protection qui pourrait même atteindre 45 % pour les cancers du système digestif.

Comment y parvenir ? Une analyse des taux de vitamine D chez des personnes qui travaillent en plein air dans des régions tempérées révèle des concentrations d'environ 140 nmol/L, ce qui correspond à un apport d'environ 10 000 UI par jour. En été, une simple exposition de dix à quinze minutes au soleil est donc adéquate pour permettre à la peau de synthétiser suffisamment de vitamine D pour atteindre les quantités recommandées, sans pour autant augmenter le risque de cancer de la peau. La situation est cependant bien différente d'octobre à avril, car le faible ensoleillement et les températures plus froides réduisent fortement l'exposition de la peau aux rayons UV, surtout pour les personnes qui ne pratiquent pas de sports d'hiver. Le lait est souvent considéré comme une bonne façon de compenser ce manque de soleil, mais, en réalité, les quelque 100 IU de vitamine D contenues dans un verre de lait ne permettent d'augmenter les taux sanguins de la vitamine que de 2 à 3 nmol/L. Certains aliments comme le saumon, le thon ou les champignons shiitake sont de bonnes sources de vitamine D (500 à 1 000 UI par portion), mais peu de personnes consomment ces aliments régulièrement, et il serait illusoire de penser qu'ils peuvent à eux seuls compenser la carence hivernale en vitamine D. Tous ces facteurs font en sorte que l'utilisation de suppléments représente en pratique la seule façon de maintenir les taux de vitamine D à des niveaux adéquats.

Il existe une grande variété de suppléments de vitamine D sur le marché, et il peut devenir difficile de déterminer lesquels sont les plus aptes à prévenir le cancer. Il faut tout d'abord s'assurer que la vitamine D est présente sous forme de cholécalciférol (vitamine D_3), et non d'ergocalciférol (D_2), car la vitamine D_2 est une forme d'origine végétale plus instable et qui est métabolisée beaucoup moins efficacement que la vitamine D_3. Rappelons que les doses toxiques de cette vitamine se situent au-delà de 40 000 UI, bien loin des recommandations évoquées ici. Du point de vue quantitatif, même si un grand nombre de suppléments offerts sur le marché contiennent 400 UI de vitamine D_3, cette dose ne provoquerait qu'une hausse d'environ 7 nmol/L. Par conséquent, la Société canadienne du cancer, par exemple, recommande un apport quotidien de 1 000 UI durant l'automne et l'hiver.

L'avenir est la seule chose
qui m'intéresse, car je
compte bien y passer les
prochaines années.

Woody Allen (1935-)

Chapitre 12

Survivre au cancer

Recommandation

Les personnes ayant survécu à un cancer devraient suivre à la lettre les recommandations énoncées précédemment pour prévenir la maladie. Source: WCRF

Les progrès réalisés en médecine au cours des dernières décennies ont considérablement modifié l'impact du cancer sur la société. Aujourd'hui, la détection précoce de plusieurs cancers, combinée à une amélioration significative de l'efficacité des traitements, fait en sorte que les deux tiers des personnes touchées par un cancer sont encore en vie plus de cinq ans après le diagnostic. Avec le vieillissement de la population, on estime que le nombre de ces survivants du cancer grimpera en flèche au cours des prochaines années, passant de 25 millions de personnes en 2002 à près de 70 millions en 2050.

Cette amélioration du taux de survie constitue une excellente nouvelle, mais il faut néanmoins être conscient que l'impact du cancer sur la vie des personnes ne s'arrête pas avec la fin des traitements. Le cancer laisse chez plusieurs de profondes traces physiques, psychologiques et émotionnelles qui peuvent diminuer considérablement leur qualité de vie, une de ces traces les plus importantes étant la crainte d'une récidive. Il s'agit d'une peur légitime, car ces personnes demeurent à haut risque d'être affligées à nouveau par la maladie au cours de leur vie. Et les cancers qui refont surface, parfois plusieurs dizaines d'années après la fin des traitements, sont encore plus dangereux que les cancers initiaux et sont responsables de la majorité des décès dus à cette maladie.

En effet, l'un des aspects les plus redoutables du cancer est sa capacité unique à survivre aux traitements actuellement disponibles, qu'il s'agisse de poisons cellulaires très puissants, de doses élevées de radiations ou encore de certains médicaments très spécifiques nés du génie humain et de ses efforts acharnés pour traiter la maladie. Ces traitements parviennent la plupart

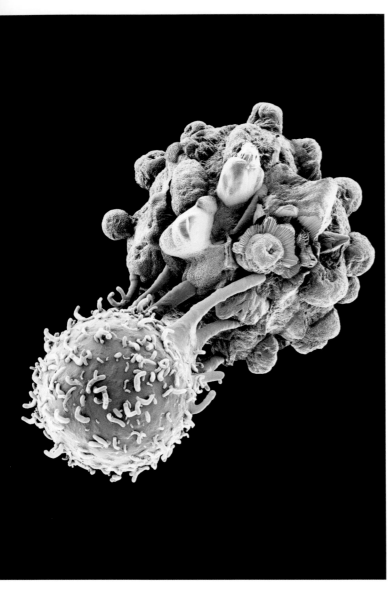

^ Illustration d'un lymphocyte tueur, à gauche, attaquant une cellule cancéreuse, à droite.

du temps à éliminer la quasi-totalité des cellules cancéreuses, mais l'infime proportion d'entre elles qui réussit à échapper à ces assauts peut demeurer incognito à l'intérieur du corps plusieurs années, un peu comme un ennemi traqué qui récupère lentement ses énergies après un combat et planifie sa revanche. La présence de ces cellules tumorales résiduelles dormantes est très dangereuse, car en plus d'avoir conservé les caractéristiques qui avaient permis à la tumeur initiale d'envahir une région du corps, ces cellules ont désormais acquis une résistance aux traitements anticancéreux et peuvent donc s'avérer invincibles, comme c'est généralement le cas lors des récidives. Pour survivre au cancer, le point le plus important est donc d'empêcher ces cellules résiduelles de se manifester, de tout faire pour que le climat à l'intérieur du corps soit le plus inhospitalier possible à leur endroit et les empêche d'acquérir les caractéristiques nécessaires à l'expression de leur potentiel destructeur.

La bonne nouvelle est qu'il s'agit d'un objectif tout à fait réalisable. Une des découvertes les plus importantes des dernières années est la démonstration que les facteurs du mode de vie qui préviennent l'apparition du cancer, qu'il s'agisse de l'abstention de tabac, du maintien d'un poids santé, d'une bonne alimentation ou d'activité physique, peuvent également jouer un rôle prédominant dans la prévention des récidives (Figure 84). Grâce à l'analyse rigoureuse réalisée par le WCRF et l'IARC, il est pour la première fois possible de mettre en évidence une série de

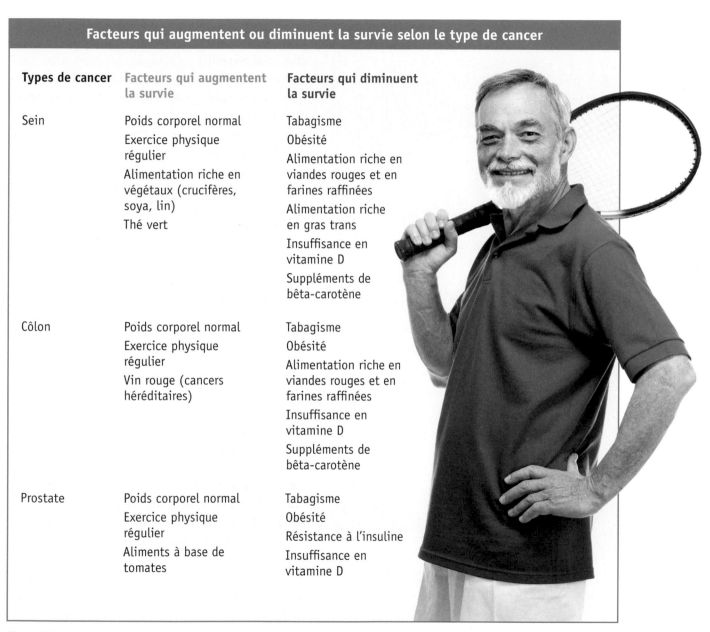

Facteurs qui augmentent ou diminuent la survie selon le type de cancer

Types de cancer	Facteurs qui augmentent la survie	Facteurs qui diminuent la survie
Sein	Poids corporel normal	Tabagisme
	Exercice physique régulier	Obésité
	Alimentation riche en végétaux (crucifères, soya, lin)	Alimentation riche en viandes rouges et en farines raffinées
	Thé vert	Alimentation riche en gras trans
		Insuffisance en vitamine D
		Suppléments de bêta-carotène
Côlon	Poids corporel normal	Tabagisme
	Exercice physique régulier	Obésité
	Vin rouge (cancers héréditaires)	Alimentation riche en viandes rouges et en farines raffinées
		Insuffisance en vitamine D
		Suppléments de bêta-carotène
Prostate	Poids corporel normal	Tabagisme
	Exercice physique régulier	Obésité
	Aliments à base de tomates	Résistance à l'insuline
		Insuffisance en vitamine D

Figure 84

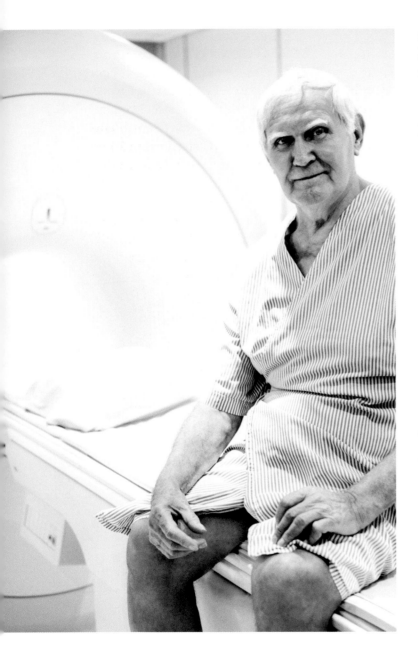

modifications au mode de vie qui peuvent réellement influencer le risque de récidives et augmenter l'espérance de vie des personnes qui sont touchées par un cancer, en particulier ceux du sein, du côlon et de la prostate (Figure 84). Le potentiel de prévention des récidives par l'application de ces recommandations est encore largement inexploité, car très peu de survivants du cancer modifient leurs habitudes de vie à la suite du diagnostic : moins de 33 % de ces personnes consomment des quantités adéquates de fruits et de légumes, et jusqu'à 70 %, pour certains cancers (sein, prostate), souffrent d'embonpoint ou sont obèses. Comme pour la prévention du cancer dans la population en général, la simple mise en œuvre des recommandations décrites dans les chapitres précédents pourrait donc avoir des répercussions extraordinaires sur la survie à la suite du diagnostic et du traitement de plusieurs types de cancers.

Tabagisme : il n'est jamais trop tard pour arrêter

Certaines études indiquent qu'à peine la moitié des patients qui reçoivent un diagnostic de cancer cessent de fumer, même lorsque la maladie est une conséquence directe du tabagisme. Cette attitude est bien sûr le reflet du puissant pouvoir addictif de la nicotine, mais aussi d'une certaine résignation des fumeurs face à leur condition, un peu comme si cesser de fumer représentait un effort inutile, puisque les dommages causés par le tabac sont déjà faits et sont irréversibles. La réalité est bien différente pourtant, car les personnes qui continuent à fumer après un diagnostic de cancer ont un risque de décès 76 % plus élevé que celles qui arrêtent. Cet impact négatif du tabac ne se limite pas au cancer du poumon, car le risque de mortalité des fumeurs est aussi plus élevé pour les cancers de la prostate, du côlon et de la vulve, de même que pour les leucémies et le mélanome malin. Des études récentes indiquent aussi que les femmes qui persistent à fumer après un diagnostic de cancer du sein ont trois plus de risques de mourir prématurément que celles qui cessent.

Tout en étant essentiel pour réduire l'incidence de cancer, le fait de cesser de fumer représente donc une étape incontournable pour améliorer les chances de survie des personnes déjà atteintes.

Cure minceur pour les cellules cancéreuses

L'obésité est un facteur de risque de cancer, mais plusieurs études indiquent de plus que le surpoids réduit l'espérance de vie des personnes qui ont déjà souffert de certains types de cancers. Par exemple, les femmes obèses touchées par un cancer du sein ont 33 % plus de risques de récidive que celles qui sont minces. Ce phénomène est encore plus prononcé chez les femmes plus jeunes, l'obésité à 20 ans étant associée à

une hausse de plus de deux fois du risque de mortalité. Le fait d'être obèse au moment du diagnostic est également associé à une réduction du taux de survie pour les personnes ayant un cancer du côlon ou de la prostate. Dans ce dernier cas, les individus qui souffrent d'embonpoint (affichant un IMC situé entre 25 et 29) ont déjà 50 % plus de risques de mourir des suites de leur cancer que les hommes minces (dont l'IMC est inférieur à 25), et cette hausse du risque atteint 170 % pour les hommes obèses (Figure 85). L'impact négatif du surpoids sur les chances de survie est d'autant plus grave s'il s'accompagne d'une élévation des taux d'insuline, une situation

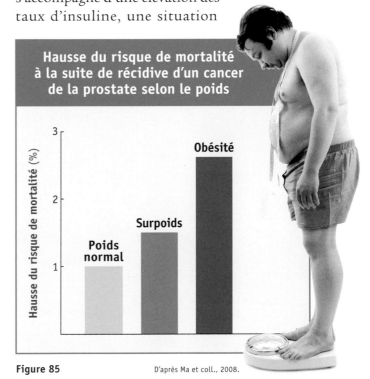

Figure 85 D'après Ma et coll., 2008.

courante chez les personnes qui font de l'embonpoint ou qui sont obèses ; les personnes qui présentent un IMC supérieur à 25 et un taux élevé d'insuline ont quatre fois plus de risques de décéder des suites de ce cancer.

En plus de jouer un rôle majeur sur l'incidence de l'embonpoint et de l'obésité, la consommation élevée d'aliments industriels riches en gras et en sucre pourrait en elle-même favoriser le risque de récidive de certains cancers. Par exemple, les femmes qui mangent le plus d'aliments riches en gras saturés et gras trans à la suite d'un diagnostic de cancer du sein invasif sont jusqu'à 78 % plus à risque de mourir prématurément, tandis que la consommation d'aliments à index glycémique élevé, qui contiennent par exemple des sucres simples ajoutés, est associée à un risque deux fois plus élevé de récidive et de mortalité chez les patients atteints d'un cancer colorectal de stade III. Comme pour le cancer de la prostate, il est probable que ces récidives soient une conséquence directe de la hausse d'insuline associée à ce type d'alimentation et qui favorise la croissance de cellules cancéreuses résiduelles.

La consommation d'aliments industriels hypertransformés, riches en sucre et en gras, favorise donc l'obésité et le développement du cancer, tant dans l'ensemble de la population que chez les personnes qui ont été touchées par la maladie, et le maintien d'un poids corporel normal devrait représenter un objectif pour toutes les personnes qui désirent réduire le risque de récidive et améliorer leur espérance de vie.

Les viandes rouges

En plus d'augmenter le risque de cancer colorectal, la consommation de viandes rouges et de charcuteries est aussi associée à une réduction importante de la survie chez les patients touchés par cette maladie. Les personnes qui mangent régulièrement de ces aliments après le diagnostic ont presque deux fois plus de risques de mourir des suites du cancer. Et ces effets néfastes peuvent être augmentés du fait que la consommation de viandes rouges et de charcuteries fait très souvent partie d'un régime alimentaire de type « occidental », c'est-à-dire riche en sucre et en farines raffinées. Des études indiquent que ce type d'habitudes alimentaires triple le risque de mortalité chez les personnes atteintes d'un cancer colorectal ou du sein, comparativement aux personnes qui adoptent un régime plus sain, faible en viandes rouges mais riche en végétaux.

Chimiothérapie végétale

Comme le dit si bien un proverbe arabe, « le trop de quelque chose est le manque de quelque chose » : ainsi, un apport élevé en aliments industriels et en viandes s'accompagne presque invariablement d'une carence en végétaux. Les survivants du cancer n'échappent pas à cette règle, puisque la majorité d'entre eux n'augmentent que très légèrement leur consommation de végétaux après leur diagnostic. Certaines études indiquent même que jusqu'à 90 % d'entre eux présentent un apport en fruits, en légumes ou en grains entiers en deçà des cinq portions minimales recommandées.

Cette carence est préoccupante, car plusieurs travaux de recherche suggèrent que les molécules anticancéreuses végétales freinent la progression des tumeurs microscopiques qui se forment spontanément au cours de notre vie, et plusieurs études suggèrent que ces molécules pourraient faire de même pour les microtumeurs dormantes présentes chez les survivants du cancer. En ce sens, il est tout à fait remarquable que plusieurs aliments reconnus pour diminuer l'incidence de certains cancers exercent un impact positif similaire sur les risques de récidive et de mortalité. Par exemple, une analyse réalisée auprès de 9 574 femmes touchées par un cancer du sein

invasif indique que celles qui mangent régulièrement des aliments à base de soya, une source d'isoflavones connue pour diminuer le risque de ce cancer, ont des risques de récidive diminués d'environ 30 %, et ce, sans interférer avec l'efficacité du tamoxifène ou de l'anastrozole. Les craintes initiales sur la hausse du risque de récidive à cause du soya sont donc totalement infondées, et les phytoestrogènes peuvent au contraire s'avérer de précieux alliés pour améliorer le pronostic de cancer du sein. Des effets protecteurs très encourageants ont aussi été observés concernant les lignanes, une autre classe de phytoœstrogènes présentes en grandes quantités dans la graine de lin et les grains entiers, avec une réduction de 70 % de la mortalité chez les femmes ménopausées qui avaient eu un cancer du sein.

Les légumes crucifères sont une autre classe de végétaux qui pourraient améliorer significativement le pronostic de certains cancers. Par exemple, les isothiocyanates formés à la suite de la consommation de ces légumes sont de puissants inhibiteurs du cancer de la vessie grâce à leur présence en grande quantité dans l'urine. Des observations récentes indiquent que les personnes atteintes de ce cancer qui consomment une simple portion de brocoli par semaine voient leur risque de mortalité liée à ce cancer diminuer de 60 %. Une protection similaire a été observée chez les survivantes d'un cancer du sein, les personnes consommant trois portions hebdomadaires de crucifères ayant un risque de récidive réduit de moitié.

La réduction spectaculaire des récidives induite par les phytoestrogènes et les crucifères souligne l'importance de modifier ses habitudes alimentaires pour faire une place de choix à ces aliments exceptionnels. Une amélioration du pronostic a aussi été observée à la suite de la consommation de produits à base de tomate par les patients atteints d'un cancer de la prostate, de même que celle de thé vert (plus de trois tasses par jour) pour les femmes ayant combattu un cancer du sein, et il est probable que d'autres végétaux protecteurs seront identifiés au cours des prochaines années. Pour les personnes qui ont survécu à un cancer, une augmentation de l'apport en aliments d'origine végétale représente donc une dimension incontournable de la prévention des récidives, une forme de chimiothérapie non toxique par laquelle les molécules anticancéreuses de plusieurs végétaux interagissent avec les microtumeurs résiduelles et les maintiennent dans un état latent et inoffensif.

Un tourbillon d'activités qui dérange le cancer !

La physiologie humaine est parfaitement adaptée au mouvement, il n'est donc pas étonnant que l'activité physique procure de nombreux bénéfices pour la santé des points de vue physique (capacité aérobique, force, flexibilité), métabolique (contrôle de la glycémie) et mental (réduction du stress, fonctions cognitives). Ces

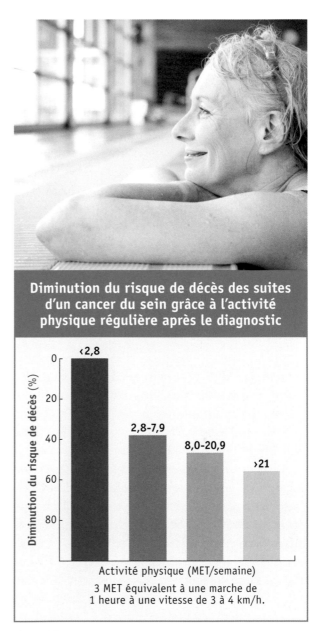

Diminution du risque de décès des suites d'un cancer du sein grâce à l'activité physique régulière après le diagnostic

Diminution du risque de décès (%)

Activité physique (MET/semaine)
3 MET équivalent à une marche de 1 heure à une vitesse de 3 à 4 km/h.

Figure 86 D'après Holick et coll., 2008.

Exemples d'études démontrant l'importance du mode de vie pour les survivantes d'un cancer du sein			
Paramètre du mode de vie mesuré	**Nombre de participantes**	**Impact sur la survie**	**Référence**
Facteurs qui améliorent la survie			
Activité physique	4 482	↓ 50 % décès toutes causes ↓ 50 % décès dus au cancer du sein	Holick et coll., 2008.
Consommation de fruits, de légumes et de grains entiers	1 901 2 522	↓ 65 % décès toutes causes ↓ 25 % décès toutes causes ↓ 30 % récidives du cancer du sein	Kwan et coll., 2009. Vrieling et coll., 2013.
Consommation de soya	11 206	↓ 15 % décès toutes causes ↓ 25 % récidives du cancer du sein	Chi et coll. 2013.
Consommation d'aliments riches en lignanes	1 122	↓ 50 % décès toutes causes ↓ 75 % décès dus au cancer du sein	McCann et coll., 2010.
Consommation de crucifères	3 080	↓ 50 % récidives du cancer du sein (femmes traitées au tamoxifène)	Thomson et coll., 2011.
Consommation de thé vert	5 617	↓ 25 % récidives du cancer du sein	Ogunleye et coll., 2010.
Facteurs qui diminuent la survie			
Excès de poids corporel	1 254	↑ 50 % décès toutes causes pour IMC > 30	Abrahamson et coll, 2006.
Alimentation «occidentale» (viandes rouges, charcuteries et farines raffinées)	1 901 2 522	↑ 200 % décès toutes causes ↑ 360 % décès toutes causes	Kwan et coll., 2009. Vrieling et coll., 2013.
Alimentation riche en gras trans Alimentation riche en gras saturés	4 441 4 441	↑ 78 % décès toutes causes ↑ 74 % décès toutes causes	Beasley et coll., 2011.
Tabagisme	2 265	↑ 100 % décès liés au cancer du sein ↑ 400 % décès toutes causes	Braithwaite et coll., 2012.
Carence en vitamine D	512	↑ 94 % récidives du cancer du sein ↑ 73 % décès liés au cancer du sein (Vitamine D < 50 nmol/L au diagnostic)	Goodwin et coll., 2009.

Figure 87

bénéfices sont particulièrement importants pour les personnes qui ont eu un cancer, car une meilleure endurance physique et psychologique peut s'avérer indispensable pour faire face aux nombreuses épreuves liées au diagnostic et au traitement de la maladie. Plusieurs organismes, dont l'American Cancer Society, le World Cancer Research Fund et l'American College of Sports Medicine, recommandent aux personnes atteintes d'un cancer de faire au moins dix équivalents métaboliques (10 MET) par semaine, ce qui correspond à deux heures et demie d'une activité physique d'intensité modérée, telle que la marche rapide, pour réduire le risque de mortalité.

Ces recommandations sont basées sur un grand nombre d'études qui concluent sans équivoque que les survivants du cancer qui sont les plus actifs physiquement sont aussi ceux qui vivent le plus longtemps. Cet effet protecteur est particulièrement bien documenté pour le cancer du sein, les femmes qui sont actives (minimum de 9 MET par semaine) ayant une mortalité globale réduite de moitié, comparativement à celles qui sont inactives (Figure 86). Une activité physique modérée est suffisante pour générer une amélioration significative de la survie, mais des études suggèrent que ces bénéfices sont encore plus prononcés chez les personnes les plus actives (> 20 MET par semaine). Même si le pronostic est encore meilleur pour les femmes qui étaient déjà actives avant de recevoir un diagnostic de cancer du sein, il n'est cependant jamais trop tard pour commencer à bouger. Les personnes qui étaient inactives avant d'être malades, mais qui décident d'intégrer l'activité physique régulière à leurs habitudes à la suite du diagnostic, ont 45 % moins de risques de mourir prématurément que si elles étaient demeurées inactives. À l'inverse, les personnes qui étaient physiquement actives mais qui ont diminué leur niveau d'activité après le diagnostic voient leur risque de mortalité augmenter de 400 %. Des résultats similaires ont été observés chez les survivants du cancer du côlon, avec une

diminution de moitié de la mortalité pour les plus actifs après le diagnostic, tant pour les hommes que pour les femmes, mais un niveau plus élevé d'activité (> 20 MET par semaine) semble requis pour générer ces effets protecteurs. Une hausse de la survie grâce à l'activité physique parmi les gens qui ont eu des cancers de la prostate, des ovaires (chez les femmes non-obèses) et du cerveau a aussi été observée, mais elle reste encore à être mieux caractérisée.

L'impact positif de l'activité physique sur la survie reflète les nombreux effets métaboliques et hormonaux associés au mouvement du corps. Par exemple, l'exercice est le meilleur agent protecteur contre le diabète, et la prévention de cette maladie joue certainement un rôle, étant donné la forte augmentation de mortalité chez les survivants du cancer qui sont diabétiques. L'activité physique améliore également la fonction immunitaire et module les taux de plusieurs hormones et molécules inflammatoires impliquées dans le développement du cancer (insuline, œstrogènes, adiponectine, IL-6), deux aspects qui pourraient contribuer à ses effets bénéfiques. Cependant, quels que soient les mécanismes en cause, aucune des découvertes réalisées au cours des dernières années ne démontre un potentiel aussi élevé que l'activité physique pour améliorer tant la qualité de vie que l'espérance de vie des personnes qui ont été touchées par un cancer. Il faut encore une fois rappeler qu'être actif physiquement ne signifie pas qu'il faille absolument réaliser des prouesses athlétiques ou devenir un maniaque du conditionnement physique. Dans toutes les études où l'on a constaté une augmentation de la survie, c'est la marche rapide, une activité à la portée de tout le monde, qui était la plus couramment adoptée. Quelle que soit sa nature, l'activité physique devrait donc être considérée comme une composante essentielle du quotidien des survivants.

Boire ou ne pas boire ?

Peu de substances exercent des effets aussi complexes sur la santé que l'alcool, ses bénéfices bien documentés sur la santé cardiovasculaire étant contrebalancés par une augmentation parallèle du risque de certains cancers, en particulier celui du sein. Il s'agit d'une situation particulièrement problématique pour les femmes touchées par ce cancer et qui avaient l'habitude de boire modérément avant le diagnostic : le risque de récidive associé à l'alcool est-il plus important que ses effets positifs sur la réduction de la mortalité liée aux maladies du cœur ?

Les études réalisées jusqu'à présent sont plutôt rassurantes et indiquent que les femmes qui consomment de l'alcool modérément, après un diagnostic de cancer du sein, ne présentent pas de risque accru de mortalité. Certaines études ont même rapporté un impact positif associé à la consommation modérée d'alcool (un verre par jour), avec une réduction de la mortalité, comparativement aux femmes qui

s'abstiennent. Comme c'est le cas pour la population en général, les données actuellement disponibles indiquent donc que l'impact de l'alcool sur le risque de mortalité serait le même chez les femmes touchées par un cancer du sein que dans la population en général, c'est-à-dire que la consommation modérée d'alcool augmente légèrement le risque de décéder du cancer mais diminue plus fortement le risque de mortalité liée aux maladies du cœur, la principale cause de décès chez les femmes ménopausées. Pour toutes les femmes, qu'elles aient eu un cancer du sein ou non, boire de l'alcool est donc une décision très personnelle qui dépend de la zone de confort de chaque personne face à ces risques. Pour celles qui choisissent de boire, le vin rouge semble être la boisson à privilégier en raison de son impact négatif plus faible, et parfois même bénéfique, sur plusieurs types de cancers, en particulier celui du côlon (voir p. 158). En ce sens, il est intéressant de noter que la consommation de vin rouge a été associée à une augmentation de la survie de patients atteints d'un cancer colorectal d'origine héréditaire.

Les aliments plutôt que les suppléments

Les suppléments sont particulièrement populaires auprès des patients atteints du cancer, généralement plus enclins à essayer différentes combinaisons de suppléments pour combattre la maladie. Jusqu'à 80 % d'entre eux consomment l'un ou l'autre de ces suppléments, une habitude particulièrement fréquente chez les femmes et les personnes les plus éduquées. Les multivitamines, le calcium, la vitamine D et les antioxydants sont les plus populaires.

Cette popularité des suppléments n'est en aucune façon le reflet de leur utilité clinique. Les très nombreuses études qui se sont penchées sur l'effet des différents suppléments indiquent que ces produits n'améliorent pas le pronostic ou la survie générale des patients, et pourraient même dans certains cas augmenter le risque de mortalité. Par exemple, l'utilisation de suppléments d'antioxydants ou de vitamine A n'est pas associée à une réduction de la mortalité chez des patients atteints de cancer, pas plus que la prise d'une vaste gamme de suppléments ou de multivitamines n'améliore la survie des personnes atteintes d'un cancer du sein ou du côlon.

Plusieurs études suggèrent de surcroît que les suppléments de caroténoïdes pourraient avoir des effets secondaires négatifs importants pour les survivants du cancer. Une étude récente a démontré que les femmes qui utilisaient ces suppléments à la suite d'un diagnostic de cancer du sein avaient un risque de mortalité deux fois plus élevé, une observation qui corrobore les résultats d'études antérieures indiquant que des suppléments de bêta-carotène augmentaient la récidive des adénomes colorectaux chez les fumeurs et les personnes qui consommaient de l'alcool. Dans la même veine, la prise de fortes doses de vitamine E (400 UI/jour) par des patients recevant des radiations pour le traitement d'un cancer de la tête et du cou augmente considérablement le risque de mortalité.

L'ensemble de ces observations illustre à quel point les personnes touchées par un cancer peuvent, dans plusieurs cas, améliorer considérablement leur probabilité de survivre à la maladie. Un des meilleurs exemples est le cancer du sein, où un grand nombre d'études ont clairement montré que des gestes quotidiens simples, tels que l'activité physique régulière, le maintien d'un poids corporel normal et l'adoption d'une alimentation riche en végétaux, particulièrement ceux riches en molécules anticancéreuses, peuvent réduire d'une manière significative le risque de récidive et de décès (Figure 87).

Conclusion

Le cancer représente maintenant la première cause de mortalité dans plusieurs sociétés en Occident, où l'on estime que, dans un futur proche, c'est 50 % de la population qui risque d'être touché par ce fléau. Or, le mode de vie a un impact extraordinaire sur la probabilité de prévenir cette maladie ou d'y survivre, et certains gestes quotidiens, en apparence tout simples, peuvent contribuer de façon remarquable aux efforts préventifs. Il ne faut pas attendre passivement d'être diagnostiqué pour réévaluer ce mode de vie et favoriser ces gestes menant à des habitudes plus saines.

Même sans cancer cliniquement déclaré, chaque personne possède de nombreuses lésions précancéreuses qui se forment spontanément dans le corps tout au long de l'existence. Dans la grande majorité des cas, c'est le mode de vie qui détermine si ces lésions demeureront dans un état microscopique, indolent et sans danger, ou si au contraire elles parviendront à évoluer en tumeurs matures. Si le corps humain possède une résistance innée au cancer grâce à la présence de mécanismes naturels qui créent des conditions inhospitalières à ces lésions et restreignent leur développement, il faut néanmoins permettre à ces mécanismes de défense de fonctionner optimalement afin de maintenir les tumeurs dans un état latent et inoffensif.

Nous ne sommes donc pas aussi démunis face au cancer que nous pourrions le croire, et il est possible d'adopter des gestes quotidiens qui exerceront une énorme influence sur le risque statistique de développer cette maladie. Ce potentiel de prévention est tout à fait remarquable. *On estime que la majorité des décès dus au cancer pourraient être évités en appliquant les recommandations des grandes agences de lutte contre le cancer qui sont expliquées dans cet ouvrage.*

Les survivants du cancer, quant à eux, peuvent aussi prendre leur destinée en main, après l'intervention thérapeutique, et agir concrètement pour améliorer leurs probabilités de survie à long terme. L'adoption d'un mode de vie inspiré des études populationnelles récentes, qui représente un changement à la portée de tous, peut y jouer un rôle de premier plan.

La prévention du cancer et de ses récidives par la modification des habitudes de vie est une véritable révolution dans notre approche du cancer. Par le passé, notre réflexe a souvent été de placer notre sort entre les mains de l'intervention médicale, en espérant que la découverte de traitements plus efficaces permettrait enfin de gagner le combat. L'énorme fardeau individuel et sociétal que constitue toujours le cancer indique que cette approche a ses limites et qu'elle ne peut à elle seule répondre à nos attentes.

Prévenir le cancer est un concept réaliste et concret. Dans l'état actuel des connaissances, l'adoption d'une attitude préventive devient une approche complémentaire très importante pour réaliser des progrès significatifs dans le combat livré contre cette effroyable maladie, nous aidant à réduire la probabilité d'être touché par le cancer tout en augmentant nos chances d'y survivre avec une qualité de vie optimale.

Chapitre 1

Vogelstein, B. et coll. « Cancer genome landscapes », *Science* 2013 ; 339 : 1546-58.

Siegel, R. et coll. « Cancer statistics, 2014 », *CA Cancer J Clin* 2014 ; 64 : 9-29.

Van Panhuis, W.G. et coll. « Contagious diseases in the United States from 1888 to the present », *N Engl J Med* 2013 ; 369 : 2152-2158.

Ford, E.S. et coll. « Explaining the decrease in U.S. deaths from coronary disease, 1980-2000 », *N Engl J Med* 2007 ; 356 : 2388-98.

Greaves, M. « Darwinian medicine : a case for cancer », *Nature Rev Cancer* 2007 ; 7 : 213-221.

www.cancer.ca/en/cancer-information/ cancer-101/cancer-statistics-at-a-glance/ ?region=bc#ixzz2jh6lDa3X

Frank, S.A. « Evolution in health and medicine Sackler colloquium : Somatic evolutionary genomics : mutations during development cause highly variable genetic mosaicism with risk of cancer and neurodegeneration », *Proc Natl Acad Sci USA* 2010 ; 107 : 1725-1730.

Li, R. et coll. « Somatic point mutations occurring early in development : a monozygotic twin study », *J Med Genet* 2014 Jan ; 51(1) : 28-34 ; doi : 10.1136/ jmedgenet-2013-101712.

www.cancer.ca/en/cancer-information/cancer-type/ pancreatic/statistics/?region=bc

DeGregori, J. « Challenging the axiom : does the occurrence of oncogenic mutations truly limit cancer development with age ? », *Oncogene* 2013 ; 32 : 1869-75.

Nielsen, M. et coll. « Breast cancer and atypia among young and middle-aged women : a study of 110 medicolegal autopsies », *Br J Cancer* 1987 ; 56 : 814-9.

Sakr, W.A. et coll. « The frequency of carcinoma and intraepithelial neoplasia of the prostate in young male patients », *J Urol* 1993 ; 150 : 379-385.

Renehan, A.G. et coll. « The prevalence and characteristics of colorectal neoplasia in acromegaly », *J Clin Endocrinol Metab* 2000 ; 85 : 3417-3424.

Jonason, A.S. et coll. « Frequent clones of p53-mutated keratinocytes in normal human skin », *Proc Natl Acad Sci USA* 1996 ; 93 : 14025-14029.

Manser, R.L. et coll. « Incidental lung cancers identified at coronial autopsy : implications for overdiagnosis of lung cancer by screening », *Respir Med* 2005 ; 99 : 501-507.

Cubilla, A.L. et P.J. Fitzgerald. « Morphological lesions associated with human primary invasive nonendocrine pancreas cancer », *Cancer Res* 1976 ; 36 : 2690-8.

Harach, H.R. et coll. « Occult papillary carcinoma of the thyroid : a "normal" finding in Finland. A systematic autopsy study », *Cancer* 1985 ; 56 : 531-538.

Greaves, M.F. et J.Wiemels. « Origins of chromosome translocations in childhood leukemia », *Nat Rev Cancer* 2003 ; 3 : 1-10.

Bose, S. et coll. « The presence of typical and atypical BCR-ABL fusion genes in leukocytes of normal individuals : biologic significance and implications for the assessment of minimal residual disease », *Blood* 1998 ; 92 : 3362-3367.

Brown, L.M. et coll. « Incidence of adenocarcinoma of the esophagus among white Americans by sex, stage, and age », *J Natl Cancer Inst* 2008 ; 100 : 1184-7.

Sørensen, T.I. et coll. « Genetic and environmental influences on premature death in adult adoptees », *N Engl J Med* 1988 ; 318 : 727-732.

http://massgenomics.org/2011/05/inflammation- -genetic-instability-and-cancer.html

Nelson, N.J. « Migrant studies aid the search for factors linked to breast cancer risk », *J Natl Cancer Inst* 2006 ; 98 : 436-8.

Shin, H.R. et coll. « Recent trends and patterns in breast cancer incidence among Eastern and Southeastern Asian women », *Cancer Causes Control* 2010 ; 21 : 1777-85.

Jung, Y.S. et coll. « Nation-wide Korean breast cancer data from 2008 using the Breast Cancer Registration Program », *J Breast Cancer* 2011 ; 14 : 229-236.

King, M.C. et coll. « Breast and ovarian cancer risks due to inherited mutations in BRCA1 and BRCA2 », *Science* 2003 ; 302 : 643-6.

Nkondjock, A. et coll. « Diet, lifestyle and BRCA-related breast cancer risk among French-Canadians », *Breast Cancer Res Treat* 2006 ; 98 : 285-294.

Tryggvadottir, L. et coll. « Population-based study of changing breast cancer risk in Icelandic BRCA2 mutation carriers, 1920-2000 », *J Natl Cancer Inst* 2006 ; 98 : 116-122.

Loeb, L.A. « Mutator phenotype may be required for multistage carcinogenesis », *Cancer Res* 1991 ; 51 : 3075-3079.

Almog, N. « Genes and regulatory pathways involved in persistence of dormant micro-tumors », *Adv Exp Med Biol* 2013 ; 734 : 3-17.

Tian, X. et coll. « High-molecular-mass hyaluronan mediates the cancer resistance of the naked mole rat », *Nature* 2013 ; 499 : 346-9.

Sjöblom, T. et coll. « The consensus coding sequences of human breast and colorectal cancers », *Science* 2006 ; 314 : 268-274.

Yatani, R. et coll. « Latent prostatic carcinoma : Pathological and epidemiological aspects », *Jpn J Clin Oncol* 1989 ; 19 : 319-326.

Watanabe, M. et coll. « Comparative studies of prostate cancer in Japan versus the United States. A review », *Urol Oncol* 2000 ; 5 : 274-283.

Center, M.M. et coll. « International variation in prostate cancer incidence and mortality rates », *Eur Urol* 2012 ; 61 : 1079-92.

http://globocan.iarc.fr/factsheets/cancers/colo-rectal.asp

Welch, H.G. et W.C. Black. « Overdiagnosis in cancer. », *J Natl Cancer Inst* 2010 ; 102 : 605-613.

http://science.education.nih.gov/supplements/ nih1/cancer/guide/understanding3.htm

Colditz, G.A. et coll. « Applying what we know to accelerate cancer prevention », *Sci Transl Med* 2012 ; 4 : 127rv4.

Fineberg, H.V. « The paradox of disease prevention : celebrated in principle, resisted in practice », *JAMA* 2013 ; 310 : 85-90.

Inoue-Choi, M. et coll. « Adherence to the WCRF/ AICR guidelines for cancer prevention is associated with lower mortality among older female cancer survivors », *Cancer Epidemiol Biomarkers Prev* 2013 ; 22 : 792-802.

Arab, L. et coll. « Adherence to World Cancer Research Fund/American Institute for Cancer Research lifestyle recommendations reduces prostate cancer aggressiveness among African and Caucasian Americans », *Nutr Cancer* 2013 ; 65 : 633-43.

Vergnaud, A.C. et coll. « Adherence to the World Cancer Research Fund/American Institute for Cancer Research guidelines and risk of death in Europe : results from the European Prospective Investigation into Nutrition and Cancer cohort study », *Am J Clin Nutr* 2013 ; 97 : 1107-20.

Hastert, T.A. et coll. « Adherence to WCRF/AICR cancer prevention recommendations and risk of postmenopausal breast cancer », *Cancer Epidemiol Biomarkers Prev* 2013 ; 22 : 1498-508.

Chapitre 2

Benedict, C. *Golden-Silk Smoke : A History of Tobacco in China, 1550-2010*, University of California Press, 352 pages, 2011.

Winter, J.C. *Tobacco Use by Native North Americans : Sacred Smoke and Silent Killer*, University of Oklahoma Press, 454 pages, 2000.

www.larecherche.fr/idees/back-to-basic/ tabac-01-05-2009-87948

Ferland, C. « Mémoires tabagiques. L'usage du tabac, du xve siècle à nos jours », *Drogues, santé et société* 2007 ; 6 : 17-48.

Ferland, C. « Une pratique "sauvage" ? Le tabagisme de l'Ancienne à la Nouvelle-France, xviie-xviiie siècles », in *Tabac et Fumées. Regards multidisciplinaires* et indisciplinés sur le tabagisme, xve-xxe siècles, Presses de l'Université Laval, 236 pages, 2007.

King James I of England. A Counter-Blaste to Tobacco, 1604.

Surowiecki, J. « Up in Smoke », The New Yorker, 21 novembre 2005.

Rival, N. Tabac, miroir du temps, Perrin, 281 pages, 1981.

www.cigares.com/blog/histoire-cigare/

www.les-derniers-romanov.com/histoire.php

Osipova, A. « Smoke of the Motherland », Russian Life, janvier-février 2007.

Blakeslee, S. « Nicotine : harder to kick... than heroin », The New York Times, 29 mars 1987.

http://bdc.aege.fr/public/Analyse_pratiques_Guerre_information_industrie_tabac.pdf

Pampel, F.C. Tobacco Industry and Smoking. Facts on file, 314 pages, 2009.

Cigarette Consumption, United States, 1900-2007. Tobacco Outlook Report, Economic Research Service, U.S. Dept. of Agriculture.

www.tobaccoatlas.org

Nielsen, S.S. et coll. « Nicotine from edible Solanaceae and risk of Parkinson disease », Ann Neurol 2013 (9 mai) ; doi : 10.1002/ana.23884.

Henningfield, J.E. « More on the nicotine content of vegetables », N Engl J Med 1993 ; 329 : 1581-82.

www.tis-gdv.de/tis_e/ware/genuss/tabak/tabak.htm

Siegmund, B. et coll. « Determination of the nicotine content of various edible nightshades (Solanaceae) and their products and estimation of the associated dietary nicotine intake », J Agric Food Chem 1999 ; 47 : 3113-3120.

Domino, E.F. et coll. « The nicotine content of common vegetables », N Engl J Med 1993 ; 329 : 437.

Wigand, J.S. Additives, cigarette design and tobacco product regulation : a report to World Health Organization, 2006 (www.jeffreywigand.com/WHOFinal.pdf).

Vey, T. « Des enfants produisent du tabac pour Philip Morris », Le Figaro, 16 juillet 2010.

Gilbert, S.G. A Small Dose of Toxicology : The Health Effects of Common Chemicals, CRC Press, 280 pages, 2004.

Tassin, J.P. et coll. « Un nouveau concept explicatif de la pharmaco-dépendance : le découplage des neurones sérotoninergiques et noradrénergiques », http://dx.doi.org/10.1051/medsci/20062210798

http://lecerveau.mcgill.ca/flash/i/i_03/i_03_cr/i_03_cr_par/i_03_cr_par.html

Xiu, X. et coll. « Nicotine binding to brain receptors requires a strong cation-pi interaction », Nature 2009 ; 458 : 534-7.

http://sante.lefigaro.fr/dossier/tabac/comment-arreter/boite-outils-pour-arreter-fumer

Fowler, J.S. et coll. « Inhibition of monoamine oxidase B in the brains of smokers », Nature 1996 ; 379 : 733-736.

Tassin, J.P. « Dépendance au tabac : pour en finir avec la nicotine », Slate, 25 mars 2013.

Budney, A.J. et coll. « Marijuana dependence and its treatment », Addict Sci Clin Pract 2007 ; 4 : 4-16.

Mathias, R.G. « Comment aborder l'usage des drogues au Canada : une nouvelle perspective sur l'usage des drogues par les Canadiens », www.parl.gc.ca/content/sen/committee/371/ille/presentation/mathias-f.htm

www.sante.public.lu/fr/maladies-traitements/010-maladies/tete/maladies-tete/dependance-a-nicotine/index.html

Hecht, S.S. « Tobacco Smoke Carcinogens and Lung Cancer », J Natl Cancer Inst 1999 ; 91 : 1194-1210.

Djordjevic, M.V. et coll. « Doses of nicotine and lung carcinogens delivered to cigarette smokers », J Natl Cancer Inst 2000 ; 92 : 106-11.

Foucart, J. « Les conspirateurs du tabac », Le Monde, 25 février 2012.

https://www6.miami.edu/ethics/jpsl/archives/papers/tobacco.html

Proctor, R.N. Golden Holocaust : Origins of the Cigarette Catastrophe and the Case for Abolition, University of California Press, 752 pages, 2012.

Kabbani, N. « Not so cool? Menthol's discovered actions on the nicotinic receptor and its implications for nicotine addiction », Frontiers in Neuropharmacology 2013 ; 4 : 95.

National Cancer Institute. Risks Associated With Smoking Cigarettes With Low Machine-Measured Yields of Tar and Nicotine, Smoking and Tobacco Control Monograph No. 13, U.S. Department of Health and Human Services, National Institutes of Health, National Cancer Institute, NIH Publication No. 02-5074.

Ng, M. et coll. « Smoking prevalence and cigarette consumption in 187 countries 1980-2012 », JAMA 2014 ; 311 : 183-92.

www.legacy.library.ucsf.edu

Pleasance, E.D. et coll. « A small-cell lung cancer genome with complex signatures of tobacco exposure », Nature 2010 ; 463 : 184-190.

www.epa.gov/radiation/sources/tobacco.html

Proctor, R.N. « Puffing on Polonium », The New York Times, 1er décembre 2006.

Rego, B. The Polonium Brief. A Hidden History of Cancer, Radiation, and the Tobacco Industry, Isis 2009 ; 100 : 453-84.

Besaratinia, A. et S. Tommasi. « Genotoxicity of tobacco smoke-derived aromatic amines and bladder cancer : current state of knowledge and future research directions », FASEB J 2013 ; 27 : 2090-2100.

Alberg, A.J. et J.R. Hébert. « Cigarette smoking and bladder cancer : a new twist in an old saga? », J Natl Cancer Inst 2009 ; 101 : 1525-1526.

Doll, R. et coll. « Mortality in relation to smoking: 50 years' observations on male British doctors », BMJ 2004 ; 328 : 1519.

Ng, M. et coll. « Smoking prevalence and cigarette consumption in 187 countries, 1980-2012 », JAMA 2014 ; 311 : 183-92.

Smith, A.L. et S. Chapman. « Quitting smoking unassisted : the 50-year research neglect of a major public health phenomenon », JAMA 2014 ; 311 : 137-8.

Stead, L.F. et coll. « Nicotine replacement therapy for smoking cessation », Cochrane Database Syst Rev 2012 ; 11 : CD000146.

Mons, U. et coll. « Impact of national smoke-free legislation on home smoking bans : findings from the International Tobacco Control Policy Evaluation Project Europe Surveys », Tob Control 2013 ; 22 : e2-9.

www.nytimes.com/1993/11/28/opinion/in-america-tobacco-dollars.html

Fairchild, A.L. et coll. « The renormalization of smoking? E-cigarettes and the tobacco "endgame" », N Engl J Med 2014 ; 370 : 293-5.

Dawkins, L. et coll. « "Vaping" profiles and preferences: an online survey of electronic cigarette users », Addiction 2013 ; 108 : 1115-25.

Sweanor, D. et coll. « Tobacco harm reduction : how rational public policy could transform a pandemic », Int J Drug Policy 2007 ; 18 : 70-4.

Grana, R. et coll. « E-cigarettes : a scientific review », Circulation 2014 ; 129 : 1972-86.

Brown, J. et coll. « Real-world effectiveness of e-cigarettes when used to aid smoking cessation: a cross-sectional population study », Addiction 2014 May 20. doi : 10.1111/add.12623. [Epub avant publication].

Chapitre 3

Stuckler, D. et M. Nestle. « Big food, food systems, and global health », PLoS Med 2012 ; 9 : e1001242.

Moss, M. Salt Sugar Fat: How the Food Giants Hooked Us, Random House, 480 pages, 2013.

Blumenthal, D.M. et M.S. Gold. « Neurobiology of food addiction », Curr Opin Clin Nutr Metab Care 2010 ; 13 : 359-65.

Volkow, N.D. et coll. « Overlapping neuronal circuits in addiction and obesity : evidence of systems pathology », Philos Trans R Soc Lond B Biol Sci 2008 ; 363 : 3191-3200.

Lenoir, M. et coll. « Intense sweetness surpasses cocaine reward », PLoS One 2007 ; 2(8) : e698.

Johnson, P.M. et P.J. Kenny. « Dopamine D2 receptors in addiction-like reward dysfunction and compulsive eating in obese rats », *Nat Neurosci* 2010 ; 13 : 635-41.

Burger, K.S. et E. Stice. « Frequent ice cream consumption is associated with reduced striatal response to receipt of an ice cream-based milkshake », *Am J Clin Nutr* 2012 ; 95 : 810-7.

Gearhardt, A.N. et coll. « The addiction potential of hyperpalatable foods », *Curr Drug Abuse Rev* 2011 ; 4 : 140-5.

Ziauddeen, H. et coll. « Obesity and the brain : how convincing is the addiction model ? », *Nat Rev Neurosci* 2012 ; 13 : 279-86.

Guyenet, S.J. « Seduced by Food : Obesity and the Human Brain » (http://boingboing.net/2012/03/09/seduced-by-food-obesity-and-t.html)

Westerterp, K.R. et J.R. Speakman. « Physical activity energy expenditure has not declined since the 1980s and matches energy expenditure of wild animals », *Int J Obes* 2008 ; 32 : 1256-63.

Swinburn, B. et coll. « Increased food energy supply is more than sufficient to explain the US epidemic of obesity », *Am J Clin Nutr* 2009 ; 90 : 1453-6.

http://win.niddk.nih.gov/publications/PDFs/stat904z.pdf

Stuckler, D. et coll. « Manufacturing epidemics : the role of global producers in increased consumption of unhealthy commodities including processed foods, alcohol, and tobacco », *PLoS Med* 2012 ; 9 : e1001235.

Doak, C. et coll. « Overweight and underweight coexist within households in Brazil, China and Russia », *J Nutr* 2000 ; 130 : 2965-2971.

Wellen, K.E. et G.S. Hotamisligil. « Inflammation, stress, and diabetes », *J Clin Invest* 2005 ; 115 : 1111-9.

Taube, A. et coll. « Inflammation and metabolic dysfunction : links to cardiovascular diseases », *Am J Physiol Heart Circ Physiol* 2012 ; 302 : H2148-65.

Prospective Studies Collaboration, G. Whitlock, S. Lewington, P. Sherliker et coll. « Body-mass index and cause-specific mortality in 900 000 adults : collaborative analyses of 57 prospective studies », *Lancet* 2009 ; 373 (9669) : 1083-1096.

http://rhumatologie.edimark.fr/phototheque/galerie_detail.php?id_galerie=2272

Reeves, G.K. et coll. « Cancer incidence and mortality in relation to body mass index in the Million Women Study : cohort study », *BMJ* 2007 ; 335 : 1134-1200.

Renehan, A. et coll. « Body mass index and incidence of cancer : a systematic review and meta-analysis of prospective observational studies », *Lancet* 2008 ; 371 : 569-578.

Manson, J.E. et coll. « Body weight and mortality among women », *New Engl J Med* 1995 ; 333 : 677-685.

Khandekar, M.J. et coll. « Molecular mechanisms of cancer development in obesity », *Nat Rev Cancer* 2011 ; 11 : 886-95.

Williams, S.C.P. « Link between obesity and cancer », *Proc Natl Acad Sci USA* 2013 ; 110 : 8753-54.

Campbell, P.T. et coll. « Excess body weight and colorectal cancer risk in Canada : associations in subgroups of clinically defined familial risk of cancer », *Cancer Epidemiol Biomarkers Prev* 2007 ; 16 : 1735-1744.

Yun, K.E. et coll. « Impact of body mass index on the risk of colorectal adenoma in a metabolically healthy population », *Cancer Res* 2013 ; 73 : 4020-7.

Nock, N.L. et N.A. Berger. « Obesity and cancer : overview of mechanisms », Berger N.A. (ed.) *Cancer and Energy Balance, Epidemiology and Overview*, Springer, 2010 : 129-179.

Cohen, D.H. et D. LeRoith. « Obesity, type 2 diabetes, and cancer : the insulin and IGF connection », *Endocr Relat Cancer* 2012 ; 19 : F27-45.

Attner, B. et coll. « Cancer among patients with diabetes, obesity and abnormal blood lipids : a population based register study in Sweden », *Cancer Causes Control* 2012 ; 23 : 769-777.

Hirakawa, Y. et coll. « Association between glucose tolerance level and cancer death in a general Japanese population : the Hisayama Study », *Am J Epidemiol* 2012 ; 176 : 856-64.

www.nytimes.com/2013/05/19/magazine/say-hello-to-the-100-trillion-bacteria-that-make-up-your-microbiome.html?pagewanted=all

Kessler, D.A. *The End of Overeating : Taking Control of the Insatiable American Appetite*, New York, Rodale Books, 2010.

Ahn, J. et coll. « Human gut microbiome and risk for colorectal cancer », *J Natl Cancer Inst* 2013 ; 105 : 1907-11.

Yoshimoto, S. et coll. « Obesity-induced gut microbial metabolite promotes liver cancer through senescence secretome », *Nature* 2013 ; 499 : 97-101.

Turnbaugh, P.J. et coll. « A core gut microbiome in obese and lean twins », *Nature* 2009 ; 457 : 480-4.

Pollan, M. « Some of My Best Friends Are Germs », *The New York Times Magazine*, 15 mai 2013.

David, LA. et coll. « Diet rapidly and reproducibly alters the human gut microbiome », *Nature* 2014 ; 505 : 559-63.

www.iarc.fr/en/publications/books/wcr/

Stuckler, D. et coll. « Manufacturing epidemics : the role of global producers in increased consumption of unhealthy commodities including processed foods, alcohol, and tobacco », *PLoS Med* 2012 ; 9 : e1001235.

Brownell, K.D. et K.E. Warner. « The perils of ignoring history : Big Tobacco played dirty

and millions died. How similar is Big Food ? », *Milbank Q* 2009 ; 87 : 259-94.

Pereira, M.A. et coll. « Fast-food habits, weight gain, and insulin resistance (the CARDIA study) : 15-year prospective analysis », *Lancet* 2005 ; 365 : 36-42.

Hu, F.B. et V.S. Malik. « Sugar-sweetened beverages and risk of obesity and type 2 diabetes : epidemiologic evidence », *Physiol Behav* 2010 ; 100 : 47-54.

Moreno, L. et G. Rodriguez. « Dietary risk factors for development of childhood obesity », *Curr Opin Clin Nutr Metab Care* 2007 ; 10 : 336-341.

http://eming.com/en/life-expectancy-of-okinawan-is-shortening-who-is-the-culprit-fast-food/

www.nytimes.com/2008/09/24/world/europe/24diet.html?pagewanted=all&_r=0

Stewart, S.T. et coll. « Forecasting the effects of obesity and smoking on U.S. life expectancy », *N Engl J Med* 2009 ; 361 : 2252-60.

Jolliffe, D. « Extent of overweight among US children and adolescents from 1971 to 2000 », *Int J Obes Relat Metab Disord* 2004 ; 28 : 4-9.

Cunningham, S.A. et coll. « Incidence of childhood obesity in the United States », *N Engl J Med* 2014 ; 370 : 403-11.

Malik, V.S. et coll. « Sugar-sweetened beverages and risk of metabolic syndrome and type 2 diabetes : a meta-analysis », *Diabetes Care* 2010 ; 33 : 2477-2483.

Lustig, R.H. et coll. « Public health : the toxic truth about sugar », *Nature* 2012 ; 482 : 27-9.

Bray, G.A. et B.M. Popkin. « Dietary sugar and body weight : have we reached a crisis in the epidemic of obesity and diabetes ? Health be damned ! Pour on the sugar », *Diabetes Care* 2014 ; 37 : 950-6.

Swithers, S.E. « Artificial sweeteners produce the counterintuitive effect of inducing metabolic derangements », *Trends Endocrinol Metab* 2013 ; 24 : 431-41.

Dhingra, R. et coll. « Soft drink consumption and risk of developing cardiometabolic risk factors and the metabolic syndrome in middle-aged adults in the community », *Circulation* 2007 ; 116 : 480-8.

Giovannucci, E. et coll. « Diabetes and cancer : a consensus report », *Diabetes Care* 2010 ; 33 : 1674-85.

Chapitre 4

http://chrisagde.free.fr/bourb/l14vie.php3?page=38

« Aroma compounds », *Food Chemistry* 2009 : 340-402.

Brewer, M.S. *The Chemistry of Beef Flavor – Executive Summary*, National Cattlemen's Beef Association, 2006.

www.iol.co.za/lifestyle/food-drink/food/why-does-meat-taste-so-good-1.1568195#.UijfehbiOXo

Fonseca-Azevedo, K. et S. Herculano-Houzel. « Metabolic constraint imposes tradeoff between body size and number of brain neurons in human evolution », *Proc Natl Acad Sci USA* 2012 ; 109 : 18571-6.

Gorman, R.M. « Cooking Up Bigger Brains », *Scientific American*, 16 décembre 2007.

Psouni, E. et coll. « Impact of carnivory on human development and evolution revealed by a new unifying model of weaning in mammals », *PLoS One* 2012 ; 7 : e32452.

Zeder, M.A. « Domestication and early agriculture in the Mediterranean Basin : Origins, diffusion, and impact », *Proc Natl Acad Sci USA* 2008 ; 105 : 11597-11604.

Storey, A.A. et coll. « Investigating the global dispersal of chickens in prehistory using ancient mitochondrial DNA signatures », *PLoS One* 2012 ; 7 : e39171.

Robitaille, J. « La consommation de viande : Évolution et perspectives de croissance », *BioClips* + 2012 ; 15 : 1-12.

www.passeportsante.net/documentsproteus/popuphtml/hypercholesterolemie_tableaux.htm

www.editions-homme.com/gibier/PDF/tendrete.pdf

www.todayifoundout.com/index.php/2010/04/the-red-juice-in-raw-red-meat-is-not-blood/

www.blackpudding.org/history/

http://russelleaton.articlealley.com/numbers-of-vegetarians-are-growing-world-wide-1351542.html

www.who.int/nutrition/topics/3_foodconsumption/en/index4.html

Globocan 2008. http://www-dep.iarc.fr

Kuriki, K. et K. Tajima. « The increasing incidence of colorectal cancer and the preventive strategy in Japan », *Asian Pacific J Cancer Prev* 2006 ; 7 : 495-501.

Daniel, C.R. et coll. « Prospective investigation of poultry and fish intake in relation to cancer risk », *Cancer Prev Res (Phila)* 2011 ; 4 : 1903-11.

Chan, D.S. et coll. « Red and processed meat and colorectal cancer incidence : meta-analysis of prospective studies », *PLoS One* 2011 ; 6 : e20456.

Pan, A. et coll. « Red meat consumption and mortality : results from 2 prospective cohort studies », *Arch Intern Med* 2012 ; 172 : 555-63.

Rohrmann, S. et coll. « Meat consumption and mortality : results from the European Prospective Investigation into Cancer and Nutrition », *BMC Medicine* 2013 ; 11 : 63.

Sinha, R. et coll. « Meat intake and mortality : a prospective study of over half a million people », *Arch Intern Med* 2009 ; 169 : 562-71.

Pan, A. et coll. « Red meat consumption and risk of type 2 diabetes : 3 cohorts of US adults and an updated meta-analysis », *Am J Clin Nutr* 2011 ; 94(4) : 1088-1096.

Tappel, A. « Heme of consumed red meat can act as a catalyst of oxidative damage and could initiate colon, breast and prostate cancers, heart disease and other diseases », *Med Hypotheses* 2007 ; 68 : 562-4.

Cross, A.J. et coll. « Haem, not protein or inorganic iron, is responsible for endogenous intestinal N-nitrosation arising from red meat », *Cancer Res* 2003 ; 63 : 2358-60.

Jakszyn, P. et coll. « Development of a food database of nitrosamines, heterocyclic amines, and polycyclic aromatic hydrocarbons », *J Nutr* 2004 ; 134 : 2011-14.

Cross, A.J. et coll. « A prospective study of red and processed meat intake in relation to cancer risk », *PLoS Med* 2007 ; 4 : e325.

De Stefani, E. et coll. « Processed meat consumption and risk of cancer : a multisite case-control study in Uruguay », *Br J Cancer* 2012 ; 107 : 1584-8.

www.precisionnutrition.com/all-about-cooking-carcinogens

Cross, A.J. et coll. « A large prospective study of meat consumption and colorectal cancer risk : an investigation of potential mechanisms underlying this association », *Cancer Res* 2010 ; 70 : 2406-2414.

Stolzenberg-Solomon, R.Z. et coll. « Meat and meat-mutagen intake and pancreatic cancer risk in the NIH-AARP cohort », *Cancer Epidemiol Biomarkers Prevention* 2007 ; 16 : 2664-2675.

Sinha, R. et coll. « Meat and meat-related compounds and risk of prostate cancer in a large prospective cohort study in the United States », *Am J Epidemiol* 2009 ; 170 : 1165-1177.

Puangsombat, K. et coll. « Occurrence of heterocyclic amines in cooked meat products », *Meat Sci* 2012 ; 90 : 739-46.

Viegas, O. et coll. « Inhibitory effect of antioxidant-rich marinades on the formation of heterocyclic aromatic amines in pan-fried beef », *J Agric Food Chem* 2012 ; 60 : 6235-40.

Gibis, M. et J. Weiss. « Antioxidant capacity and inhibitory effect of grape seed and rosemary extract in marinades on the formation of heterocyclic amines in fried beef patties », *Food Chem* 2012 ; 134 : 766-74.

Li, Z. et coll. « Antioxidant-rich spice added to hamburger meat during cooking results in reduced meat, plasma, and urine malondialdehyde concentrations », *Am J Clin Nutr* 2010 ; 91 : 1180-4.

Nerurkar, P.V. et coll. « Effects of marinating with Asian marinades or western barbecue sauce on PhIP and MeIQx formation in barbecued beef », *Nutr Cancer* 1999 ; 34 : 147-52.

Puangsombat, K. et coll. « Inhibitory activity of Asian spices on heterocyclic amines formation in cooked beef patties », *J Food Sci* 2011 ; 76 : T174-80.

Salmon, C.P. et coll. « Effects of marinating on heterocyclic amine carcinogen formation in grilled chicken », *Food Chem Toxicol* 1997 ; 35 : 433-41.

Romero, S. « Argentina Falls From Its Throne as King of Beef », *The New York Times*, 13 juin 2013.

Miller, G.J. « Lipids in wild ruminant animals and steers », *J of Food Quality* 1986 ; 9 : 331-343.

Parasramka, M.A. et coll. « MicroRNA profiling of carcinogen-induced rat colon tumors and the influence of dietary spinach », *Mol Nutr Food Res* 2012 ; 56 : 1259-69.

De Vogel, J. et coll. « Green vegetables, red meat and colon cancer : chlorophyll prevents the cytotoxic and hyperproliferative effects of haem in rat colon », *Carcinogenesis* 2005 ; 26 : 387-93.

Klein, E. « Taking antibiotics you don't really need might kill you », *The Washington Post*, 16 septembre 2013 (www.washingtonpost.com/blogs/wonkblog/wp/2013/09/16/taking-antibiotics-you-dont-really-need-might-kill-you/).

Allan, N. « We're running out of antibiotics », *The Atlantic*, mars 2014, p. 34.

www.pewhealth.org/other-resource/record-high-antibiotic-sales-for-meat-and-poultry-production-85899449119

Levine, M.E. et coll. « Low protein intake is associated with a major reduction in IGF-1, cancer, and overall mortality in the 65 and younger but not older population », *Cell Metabolism* 2014 ; 19 : 407-417.

Chapitre 5

Monteiro, C.A. et G. Cannon. « The impact of transnational "big food" companies on the South : a view from Brazil », *PLoS Med* 2012 ; 9 : e1001252.

Centers for Disease Control and Prevention. State-Specific Trends in Fruit and Vegetable Consumption among Adults - United States, 2000-2009, *MMWR* 2010 ; 59 : 1125-1130.

Kimmons, J. et coll. « Fruit and vegetable intake among adolescents and adults in the United States : percentage meeting individualized recommendations », *Medscape J Med* 2009 ; 11 : 26.

Hall, J.N. et coll. « Global variability in fruit and vegetable consumption », *Am J Prev Med* 2009 ; 36 : 402-409.

www.ers.usda.gov/data-products/chart-gallery/detail.aspx?chartId=40452#.Ut6D4nnq7-Y

www.ars.usda.gov/main/site_main.htm?modecode=12-35-45-00

Mori, K. et coll. « Fucoxanthin and its metabolites in edible brown algae cultivated in deep seawater », *Mar Drugs* 2004 ; 2 : 63-72.

Hung, H.C. et coll. « Fruit and vegetable intake and risk of major chronic disease », *J Natl Cancer Inst* 2004 ; 96 : 1577-84.

Bhupathiraju, S.N. et coll. « Quantity and variety in fruit and vegetable intake and risk of coronary heart disease », *Am J Clin Nutr* 2013 ; 98 : 1514-23.

Boffetta, P. et coll. « Fruit and vegetable intake and overall cancer risk in the European Prospective Investigation into Cancer and Nutrition (EPIC) », *J Natl Cancer Inst* 2010 ; 102 : 529-37.

Michaud, D.S. et coll. « Fruit and vegetable intake and incidence of bladder cancer in a male prospective cohort », *J Natl Cancer Inst* 1999 ; 91 : 605-13.

Wu, Q.J. et coll. « Cruciferous vegetables consumption and the risk of female lung cancer : a prospective study and a meta-analysis », *Ann Oncol* 2013 ; 24 : 1918-24.

Masala, G. et coll. « Fruit and vegetables consumption and breast cancer risk : the EPIC Italy study », *Breast Cancer Res Treat* 2012 ; 132 : 1127-36.

Yang, G. et coll. « Prospective cohort study of green tea consumption and colorectal cancer risk in women », *Cancer Epidemiol Biomarkers Prev* 2007 ; Jun 16(6) : 1219-23.

Gonzalez, C.A. et coll. « Fruit and vegetable intake and the risk of gastric adenocarcinoma : a reanalysis of the European Prospective Investigation into Cancer and Nutrition (EPIC-EURGAST) study after a longer follow-up », *Int J Cancer* 2012 ; 131 : 2910-9.

Fung, T.T. et coll. « Intake of specific fruits and vegetables in relation to risk of estrogen receptor-negative breast cancer among postmenopausal women », *Breast Cancer Res Treat* 2013 ; 138 : 925-30.

Bao, Y. et coll. « Nut consumption and risk of pancreatic cancer in women », *Br J Cancer* 2013 ; 109 : 2911-6.

Lock, K. et coll. « Low fruit and vegetable consumption », I.M. Ezzati, A.D. Lopez, A. Rodgers, C.J.L. Murray, , dir. *Comparative quantification of health risks : global and regional burden of disease attributable to selected major risk factors*, Genève, WHO, 2004.

Bellavia, A. et coll. « Fruit and vegetable consumption and all-cause mortality : a dose-response analysis », *Am J Clin Nutr* 2013 ; 98 : 454-9.

Zamora-Ros, R. et coll. « High concentrations of a urinary biomarker of polyphenol intake are associated with decreased mortality in older adults », *J Nutr* 2013 ; 143 : 1445-50.

Lam, T.K. et coll. « Cruciferous vegetable intake and lung cancer risk : a nested case-control study matched on cigarette smoking », *Cancer Epidemiol Biomarkers Prev* 2010 ; 19 : 2534-40.

Michaud, D.S. et coll. « Fruit and vegetable intake and incidence of bladder cancer in a male prospective cohort », *J Natl Cancer Inst* 1999 ; 91 : 605-13.

Watson, G.W. et coll. « Phytochemicals from cruciferous vegetables, epigenetics, and prostate cancer prevention », *AAPS J* 2013 ; 15 : 951-61.

Tse, G. et G.D. Eslick. « Cruciferous vegetables and risk of colorectal neoplasms : a systematic review and meta-analysis », *Nutr Cancer* 2014 ; 66 : 128-39.

Wu, Q.J. et coll. « Cruciferous vegetable consumption and gastric cancer risk : a meta-analysis of epidemiological studies », *Cancer Sci* 2013 ; 104 : 1067-73.

Suzuki, R. et coll. « Fruit and vegetable intake and breast cancer risk defined by estrogen and progesterone receptor status : the Japan Public Health Center-based Prospective Study », *Cancer Causes Control* 2013 ; 24 : 2117-28.

Zhang, C.X. et coll. « Greater vegetable and fruit intake is associated with a lower risk of breast cancer among Chinese women », *Int J Cancer* 2009 ; 125 : 181-188.

Bosetti, C. et coll. « Cruciferous vegetables and cancer risk in a network of case-control studies », *Ann Oncol* 2012 ; 23 : 2198-203.

International Agency for Research on Cancer. *IARC Handbooks of Cancer Prevention Volume 9 Cruciferous vegetables, Isothiocyanates and Indoles*, Lyon, IARC Press, 2004.

Dosz, E.B. et E.H. Jeffery. « Modifying the processing and handling of frozen broccoli for increased sulforaphane formation », *J Food Sci* 2013 ; 78 : H1459-63.

Rivlin, R.S. « Historical perspective on the use of garlic », *J Nutr* 2001 ; 131 : 951S-4S.

Gonzalez, C.A. et coll. « Fruit and vegetable intake and the risk of stomach and oesophagus adenocarcinoma in the European Prospective Investigation into Cancer and Nutrition (EPIC-EURGAST) », *Int J Cancer* 2006 ; 118 : 2559-2566.

Gao, C.M. et coll. « Protective effect of allium vegetables against both esophageal and stomach cancer : a simultaneous case-referent study of a high-epidemic area in Jiangsu Province, China », *Jap J Cancer Res* 1999 ; 90 : 614-621.

Steinmetz, K.A. et coll. « Vegetables, fruit, and colon cancer in the Iowa Women's Health Study », *Am J of Epidemiol* 1994 ; 139 : 1-15.

Hsing, A.W. et coll. « Allium vegetables and risk of prostate cancer : a population-based study », *J Natl Cancer Inst* 2002 ; 94 : 1648-1651.

Chan, J.M. et coll. « Vegetable and fruit intake and pancreatic cancer in a population-based case-control study in the San Francisco bay area », *Cancer Epidemiol Biomarkers Prev* 2005 ; 14 : 2093-2097.

Challier, B. et coll. « Garlic, onion and cereal fibre as protective factors for breast cancer : a French case-control study », *Eur J Epidemiol* 1998 ; 14 : 737-747.

Milner, J.A. « A historical perspective on garlic and cancer », *J Nutr* 2001 ; 131 : 1027S-31S :

www.cancer.gov/cancertopics/factsheet/prevention/garlic-and-cancer-prevention

Wu, K. et coll. « Plasma and dietary carotenoids, and the risk of prostate cancer : a nested case-control study », *Cancer Epidemiol Biomarkers Prev* 2004 ; 13 : 260-9.

Zhang, X. et coll. « Carotenoid intakes and risk of breast cancer defined by estrogen receptor and progesterone receptor status : a pooled analysis of 18 prospective cohort studies », *Am J Clin Nutr* 2012 ; 95 : 713-25.

Michaud, D.S. et coll. « Intake of specific carotenoids and risk of lung cancer in 2 prospective US cohorts », *Am J Clin Nutr* 2000 ; 72 : 990-997.

Le Marchand, L. et coll. « An ecological study of diet and lung cancer in the South Pacific », *Int J Cancer* 1995 ; 63 : 18-23.

Kumar, S.R. et coll. « Fucoxanthin : a marine carotenoid exerting anti-cancer effects by affecting multiple mechanisms », *Mar Drugs* 2013 ; 11 : 5130-5147.

Sho, H. « History and characteristics of Okinawan longevity food », *Asia Pac J Clin Nutr* 2001 ; 10(2) : 159-64.

Lamy, S. et coll. « Delphinidin, a dietary anthocyanidin, inhibits vascular endothelial growth factor receptor-2 phosphorylation », *Carcinogenesis* 2006 ; 27 : 989-96.

Labrecque, L. et coll. « Combined inhibition of PDGF and VEGF receptors by ellagic acid, a dietary-derived phenolic compound », *Carcinogenesis* 2005 ; 26 : 821-6.

Adams, L.S. et coll. « Blueberry phytochemicals inhibit growth and metastatic potential of MDA-MB-231 breast cancer cells through modulation of the phosphatidylinositol 3-kinase pathway », *Cancer Res* 2010 ; 70 : 3594-3605.

Moghe, S. et coll. « Effect of blueberry polyphenols on 3T3-F442A preadipocyte differentiation », *J Med Food* 2012 ; 15 : 448-52.

Prior, R.L. et coll. « Purified blueberry anthocyanins and blueberry juice alter development of obesity in mice fed an obesogenic high-fat diet », *J Agric Food Chem* 2010 ; 58 : 3970-3976.

Wedick, N.M. et coll. « Dietary flavonoid intakes and risk of type 2 diabetes in US men and women », *Am J Clin Nutr* 2012 ; 95 : 925-33.

Brown, E.M. et coll. « Persistence of anticancer activity in berry extracts after simulated gastrointestinal digestion and colonic fermentation », *PLoS One* 2012 ; 7 : e49740.

Rababah, T.M. et coll. « Effect of jam processing and storage on total phenolics, antioxidant activity, and anthocyanins of different fruits », *J Sci Food Agric* 2011 ; 91 : 1096-102.

Rodriguez-Mateos, A. et coll. « Impact of cooking, proving, and baking on the (poly)phenol content of wild blueberry », *J Agric Food Chem*, 2014 ; 62 : 3979-3986.

Yang, C.S. et coll. « Cancer prevention by tea : animal studies, molecular mechanisms and human relevance », *Nat Rev Cancer* 2009 ; 9 : 429-39.

Nechuta, S. et coll. « Prospective cohort study of tea consumption and risk of digestive system cancers : results from the Shanghai Women's Health Study », *Am J Clin Nutr* 2012 ; 96 : 1056-63.

Tang, N. et coll. « Green tea, black tea consumption and risk of lung cancer : a meta-analysis », *Lung Cancer* 2009 ; 65 : 274-83.

Kurahashi, N. et coll. « Green tea consumption and prostate cancer risk in Japanese men : a prospective study », *Am J Epidemiol* 2008 ; 167 : 71-7.

Zhang, M. et coll. « Green tea and the prevention of breast cancer : a case-control study in Southeast China », *Carcinogenesis* 2007 ; 28 : 1074-8.

Deandrea, S. et coll. « Is temperature an effect modifier of the association between green tea intake and gastric cancer risk? », *Eur J Cancer Prev* 2010 ; 19 : 18-22.

Kurahashi, N. et coll. « Plasma isoflavones and subsequent risk of prostate cancer in a nested case-control study : the Japan Public Health Center », *J Clin Oncol* 2008 ; 26 : 5923-9.

Lee, S.A. et coll. « Adolescent and adult soy food intake and breast cancer risk : results from the Shanghai Women's Health Study », *Am J Clin Nutr* 2009 ; 89 : 1920-6.

Dong, J.Y. et L.Q. Qin. « Soy isoflavones consumption and risk of breast cancer incidence or recurrence : a meta-analysis of prospective studies », *Breast Cancer Res Treat* 2011 ; 125 : 315-23.

Ollberding, N.J. et coll. « Legume, soy, tofu, and isoflavone intake and endometrial cancer risk in postmenopausal women in the multiethnic cohort study », *J Natl Cancer Inst* 2012 ; 104 : 67-76.

Yang, W.S. et coll. « Soy intake is associated with lower lung cancer risk : results from a meta-analysis of epidemiologic studies », *Am J Clin Nutr* 2011 ; 94 : 1575-83.

Taylor, C.K. et coll. « The effect of genistein aglycone on cancer and cancer risk : a review of in vitro, preclinical, and clinical studies », *Nutr Rev* 2009 ; 67 : 398-415.

Fritz, H. et coll. « Soy, red clover, and isoflavones and breast cancer : a systematic review », *PLoS One* 2013 ; 8 : e81968.

Bao, Y. et coll. « Association of nut consumption with total and cause-specific mortality », *N Engl J Med* 2013 ; 369 : 2001-11.

Guasch-Ferré, M. et coll. « Frequency of nut consumption and mortality risk in the PREDIMED nutrition intervention trial », *BMC Med* 2013 ; 11 : 164.

Singh, P.N. et G.E. Fraser. « Dietary risk factors for colon cancer in a low-risk population », *Am J Epidemiol* 1998 ; 148 : 761-774.

González, C.A. et J. Salas-Salvadó. « The potential of nuts in the prevention of cancer », *Br J Nutr* 2006 ; 96 Suppl 2 : S87-94.

Bes-Rastrollo, M. et coll. « Prospective study of nut consumption, long-term weight change, and obesity risk in women », *Am J Clin Nutr* 2009 ; 89 : 1913-1919.

Berkey, C.S. et coll. « Vegetable protein and vegetable fat intakes in pre-adolescent and adolescent girls, and risk for benign breast disease in young women », *Breast Cancer Res Treat* 2013 ; 141 : 299-306.

Demark-Wahnefried, W. et coll. « Flaxseed supplementation (not dietary fat restriction) reduces prostate cancer proliferation rates in men presurgery », *Cancer Epidemiol Biomarkers Prev* 2008 ; 17 : 3577-87.

Lowcock, E.C. et coll. « Consumption of flaxseed, a rich source of lignans, is associated with reduced breast cancer risk », *Cancer Causes Control* 2013 ; 24 : 813-6.

Buck, K. et coll. « Meta-analyses of lignans and enterolignans in relation to breast cancer risk », *Am J Clin Nutr* 2010 ; 92 : 141-153.

Eichholzer, M. et coll. « Urinary lignans and inflammatory markers in the US National Health and Nutrition Examination Survey (NHANES) 1999-2004 and 2005-2008 », *Cancer Causes Control* 2014 ; 25 : 395-403.

Murphy, N. et coll. « Dietary fibre intake and risks of cancers of the colon and rectum in the European prospective investigation into cancer and nutrition (EPIC) », *PLoS One* 2012 ; 7 : e39361.

Steevens, J. et coll. « Vegetables and fruits consumption and risk of esophageal and gastric cancer subtypes in the Netherlands Cohort Study », *Int J Cancer* 2011 ; 129 : 2681-93.

Mitrou, P.N. et coll. « Mediterranean dietary pattern and prediction of all-cause mortality in a US population : results from the NIH-AARP Diet and Health Study », *Arch Intern Med* 2007 ; 167 : 2461-8.

Beauchamp, G.K. et coll. « Phytochemistry : ibuprofen-like activity in extra-virgin olive oil », *Nature* 2005 ; 437 : 45-6.

Johnson, C.C. et coll. « Non-steroidal anti-inflammatory drug use and colorectal polyps in the Prostate, Lung, Colorectal, and Ovarian Cancer Screening Trial », *Am J Gastroenterol* 2010 ; 105 : 2646-55.

Lamy, S. et coll. « Olive oil compounds inhibit vascular endothelial growth factor receptor-2 phosphorylation », *Exp Cell Res* 2014 ; 322 : 89-98.

Peyrot des Gachons, C. et coll. « Unusual pungency from extra-virgin olive oil is attributable to restricted spatial expression of the receptor of oleocanthal », *J Neurosci* 2011 ; 31 : 999-1009.

Chapitre 6

http://remacle.org/bloodwolf/erudits/Hippocrate/regime.htm

www.bestday.com/editorial/raramuri-races/

www.goodreads.com/quotes/292670-we-say-the-rarajipari-is-the-game-of-life

Booth, F.W. et coll. « Reduced physical activity and risk of chronic disease : the biology behind the consequences », *Eur J Appl Physiol* 2008 ; 102 : 381-390.

Bramble, D.M. et coll. « Endurance running and the evolution of Homo », *Nature* 2004 ; 432 : 345-352.

Statistique Canada. *L'activité physique mesurée directement des adultes canadiens, 2007 à 2011* (www.statcan.gc.ca/pub/82-625-x/2013001/article/11807-fra.htm).

Chevalier, R. « Les aléas de la vie de sofa », *La Presse*, 22 mai 2005.

Morris, J.N. et coll. « Coronary heart-disease and physical activity of work », *Lancet* 1953 ; 265 : 1053-7.

Naci, H. et J.P.A. Ioannidis. « Comparative effectiveness of exercise and drug interventions on mortality outcomes : metaepidemiological study », *BMJ* 2013 ; 347 : f5577.

Wolin, K.Y. et coll. « Physical activity and colon cancer prevention : a meta-analysis », *Br J Cancer* 2009 ; 100 : 611-616.

Lynch, B.M. et coll. « Physical activity and breast cancer prevention », *Recent Results Cancer Res* 2011 ; 186 : 13-42.

Arem, H. et coll. « Physical activity and cancer-specific mortality in the NIH-AARP Diet and Health Study cohort », *Int J Cancer* 2014 ; 135 : 423-31.

Brown, J.C. et coll. « Cancer, physical activity, and exercise », *Compr Physiol* 2012 ; 2 : 2775-809.

Matthews, C.E. et coll. « Amount of time spent in sedentary behaviors and cause-specific mortality in US adults », *Am J Clin Nutr* 2012 ; 95 : 437-45.

Lee, I.M. et coll. « Effect of physical inactivity on major non-communicable diseases worldwide : an analysis of burden of disease and life expectancy », *Lancet* 2012 ; 380 : 219-29.

Colley, R.C. et coll. *Physical activity of Canadian adults : accelerometer results from the 2007 to 2009 Canadian Health Measures Survey* (www.statcan.gc.ca/pub/82-003-x/2011001/article/11396-eng.htm)

Schmid, D. et M. Leitzmann. « Television viewing and time spent sedentary in relation to cancer risk : a meta-analysis », *J Natl Cancer Inst* 2014 doi:10.1093/jnci/dju098.

http://preventcancer.aicr.org/site/News2?page=NewsArticle&id=13891

www.hsph.harvard.edu/obesity-prevention-source/obesity-causes/physical-activity-and-obesity/

www.aicr.org/press/press-releases/getting-up-from-your-desk.html

www.nih.gov/news/health/nov2012/nci-06.htm

Chapitre 7

Wiens, F. et coll. « Chronic intake of fermented floral nectar by wild treeshrews », *Proc Natl Acad Sci USA* 2008; 105: 10426-31.

Orbach, D.N. et coll. « Drinking and flying: does alcohol consumption affect the flight and echolocation performance of phyllostomid bats? », *PLoS One* 2010; 5: e8993.

Shohat-Ophir, G. et coll. « Sexual deprivation increases ethanol intake in Drosophila », *Science* 2012; 335: 1351-5.

Benner, S.A. et coll. « Planetary biology-paleontological, geological, and molecular histories of life », *Science* 2002; 296: 864-8.

Benner, S. « Paleogenetics and the history of alcohol in primates », rencontre annuelle de l'American Association for the Advancement of Science (AAAS), Boston, 15 février 2013.

Di Castelnuovo, A. et coll. « Alcohol dosing and total mortality in men and women: an updated meta-analysis of 34 prospective studies », *Arch Intern Med* 2006; 166: 2437-45.

Szmitko, P.E. et S. Verma. « Red wine and your heart », *Circulation* 2005; 111: e10-e11.

Opie, L.H. et S. Lecour. « The red wine hypothesis: from concepts to protective signalling molecules », *Eur Heart J* 2007; 28: 1683-93.

Grønbaek, M. et coll. « Type of alcohol consumed and mortality from all causes, coronary heart disease, and cancer », *Ann Intern Med* 2000; 133: 411-9.

Klatsky, A.L. et coll. « Wine, liquor, beer, and mortality », *Am J Epidemiol* 2003; 158: 585-595.

Renaud, S.C. et coll. « Wine, beer, and mortality in middle-aged men from eastern France », *Arch Intern Med* 1999; 159: 1865-1870.

Waterhouse, A.L. « Wine phenolics », *Ann NY Acad Sci* 2002; 957: 21-36.

Yu, W. et coll. « Cellular and molecular effects of resveratrol in health and disease », *J Cell Biochem* 2012; 113: 752-759.

Ely, M. « Gender differences in the relationship between alcohol consumption and drink problems are largely accounted for by body water », *Alcohol* 1999; 34: 894-902.

Frezza, M. et coll. « High blood alcohol levels in women. The role of decreased gastric alcohol dehydrogenase activity and first-pass metabolism », *N Engl J Med* 1990; 322: 95-9.

www.ccsa.ca/Ressource%20Library/CCSA-Patterns-Alcohol-Use-Policy-Canada-2012-fr.pdf

Liu, Y. et coll. « Alcohol intake between menarche and first pregnancy: a prospective study of breast cancer risk », *J Natl Cancer Inst* 2013; 105: 1571-8.

Sundell, L. et coll. « Increased stroke risk is related to a binge-drinking habit », *Stroke* 2008; 39: 3179-84.

http://hamsnetwork.org/metabolism/

Peng, Y. et coll. « The ADH1B Arg47His polymorphism in east Asian populations and expansion of rice domestication in history », *BMC Evol Biol* 2010; 10: 15.

Brooks, P. et coll. « The alcohol flushing response: an unrecognized risk factor for esophageal cancer from alcohol consumption », *PLoS Med* 2009; 6: e50.

Baan, R. et coll. « Carcinogenicity of alcoholic beverages », *Lancet Oncol* 2007; 8: 292-3.

Zhang, G. et coll. « ADH1B Arg47His polymorphism is associated with esophageal cancer risk in high-incidence Asian population: evidence from a meta-analysis », *PLoS One* 2010; 5: e13679.

Homann, N. et coll. « Increased salivary acetaldehyde levels in heavy drinkers and smokers: a microbiological approach to oral cavity cancer », *Carcinogenesis* 2000; 21: 663-8.

Salaspuro, V. et M. Salaspuro. « Synergistic effect of alcohol drinking and smoking on *in vivo* acetaldehyde concentration in saliva », *Int J Cancer* 2004; 111: 480-3.

Castellsagué, X. et coll. « The role of type of tobacco and type of alcoholic beverage in oral carcinogenesis », *Int J Cancer* 2004; 108: 741-9.

Ahrens, W. et coll. « Oral health, dental care and mouthwash associated with upper aerodigestive tract cancer risk in Europe: The ARCAGE Study », *Oral Oncol* 2014; 50: 616-25.

Linderborg, K. et coll. « A single sip of a strong alcoholic beverage causes exposure to carcinogenic concentrations of acetaldehyde in the oral cavity », *Food Chem Toxicol* 2011; 49: 2103-2106.

Linderborg, K. et coll. « Potential mechanism for Calvados-related œsophageal cancer », *Food Chem Toxicol* 2008; 46: 476-479.

Yokoyama, A. et coll. « Salivary acetaldehyde concentration according to alcoholic beverage consumed and aldehyde dehydrogenase-2 genotype », *Alcohol Clin Exp Res* 2008; 32: 1607-14.

Allen, N.E. et coll. « Moderate alcohol intake and cancer incidence in women », *J Natl Cancer Inst* 2009; 101: 296-305.

Chao, C. « Associations between beer, wine, and liquor consumption and lung cancer risk: a meta-analysis », *Cancer Epidemiol Biomarkers Prev* 2007; 16: 2436-47.

Benedetti, A. et coll. « Lifetime consumption of alcoholic beverages and risk of 13 types of cancer in men: results from a case-control study in Montreal », *Cancer Detect Prev* 2009; 32: 352-62.

Jang, M. et coll. « Cancer chemopreventive activity of resveratrol, a natural product derived from grapes », *Science* 1997; 275: 218-20.

Kraft, T.E. et coll. « Fighting cancer with red wine? Molecular mechanisms of resveratrol », *Crit Rev Food Sci Nutr* 2009; 49: 782-99.

Subramanian, L. et coll. « Resveratrol: Challenges in translation to the clinic – A critical discussion », *Clin Cancer Res* 2010; 16, 5942-5948.

Patel, K.R. et coll. « Sulfate metabolites provide an intracellular pool for resveratrol generation and induce autophagy with senescence », *Sci Transl Med* 2013; 5: 205ra133.

Goldberg, D.M. et coll. « A global survey of trans-resveratrol concentrations in commercial wines », *Am J Enol Vitic* 1995; 46: 159-165.

Bessaoud, F. et J.-P. Daurès. « Patterns of alcohol (especially wine) consumption and breast cancer risk: a case-control study among a population in Southern France », *Ann Epidemiol* 2008; 18: 467-75.

Dennis, J. et coll. « Alcohol consumption and the risk of breast cancer among BRCA1 and BRCA2 mutation carriers », *Breast* 2010; 19: 479-483.

www.who.int/substance_abuse/publications/global_alcohol_report/profiles/en/

Globocan 2012. *Estimated cancer incidence, mortality and prevalence worldwide in 2012.* (http://globocan.iarc.fr).

www.cancer.gov/cancertopics/factsheet/detection/probability-breast-cancer

www.medicinenet.com/script/main/art.asp?articlekey=11014

Chapitre 8

Freedman, P. *Out of the East: Spices and the Medieval Imagination*, New Haven, Yale University Press, 2008.

http://education.jlab.org/glossary/abund_ele.html

University of Wisconsin-Madison (14 octobre 2007). « Why Is The Ocean Salty? », *ScienceDaily*, consulté le 21 octobre 2013 (www.sciencedaily.com releases/2007/10/071012104955.htm).

DasSarma, S. et P. DasSarma. « Halophiles », in *eLS*, Chichester, John Wiley & Sons, Ltd, 2012; doi: 10.1002/9780470015902.a0000394.

Joossens, J.V. et coll. « Dietary salt, nitrate and stomach cancer mortality in 24 countries. European Cancer Prevention (ECP) and the INTERSALT Cooperative Research Group », *Int J Epidemiol* 1996; 25: 494-504.

International Agency for Research on Cancer. « Schistosomes, Liver Flukes, and *Helicobacter pylori* », *IARC Monographs on the Evaluation of the Carcinogenic Risks to Humans*, 61, Lyon, IARC, 1994.

Linz, B. et coll. « An African origin for the intimate association between humans and *Helicobacter pylori* », *Nature* 2007; 445: 915-8.

Kodaman, N. et coll. « Human and *Helicobacter pylori* coevolution shapes the risk of gastric disease », *Proc Natl Acad Sci USA* 2014; 111: 1455-60.

Gaddy, J.A. et coll. « High dietary salt intake exacerbates *Helicobacter pylori*-induced gastric carcinogenesis », *Infect Immun* 2013; 81: 2258-67.

Kono, S. et Hirohata T. « Nutrition and stomach cancer », *Cancer Causes Control* 1996; 7: 41-55.

Tannenbaum, S.R. et coll. « Inhibition of nitrosamine formation by ascorbic acid », *Am J Clin Nutr* 1991; 53: 247S-250S.

Drake, I.M. et coll. « Ascorbic acid may protect against human gastric cancer by scavenging mucosal oxygen radicals », *Carcinogenesis* 1996; 17: 559-562.

Fahey, J.W. et coll. « Sulforaphane inhibits extracellular, intracellular, and antibiotic-resistant strains of *Helicobacter pylori* and prevents benzo[a]pyrene-induced stomach tumors », *Proc Natl Acad Sci USA* 2002; 99: 7610-5.

Yanaka, A. et coll. « Dietary sulforaphane-rich broccoli sprouts reduce colonization and attenuate gastritis in *Helicobacter pylori*-infected mice and humans », *Cancer Prev Res* 2009; 2: 353-60.

Sifferlin, A. « Salty Truth: Adults Worldwide Eating Too Much Sodium », *TIME*, 22 mars 2013.

http://newsroom.heart.org/news/eating-too-much-salt-led-to-nearly-2-3-million-heart-related-deaths-worldwide-in-2010

Kleinewietfeld, M. et coll. « Sodium chloride drives autoimmune disease by the induction of pathogenic TH17 cells », *Nature* 2013; 496: 518-22.

Jacobson, M.F. et coll. « Changes in sodium levels in processed and restaurant foods, 2005 to 2011 », *JAMA Intern Med* 2013; 173: 1285-1291.

www.newscientist.com/article/dn24086-spicy-food-on-the-menu-6000-years-ago.html#.UlgT6RbiOXo

Saul, H. et coll. « Phytoliths in pottery reveal the use of spice in European prehistoric cuisine », *PLoS One* 2013; 8: e70583.

Billing, J. et P.W. Sherman. « Antimicrobial functions of spices: why some like it hot », *Q Rev Biol* 1998; 73: 3-49.

Sherman, P.W. et J. Billing. « Darwinian gastronomy: why we use spices », *Bioscience* 1999; 49: 453-463.

Silva, F. et coll. « Coriander (*Coriandrum sativum L.*) essential oil: its antibacterial activity and mode of action evaluated by flow cytometry », *J Med Microbiol* 2011; 60: 1479-1486.

National Nutrition Monitoring Bureau. *NNMB-Annual Reports*. National Institute of Nutrition, Indian Council of Medical Research, Hyderabad, Inde (www.nnmbindia.org/NNMB-PDF%20FILES/Report_for_the_year_1981.pdf).

www.spicehistory.net/spice%20consumption%20data.html

« Spices and Herbs: A survey of the Netherlands and other major markets in the European union » (www.faoda.org/download/Spices_and_Herbs_Survey.pdf).

Globocan 2008. « Estimated Cancer Incidence, Mortality, Prevalence and Disability-adjusted Life Years (DALYs) Worldwide in 2008 » (http://globocan.iarc.fr).

Ferlay, J. et coll. « Cancer incidence and mortality patterns in Europe: Estimates for 40 countries in 2012 », *Eur J Cancer* 2013; 49: 1374-1403.

Aggarwal, B.B. et coll. « Molecular targets of nutraceuticals derived from dietary spices: potential role in suppression of inflammation and tumorigenesis », *Exp Biol Med* 2009; 234: 825-49.

Kashyap, A. et S. Weber. « Harappan plant use revealed by starch grains from Farmana, India », *Antiquity* 2010; 84 (http://antiquity.ac.uk/projgall/kashyap326/).

Prasad, S. et B.B. Aggarwal. « Turmeric, the golden spice », in I.F.F. Benzie et S. Wachtel-Galor, (dir.), *Herbal Medicine: Biomolecular and Clinical Aspects, 2nd edition*, Boca Raton (FL), CRC Press, 2011.

Lampe, J.W. « Spicing up a vegetarian diet: chemopreventive effects of phytochemicals », *Am J Clin Nutr* 2003; 78: 579S-583S.

Aggarwal, B.B. et coll. « Curcumin-free turmeric exhibits anti-inflammatory and anticancer activities: identification of novel components of turmeric », *Mol Nutr Food Res* 2013; 57: 1529-42.

Gupta, S.C. et coll. « Curcumin, a component of turmeric: from farm to pharmacy », *2013 BioFactors* 2013; 39: 2-13.

Bayet-Robert, M. et coll. « Phase I dose escalation trial of docetaxel plus curcumin in patients with advanced and metastatic breast cancer », *Cancer Biol Ther* 2010; 9: 8-14.

Vankar, P.S. « Effectiveness of antioxidant properties of fresh and dry rhizomes of *Curcuma longa* (Long and Short Varieties) with dry turmeric spice », *Int J Food Eng* 1998; 4: 1-8.

Singh, G. et coll. « Comparative study of chemical composition and antioxidant activity of fresh and dry rhizomes of turmeric (*Curcuma longa Linn.*) », *Food Chem Toxicol* 2010; 48: 1026-31.

Tayyem, R.F. et coll. « Curcumin content of turmeric and curry powders », *Nutr Cancer* 2006; 55: 126-131.

Hoehle, S.I. et coll. « Glucuronidation of curcuminoids by human microsomal and recombinant UDP-glucuronosyltransferases », *Mol Nutr Food Res* 2007; 51: 932-8.

Shoba, G. et coll. « Influence of piperine on the pharmacokinetics of curcumin in animals and human volunteers », *Planta Med* 1998; 64: 353-6.

Sehgal, A. et coll. « Combined effects of curcumin and piperine in ameliorating benzo(a)pyrene induced DNA damage », *Food Chem Toxicol* 2011; 49: 3002-6.

Kakarala, M. et coll. « Targeting breast stem cells with the cancer preventive compounds curcumin and piperine », *Breast Cancer Res Treat* 2010; 122: 777-85.

Dudhatra, G.B. et coll. « A comprehensive review on pharmacotherapeutics of herbal bioenhancers », *Scientific World J* 2012; 2012: 637953.

Lamy, S. et coll. « Diet-derived polyphenols inhibit angiogenesis by modulating the interleukin-6/STAT3 pathway », *Exp Cell Res* 2012; 318: 1586-96.

Lu, J. et coll. « Novel angiogenesis inhibitory activity in cinnamon extract blocks VEGFR2 kinase and downstream signaling », *Carcinogenesis* 2010; 31: 481-8.

Surh, Y. « Molecular mechanisms of chemopreventive effects of selected dietary and medicinal phenolic substances », *Mutat Res* 1999; 428: 305-27.

Westerterp-Plantenga, M. et coll. « Metabolic effects of spices, teas, and caffeine », *Physiol Behav* 2006; 89: 85-91.

Ludy, M.J. et coll. « The effects of capsaicin and capsiate on energy balance: critical review and meta-analyses of studies in humans », *Chem Senses* 2012; 37: 103-121.

Chapitre 9

Lanoë, C. « La céruse dans la fabrication des cosmétiques sous l'Ancien Régime (xvie-xviiie siècles) », *Techniques et Culture* 2002; 38, mis en ligne le 11 juillet 2006, consulté le 4 février 2014 (http://tc.revues.org/224).

www.liberation.fr/societe/2010/07/03/riviera-an-1_663489

http://jcdurbant.wordpress.com/2008/08/27/histoire-culturelle-linvention-du-bronzage-how-the-french-became-the-world's-tanning-masters/

Turck, L. *La vieillesse considérée comme maladie et les moyens de la combattre*, Paris, Victor Masson et fils, 1869.

Hirota, T. et coll. « Identification of small molecule activators of cryptochrome », *Science* 2012; 337: 1094-1097.

Noonan, F.P. et coll. « Melanoma induction by ultraviolet A but not ultraviolet B radiation requires melanin pigment », *Nat Commun* 2012; 3: 884.

Petersen, B. et coll. « A sun holiday is a sunburn holiday », *Photodermatol Photoimmunol Photomed* 2013 ; 29 : 221-4.

Bernard, J.J. et coll. « Ultraviolet radiation damages self noncoding RNA and is detected by TLR3 », *Nature Medicine* 2012 ; 18 : 1286-1290.

Beleza, S. et coll. « The timing of pigmentation lightening in Europeans », *Mol Biol Evol* 2013 ; 30 : 24-35.

Halder, R.M. et S. Bridgeman-Shah. « Skin cancer in African Americans », *Cancer* 1995 ; 75 (Suppl. 2) : 667-673.

Takeuchi, S. et coll. « Melanin acts as a potent UVB photosensitizer to cause an atypical mode of cell death in murine skin », *Proc Natl Acad Sci USA* 2004 ; 101 : 15076-81.

Mitra, D. et coll. « An ultraviolet-radiation-independent pathway to melanoma carcinogenesis in the red hair/fair skin background », *Nature* 2012 ; 491 : 449-543.

Fitzpatrick's Dermatology in General Medicine, Fifth Edition, New York, McGraw-Hill, 1999.

Cui, R. et coll. « Central role of p53 in the suntan response and pathologic hyperpigmentation », *Cell* 2007 ; 128 : 853-64.

Brash, D.E. « Roles of the transcription factor p53 in keratinocyte carcinomas », *Br J Dermatol* 2006 ; 154 Suppl 1 : 8-10.

Oren, M. et J. Bartek. « The sunny side of p53 », *Cell* 2007 ; 128 : 826-8.

Miyamura, Y. et coll. « The deceptive nature of UVA tanning versus the modest protective effects of UVB tanning on human skin », *Pigment Cell Melanoma Res* 2011 ; 24 : 136-47.

www.planetesante.ch/Mag-sante/Cancer/Etre-bronze-ne-protege-pas-contre-le-cancer-de-la-peau

Mitchell, D. « Melanoma back in the UVA spotlight », *Pigment Cell Melanoma Res* 2012 ; 25 : 540-541.

Zhang, M. « Use of tanning beds and incidence of skin cancer », *J Clin Oncol* 2012 ; 30 : 1588-1593.

Noonan, F.P. et coll. « Melanoma induction by ultraviolet A but not ultraviolet B radiation requires melanin pigment », *Nat Commun* 2012 ; 3 : 884.

Elwood, J.M. et J. Jopson. « Melanoma and sun exposure : an overview of published studies », *Int J Cancer* 1997 ; 73 : 198-203.

International Agency for Research on Cancer. « Solar and ultraviolet radiation », *IARC Monographs on the Evaluation of Carcinogenic Risks to Humans*, volume 55, Lyon, IARC Press, 1992.

Gandini, S. et coll. « Meta-analysis of risk factors for cutaneous melanoma : 2. Sun exposure », *Eur Cancer* 2005 ; 41 : 45-60.

Whiteman, D.C. et coll. « Childhood sun exposure as a risk factor for melanoma : a systematic review of epidemiologic studies », *Cancer Causes Control* 2001 ; 12 : 69-82.

D'Orazio, J.A. et coll. « Melanoma : Epidemiology, Genetics and Risk Factors », in Lester M. Davids (dir.), *Recent Advances in the Biology, Therapy and Management of Melanoma*, Rijeka (Croatie), InTech, 2013 (http://dx.doi.org/10.5772/46052).

Parkin, D.M. et coll. « Estimating the world cancer burden : Globocan 2000 », *Int J Cancer* 2001 ; 94 : 153-156.

www.medscape.com/viewarticle/470300_2

Moan, J. et A. Dahlback. « Predictions of health consequences of a changing UV-fluence », in L. Dubertret, R. Santus et P. Morliere (dir.), *Ozone, sun, cancer*, Paris, Inserm, 1995 : 87-100.

Demers, A.A. et coll. « Trends of nonmelanoma skin cancer from 1960 through 2000 in a Canadian population », *J Am Acad Derm* 2005 ; 53 : 320-328.

www.dermatology.ca/fr/peau-cheveux-ongles/la-peau/cancer-de-la-peau/le-melanome-malin/

De Vries, E. et coll. « Changing epidemiology of malignant cutaneous melanoma in Europe 1953-1997 : rising trends in incidence and mortality but recent stabilizations in western Europe and decreases in Scandinavia », *Int J Cancer* 2003 ; 107 : 19-26.

Autier, P., J.-F. Doré, S. Négrier et coll. « Sunscreen use and duration of sun exposure : A double blind randomized trial », *J Natl Cancer Inst* 1999 ; 15 : 1304-1309.

Autier, P. et coll. « Is sunscreen use for melanoma prevention valid for all sun exposure circumstances ? », *J Clin Oncol* 2011 ; 29 : e425-6.

International Agency for Research on Cancer, *IARC Handbooks of Cancer Prevention*, volume 5, Sunscreens, Lyon, IARC Press, 2001.

Green, A., G. Williams, R. Neale et coll. « Daily sunscreen application and betacarotene supplementation in prevention of basal-cell and squamous-cell carcinomas of the skin : a randomised controlled trial », *Lancet* 1999 ; 354 : 723-729.

Green, A.C., G.M. Williams, V. Logan et coll. « Reduced melanoma after regular sunscreen use : randomized control trial follow-up », *J Clin Oncol* 2011 ; 29 : 257-263.

Williams, H. et A. Pembroke. « Sniffer dogs in the melanoma clinic ? », *Lancet* 1989 ; 1 : 734.

Ehmann, R. et coll. « Canine scent detection in the diagnosis of lung cancer : Revisiting a puzzling phenomenon », *Eur Respir J* 2012 ; 39 : 669-76.

Sonoda, H. et coll. « Colorectal cancer screening with odour material by canine scent detection », *Gut* 2011 ; 60 : 814-819.

Chapitre 10

Parkin, D.M. « The global health burden of infection-associated cancers in the year 2002 », *Int J Cancer* 2006 ; 118 : 3030-3044.

www.cancer.org/cancer/cancercauses/othercarcinogens/infectiousagents/infectiousagentsandcancer/infectious-agents-and-cancer-viruses

Bosch, F.X. et coll. « Comprehensive control of human papillomavirus infections and related diseases », *Vaccine* 2013 ; 31 Suppl 8 : I1-31.

D'Souza, G. et coll. « Case-control study of human papillomavirus and oropharyngeal cancer », *N Engl J Med* 2007 ; 356 : 1944-56.

Chaturvedi, A.K. et coll. « Human papillomavirus and rising oropharyngeal cancer incidence in the United States », *J Clin Oncol* 2011 ; 29 : 4294-301.

Gillison, M.L. et coll. « Prevalence of oral HPV infection in the United States, 2009-2010 », *JAMA* 2012 ; 307 : 693-703.

Herrero, R. et coll. « Reduced prevalence of oral human papillomavirus (HPV) 4 years after bivalent HPV vaccination in a randomized clinical trial in Costa Rica », *PLoS One* 2013 ; 8 : e68329.

www.philalethe.net/post/2006/03/03/245-a-quoi-bon-dormir

Xie, L. et coll. « Sleep drives metabolite clearance from the adult brain », *Science* 2013 ; 342 : 373-377.

Cohen, S. et coll. « Sleep habits and susceptibility to the common cold », *Arch Intern Med* 2009 ; 169 : 62-7.

Cappuccio, F.P. et coll. « Sleep duration and all-cause mortality : a systematic review and meta-analysis of prospective studies », *Sleep* 2010 ; 33 : 585-92.

Von Ruesten, A. et coll. « Association of Sleep Duration with Chronic Diseases in the European Prospective Investigation into Cancer and Nutrition (EPIC) – Potsdam Study », *PLoS One* 2012 ; 7 : e30972.

Lehrer, S. et coll. « Obesity and deranged sleep are independently associated with increased cancer mortality in 50 US states and the District of Columbia », *Sleep Breath* 2013 ; 17 : 1117-8.

Aggarwal, S. et coll. « Associations Between Sleep Duration and Prevalence of Cardiovascular Events », *Clin Cardiol* 2013 [Epub avant publication].

Eguchi, K. et coll. « Short sleep duration as an independent predictor of cardiovascular events in Japanese patients with hypertension », *Arch Intern Med* 2008 ; 168 : 2225-2231.

Ayas, N.T. et coll. « A prospective study of self-reported sleep duration and incident diabetes in women », *Diabetes Care* 2003 ; 26(2) : 380-4.

Patel, S.R. « Reduced sleep as an obesity risk factor », *Obes Rev* 2009 ; 10 Suppl 2 : 61-8.

Xiao, Q. et coll. «A large prospective investigation of sleep duration, weight change, and obesity in the NIH-AARP Diet and Health Study cohort», *Am J Epidemiol* 2013; 178: 1600-10.

Hu, L.Y. et coll. «The risk of cancer among patients with sleep disturbance: a nationwide retrospective study in Taiwan», *Ann Epidemiol* 2013; 23: 757-61.

Thompson, C.L. et coll. «Short duration of sleep increases risk of colorectal adenoma», *Cancer* 2011; 117: 841-847.

Sigurdardottir, L.G. et coll. «Sleep disruption among older men and risk of prostate cancer», *Cancer Epidemiol Biomarkers Prev* 2013; 22: 872-9.

Luo, J. et coll. «Sleep disturbance and incidence of thyroid cancer in postmenopausal women the Women's Health Initiative», *Am J Epidemiol* 2013; 177: 42-9.

Vogtmann, E. et coll. «Association between sleep and breast cancer incidence among postmenopausal women in the women's health initiative», *Sleep* 2013; 36: 1437-44.

Qin, Y. et coll. «Sleep duration and breast cancer risk: a meta-analysis of observational studies», *Int J Cancer* 2014; 134: 1166-73.

Parent, M.-É. et coll. «Night work and the risk of cancer among men», *Am. J. Epidemiol.* 2012; 176:751-9.

www.who.int/mediacentre/news/releases/2014/air-pollution/en/

Patel, S.R. et coll. «A prospective study of sleep duration and mortality risk in women», *Sleep* 2004; 27: 440-4.

Zhang, X. et coll. «Associations of self-reported sleep duration and snoring with colorectal cancer risk in men and women», *Sleep* 2013; 36: 681-8.

Leproult, R. et E. Van Cauter. «Role of sleep and sleep loss in hormonal release and metabolism», *Endocr Dev* 2010; 17: 11-21.

Nieto, F.J. et coll. «Sleep-disordered breathing and cancer mortality: results from the Wisconsin sleep cohort study», *Am J Respir Crit Care Med* 2012; 186: 190-4.

Campos-Rodriguez, F. et coll. «Association between obstructive sleep apnea and cancer incidence in a large multicenter Spanish cohort», *Am J Respir Crit Care Med* 2013; 187: 99-105.

Hakim, F. et coll. «Fragmented sleep accelerates tumor growth and progression through recruitment of tumor-associated macrophages and TLR4 signaling», *Cancer Res* 2014 [Epub avant publication].

Luan, N.N. et coll. «Breastfeeding and ovarian cancer risk: a meta-analysis of epidemiologic studies», *Am J Clin Nutr* 2013; 98: 1020-31.

www.nytimes.com/2013/12/02/opinion/bad-eating-habits-start-in-the-womb.html?_r=0

Vogt, M.C. et coll. «Neonatal insulin action impairs hypothalamic neurocircuit formation in response to maternal high-fat feeding», *Cell* 2014; 156: 495-509.

Jadoulle, V. et coll. «Le cancer, défaite du psychisme?», *Bull Cancer* 2004; 91: 249-56.

Nakaya, N. et coll. «Personality traits and cancer risk and survival based on Finnish and Swedish registry data», *Am J Epidemiol* 2010; 172(4): 377-385.

Hansen, P.E. et coll. «Personality traits, health behavior, and risk for cancer: a prospective study of Swedish twin court», *Cancer* 2005; 103: 1082-91.

Olsen, J.H. et coll. «Cancer in the parents of children with cancer», *N Engl J Med* 1995; 333: 1594-1599.

Lambe, M. et coll. «Maternal breast cancer risk after the death of a child», *Int J Cancer* 2004; 110: 763-6.

Sagi-Schwartz, A. et coll. «Against all odds: genocidal trauma is associated with longer life-expectancy of the survivors», *PLoS One* 2013; 8: e69179.

Lemogne, C. et coll. «Depression and the risk of cancer: A 15-year follow-up study of the GAZEL cohort», *Am J Epidemiol* 2013; 178: 1712-20.

Heikkilä, K. et coll. «Work stress and risk of cancer: Meta-analysis of 5700 incident cancer events in 116,000 European men and women», *BMJ* 2013; 346: f165.

Nielsen, N.R. et M. Grønbaek. «Stress and breast cancer: a systematic update on the current knowledge», *Nat Clin Pract Oncol* 2006; 3: 612-20.

Savard, J. et coll. «Natural course of insomnia comorbid with cancer: an 18-month longitudinal study», *J Clin Oncol* 2011; 29: 3580-6.

Irwin, M.R. et coll. «Sleep disturbance, inflammation and depression risk in cancer survivors», *Brain Behav Immun* 2013; 30 Suppl: S58-67.

Lutgendorf, S.K. et coll. «Host factors and cancer progression: biobehavioral signaling pathways and interventions», *J Clin Oncol* 2010; 28: 4094-9.

Mustian, K.M. et coll. «Multicenter, randomized controlled trial of yoga for sleep quality among cancer survivors», *J Clin Oncol* 2013; 31: 3233-41.

Espie, C.A. et coll. «Randomized controlled clinical effectiveness trial of cognitive behavior therapy compared with treatment as usual for persistent insomnia in patients with cancer», *J Clin Oncol* 2008; 26: 4651-4658.

Tirmarche, M. et coll. «Lung Cancer Risk Associated with Low Chronic Radon Exposure: Results from the French Uranium Miners Cohort and the European Project» (www.irsn.fr/FR/Larecherche/publications-documentation/Publications_documentation/BDD_publi/DRPH/LEADS/Documents/IRPA10-P2A-56.pdf)

Auvinen, A. et G. Pershagen. «Indoor radon and deaths from lung cancer», *BMJ* 2009; 338: a3128.

Commission canadienne de sûreté nucléaire. «Le radon et la santé», Ministre de Travaux publics et Services gouvernementaux Canada, 2012.

Redberg, R.F. et R. Smith-Bindmanjan. «We Are Giving Ourselves Cancer», *The New York Times*, 30 janvier 2014.

Gray, A. et coll. «Lung cancer deaths from indoor radon and the cost effectiveness and potential of policies to reduce them», *BMJ* 2009; 338: a3110.

International Agency for Research on Cancer. «Outdoor air pollution», *IARC Monographs on the Evaluation of Carcinogenic Risks to Humans*, volume 109, IARC [à paraître].

Lim, S.S. et coll. «A comparative risk assessment of burden of disease and injury attributable to 67 risk factors and risk factor clusters in 21 regions, 1990-2010: a systematic analysis for the Global Burden of Disease Study 2010», *Lancet* 2012; 380: 2224-60. www.epa.gov/airtrends/aqtrends.html

Diamanti-Kandarakis, E. et coll. «Endocrine-disrupting chemicals: an Endocrine Society scientific statement», *Endocr Rev* 2009; 30:293–342.

Soto, A.M. et C. Sonnenschein. «Environmental causes of cancer: endocrine disruptors as carcinogens», *Nat Rev Endocrinol* 2010; 6:363-70.

Lamb, J.C. et coll. «Critical comments on the WHO-UNEP State of the Science of Endocrine Disrupting Chemicals – 2012», *Regul Toxicol Pharmacol* 2014; 69: 22-40.

Brophy, J.T. et coll. «Breast cancer risk in relation to occupations with exposure to carcinogens and endocrine disruptors: a Canadian case-control study», *Environ Health* 2012; 11: 87.

Rudel, R.A. et coll. «New exposure biomarkers as tools for breast cancer epidemiology, biomonitoring, and prevention: a systematic approach based on animal evidence», *Environ Health Perspect* 2014 May 12. [Epub avant publication]

Mirick, D.K. et coll. «Antiperspirant use and the risk of breast cancer», *J Natl Cancer Inst* 2002; 94: 1578-80.

Turati, F. et coll. «Personal hair dye use and bladder cancer: a meta-analysis», *Ann Epidemiol* 2014; 24: 151-9.

Lim, U. et coll. «Consumption of aspartame-containing beverages and incidence of hematopoietic and brain malignancies», *Cancer Epidemiol Biomarkers Prev* 2006; 15: 1654-1659.

Endo, M. et coll. «Potential applications of carbon nanotubes», *Carbon Nanotubes* 2008; 11: 13-61.

Sargent, L.M. et coll. «Promotion of lung adenocarcinoma following inhalation exposure to multi-walled carbon nanotubes», *Part Fibre Toxicol* 2014; 11: 3.

Stewart, B.W. et C.P Wild, dir. *World Cancer Report 2014*, IARC, OMS, 2014.

Ekenga, C.C. et coll. « Breast cancer risk after occupational solvent exposure: the influence of timing and setting », *Cancer Res* 2014 ; 74 : 3076-3083.

Egner, P. A et coll. « Rapid and sustainable detoxication of airborne pollutants by broccoli sprout beverage: results of a randomized clinical trial in China », *Cancer Prev Res* 2014 June 9. pii:canprevres.0103.2014 [Epub avant publication]

Chapitre 11

Macpherson, H. et coll. « Multivitamin-multimineral supplementation and mortality: a meta-analysis of randomized controlled trials », *Am J Clin Nutr* 2013 ; 97 : 437-44.

Bjelakovic, G. et coll. « Antioxidant supplements and mortality », *Curr Opin Clin Nutr Metab Care* 2013 Nov 14.

Ristow, M. et S. Schmeisser. « Extending life span by increasing oxidative stress », *Free Radic Biol Med* 2011 ; 51 : 327-36.

Albanes, D. et coll. « Alpha-Tocopherol and beta-carotene supplements and lung cancer incidence in the alpha-tocopherol, beta-carotene cancer prevention study: effects of base-line characteristics and study compliance », *J Natl Cancer Inst* 1996 ; 88 : 1560-70.

The Alpha-Tocopherol, Beta Carotene Cancer Prevention Study Group. « The effect of vitamin E and beta carotene on the incidence of lung cancer and other cancers in male smokers », *N Engl J Med* 1994 ; 330 : 1029-35.

Omenn, G.S. et coll. « Risk factors for lung cancer and for intervention effects in CARET, the Beta-Carotene and Retinol Efficacy Trial », *J Natl Cancer Inst* 1996 ; 88 : 1550-9.

Bjelakovic, G. et coll. « Antioxidant supplements for preventing gastrointestinal cancers », *Cochrane Database Syst Rev* 2008 ; CD004183.

Miller, E.R. « Meta-analysis: high-dosage vitamin E supplementation may increase all-cause mortality », *Ann Intern Med* 2005 ; 142 : 37-46.

Lonn, E. et coll. « Effects of long-term vitamin E supplementation on cardiovascular events and cancer: a randomized controlled trial », *JAMA* 2005 ; 293 : 1338-47.

Lawson, K.A. et coll. « Multivitamin use and risk of prostate cancer in the National Institutes of Health-AARP Diet and Health Study », *J Natl Cancer Inst* 2007 ; 99 : 754-64.

Mursu, J. et coll. « Dietary supplements and mortality rate in older women: the Iowa Women's Health Study », *Arch Intern Med* 2011 ; 171 : 1625-33.

Klein, E.A. et coll. « Vitamin E and the risk of prostate cancer: the Selenium and Vitamin E Cancer Prevention Trial (SELECT) », *JAMA* 2011 ; 306 : 1549-56.

Xu, H. et coll. « An international trial of antioxidants in the prevention of preeclampsia (INTAPP) », *Am J Obstet Gynecol* 2010 ; 202 : 239.

Watson, J. « Oxidants, antioxidants and the current incurability of metastatic cancers », *Open Biol* 2013 ; 3 : 120144.

Bairati, I. et coll. « Randomized trial of antioxidant vitamins to prevent acute adverse effects of radiation therapy in head and neck cancer patients », *J Clin Oncol* 2005 ; 23 : 5805-13.

Clarke, J.D. et coll. « Comparison of isothiocyanate metabolite levels and histone deacetylase activity in human subjects consuming broccoli sprouts or broccoli supplement », *J Agric Food Chem* 2011 ; 59 : 10955-63.

Hoshi, T. et coll. « Omega-3 fatty acids lower blood pressure by directly activating large-conductance Ca2+-dependent K+ channels », *Proc Natl Acad Sci USA* 2013 ; 110 : 4816-21.

Garland, C.F. et F.C. Garland. « Do sunlight and vitamin D reduce the likelihood of colon cancer? », *Int J Epidemiol* 1980 ; 9 : 227-31.

Van der Rhee, H. et coll. « Is prevention of cancer by sun exposure more than just the effect of vitamin D? A systematic review of epidemiological studies », *Eur J Cancer* 2013 ; 49 : 1422-36.

Lappe, J.M. et coll. « Vitamin D and calcium supplementation reduces cancer risk: results of a randomized trial », *Am J Clin Nutr* 2007 ; 85 : 1586-1591.

Cheng, T.Y. et coll. « Vitamin D intake and lung cancer risk in the Women's Health Initiative », *Am J Clin Nutr* 2013 ; 98 : 1002-11.

Schöttker, B. et coll. « Strong associations of 25-hydroxyvitamin D concentrations with all-cause, cardiovascular, cancer, and respiratory disease mortality in a large cohort study », *Am J Clin Nutr* 2013 ; 97 : 782-93.

Goodwin, P.J. et coll. « Prognostic effects of 25-hydroxyvitamin D levels in early breast cancer », *J Clin Oncol* 2009 ; 27 : 3757-63.

Vrieling, A. et coll. « Circulating 25-hydroxyvitamin D and postmenopausal breast cancer survival: influence of tumor characteristics and lifestyle factors? », *Int J Cancer* 2013 Nov 22.

Moan, J. et coll. « Seasonal variations of cancer incidence and prognosis », *Dermatoendocrinol* 2010 ; 2 : 55-7.

Zhou, W. et coll. « Vitamin D is associated with overall survival in early stage non-small cell lung

cancer patients », *Cancer Epidemiol Biomarkers Prev* 2005 ; 14 : 2303-9.

Giovannucci, E. et coll. « Prospective study of predictors of vitamin D status and cancer incidence and mortality in men », *J Natl Cancer Inst* 2006 ; 98 : 451-459.

Vieth, R. « Vitamin D supplementation, 25-hydroxyvitamin D concentrations, and safety », *Am J Clin Nutr* 1999 ; 69 : 842-856.

Houghton, L.A. et R. Vieth. « The case against ergocalciferol (vitamin D2) as a vitamin supplement », *Am J Clin Nutr* 2006 ; 84 : 694-7.

Feldman, D. et coll. « The role of Vitamin D in reducing cancer risk and progression », *Nat Rev Cancer* 2014 ; 14 : 342-57.

Chapitre 12

American Cancer Society. *Cancer Facts & Figures 2011* (www.cancer.org/acs/groups/content/@ epidemiologysurveilance/documents/document/ acspc-029771.pdf).

Williams, K. et coll. « Is a cancer diagnosis a trigger for health behaviour change? Findings from a prospective, population-based study », *Br J Cancer* 2013 ; 108 : 2407-12.

Skeie, G. et coll. « Dietary change among breast and colorectal cancer survivors and cancer-free women in the Norwegian Women and Cancer cohort study », *Cancer Causes Control* 2009 ; 20 : 1955-66.

Demark-Wahnefried, W. et coll. « Riding the crest of the teachable moment: promoting long-term health after the diagnosis of cancer », *J Clin Oncol* 2005 ; 23 : 5814-5830.

Tao, L. et coll. « Impact of postdiagnosis smoking on long-term survival of cancer patients: the Shanghai cohort study », *Cancer Epidemiol Biomarkers Prev* 2013 ; 22 : 2404-11.

Munro, A.J. et coll. « Smoking compromises cause-specific survival in patients with operable colorectal cancer », *Clin Oncol* 2006 ; 18 : 436-40.

Ehlers, S.L. et coll. « The impact of smoking on outcomes among patients undergoing hematopoietic SCT for the treatment of acute leukemia », *Bone Marrow Transplant* 2011 ; 46 : 285-90.

Braithwaite, D. et coll. « Smoking and survival after breast cancer diagnosis: a prospective observational study and systematic review », *Breast Cancer Res Treat* 2012 ; 136 : 521-33.

Protani, M. et coll. « Effect of obesity on survival of women with breast cancer: Systematic review and meta-analysis », *Breast Cancer Res Treat* 2010 ; 123 : 627-35.

Abrahamson, P.E. et coll. « General and abdominal obesity and survival among young women with breast cancer », *Cancer Epidemiol Biomarkers Prev* 2006 ; 15 : 1871-7.

Parekh, N. et coll. « Obesity in cancer survival », *Annu Rev Nutr* 2012 ; 32 : 311-42.

Ma, J. et coll. « Prediagnostic body-mass index, plasma C-peptide concentration, and prostate cancer-specific mortality in men with prostate cancer : a long-term survival analysis », *Lancet Oncol* 2008 ; 9 : 1039-47.

Beasley, J.M. et coll. « Post-diagnosis dietary factors and survival after invasive breast cancer », *Breast Cancer Res Treat* 2011 ; 128 : 229-36.

Meyerhardt, J.A. et coll. « Dietary glycemic load and cancer recurrence and survival in patients with stage III colon cancer : findings from CALGB 89803 », *J Natl Cancer Inst* 2012 ; 104 : 1702-11.

Meyerhardt, J.A. « We are what we eat, or are we? », *J Clin Oncol* 2013 ; 31 : 2763-4.

McCullough, M.L. et coll. « Association between red and processed meat intake and mortality among colorectal cancer survivors », *J Clin Oncol* 2013 ; 31 : 2773-82.

Zhu, Y. et coll. « Dietary patterns and colorectal cancer recurrence and survival : a cohort study », *BMJ Open* 2013 ; 3 : pii : e002270.

Meyerhardt, J.A. et coll. « Association of dietary patterns with cancer recurrence and survival in patients with stage III colon cancer », *JAMA* 2007 ; 298 : 754-764.

Vrieling, A. et coll. « Dietary patterns and survival in German postmenopausal breast cancer survivors », *Br J Cancer* 2013 ; 108 : 188-92.

Kwan, M.L. et coll. « Dietary patterns and breast cancer recurrence and survival among women with early-stage breast cancer », *J Clin Oncol* 2009 ; 27 : 919-26.

Wayne, S.J. et coll. « Changes in dietary intake after diagnosis of breast cancer », *J Am Diet Assoc* 2004 ; 104 : 1561-1568.

Milliron, B.J. et coll. « Usual dietary intake among female breast cancer survivors is not significantly different from women with no cancer history : results of the National Health and Nutrition Examination Survey, 2003-2006 », *J Acad Nutr Diet* 2013 ; pii : S2212-2672(13)01339-7.

Guha, N. et coll. « Soy isoflavones and risk of cancer recurrence in a cohort of breast cancer survivors : the Life After Cancer Epidemiology study », *Breast Cancer Res Treat* 2009 ; 118 : 395-405.

Shu, X.O. et coll. « Soy food intake and breast cancer survival », *JAMA* 2009 ; 302 : 2437-2443.

Chi, F. et coll. « Post-diagnosis soy food intake and breast cancer survival : a meta-analysis of cohort studies », *Asian Pac J Cancer Prev* 2013 ; 14 : 2407-12.

Nechuta, S.J. et coll. « Soy food intake after diagnosis of breast cancer and survival : an in-depth analysis of combined evidence from cohort studies of US and Chinese women », *Am J Clin Nutr* 2012 ; 96 : 123-32.

Kang, X. et coll. « Effect of soy isoflavones on breast cancer recurrence and death for patients receiving adjuvant endocrine therapy », *CMAJ* 2010 ; 182 : 1857-62.

McCann, S.E. et coll. « Dietary lignan intakes in relation to survival among women with breast cancer : The Western New York Exposures and Breast Cancer (WEB) Study », *Breast Cancer Res Treat* 2010 ; 122 : 229-35.

Munday, R. et coll. « Inhibition of urinary bladder carcinogenesis by broccoli sprouts », *Cancer Res* 2008 ; 68 : 1593-600.

Tang, L. et coll. « Intake of cruciferous vegetables modifies bladder cancer survival », *Cancer Epidemiol Biomarkers Prev* 2010 ; 19 : 1806-11.

Thomson, C.A. et coll. « Vegetable intake is associated with reduced breast cancer recurrence in tamoxifen users : a secondary analysis from the Women's Healthy Eating and Living Study », *Breast Cancer Res Treat* 2011 ; 125 : 519-527.

Chan, J.M. et coll. « Diet after diagnosis and the risk of prostate cancer progression, recurrence, and death (United States) », *Cancer Causes Control* 2006 ; 17(2) : 199-208.

Ogunleye, A.A. et coll. « Green tea consumption and breast cancer risk or recurrence : a meta-analysis », *Breast Cancer Res Treat* 2010 ; 119 : 477-484.

Physical Activity Guidelines Advisory Committee report, 2008. « To the Secretary of Health and Human Services. Part A : executive summary », *Nutr Rev* 2008 ; 67(2) : 114-120.

Schmitz, K.H. et coll. « American College of Sports Medicine roundtable on exercise guidelines for cancer survivors », *Medicine and Science in Sports and Exercise* 2010 ; 42 : 1409-1426.

Ballard-Barbash, R. et coll. « Physical activity, biomarkers, and disease outcomes in cancer survivors : a systematic review », *J Natl Cancer Inst* 2012 ; 104 : 815-40.

Irwin, M.L. et coll. « Physical activity and survival in postmenopausal women with breast cancer : results from the women's health initiative », *Cancer Prev Res* 2011 ; 4 : 522-529.

Friedenreich, C.M. et coll. « Prospective cohort study of lifetime physical activity and breast cancer survival », *Int J Cancer* 2009 ; 124 : 1954-62.

Holick, C.N. et coll. « Physical activity and survival after diagnosis of invasive breast cancer », *Cancer Epidemiol Biomarkers Prev* 2008 ; 17 : 379-86.

Irwin, M.L. et coll. « Influence of pre- and post-diagnosis physical activity on mortality in breast cancer survivors : the health, eating, activity, and lifestyle study », *J Clin Oncol* 2008 ; 26 : 3958-64.

Meyerhardt, J.A. et coll. « Physical activity and male colorectal cancer survival », *Arch Intern Med* 2009 ; 169 : 2102-8.

Meyerhardt, J.A. et coll. « Physical activity and survival after colorectal cancer diagnosis », *J Clin Oncol* 2006 ; 24 : 3527-34.

Kenfield, S.A. et coll. « Physical activity and survival after prostate cancer diagnosis in the health professionals follow-up study », *J Clin Oncol* 2011 ; 29 : 726-732.

Moorman, P.G. et coll. « Recreational physical activity and ovarian cancer risk and survival », *Ann Epidemiol* 2011 ; 21 : 178-187.

Ruden, E. et coll. « Exercise behavior, functional capacity, and survival in adults with malignant recurrent glioma », *J Clin Oncol* 2011 ; 29 : 2918-2923.

Barone, B.B. et coll. « Long-term all-cause mortality in cancer patients with preexisting diabetes mellitus : a systematic review and meta-analysis », *JAMA* 2008 ; 300 : 2754-64.

Reynolds, G. « Cancer Survivors Who Stay Active Live Longer », *The New York Times*, 16 mai 2012.

Giovannucci, E.L. « Physical activity as a standard cancer treatment », *J Natl Cancer Inst* 2012 ; 104 : 797-9.

Reding, K.W. et coll. « Effect of prediagnostic alcohol consumption on survival after breast cancer in young women », *Cancer Epidemiol Biomarkers Prev* 2008 ; 17 : 1988-96.

Barnett, G.C. et coll. « Risk factors for the incidence of breast cancer : do they affect survival from the disease? », *J Clin Oncol* 2008 ; 26 : 3310-6.

Flatt, S.W. et coll. « Low to moderate alcohol intake is not associated with increased mortality after breast cancer », *Cancer Epidemiol Biomarkers Prev* 2010 ; 19 : 681-8.

Kwan, M.L. et coll. « Postdiagnosis alcohol consumption and breast cancer prognosis in the after breast cancer pooling project », *Cancer Epidemiol Biomarkers Prev* 2013 ; 22 : 32-41.

Kwan, M.L. et coll. « Alcohol consumption and breast cancer recurrence and survival among women with early-stage breast cancer : The Life After Cancer Epidemiology (LACE) Study », *J Clin Oncol* 2010 ; 28 : 4410-4416.

Harris, H.R. et coll. « Alcohol intake and mortality among women with invasive breast cancer », *Br J Cancer* 2012 ; 106 : 592-5.

Holmes, M.D. « Challenge of balancing alcohol intake », *J Clin Oncol* 2010 ; 28 : 4403-4.

Zell, J.A. et coll. « Differential effects of wine consumption on colorectal cancer outcomes based on family history of the disease », *Nutr Cancer* 2007 ; 59 : 36-45.

Velicer, C.M. et C.M. Ulrich. « Vitamin and mineral supplement use among US adults after cancer diagnosis: a systematic review », *J Clin Oncol* 2008; 26: 665-73.

Miller, P. et coll. « Dietary supplement use among elderly, long-term cancer survivors », *J Cancer Surviv* 2008; 2: 138-48.

Rock, C.L. et coll. « Nutrition and physical activity guidelines for cancer survivors », *CA Cancer J Clin* 2012; 62: 243-74.

Davies, A.A. et coll. « Nutritional interventions and outcome in patients with cancer or preinvasive lesions: systematic review », *J Natl Cancer Inst* 2006; 98: 961-73.

Kwan, M.L. et coll. « Multivitamin use and breast cancer outcomes in women with early-stage breast cancer: The Life After Cancer Epidemiology study », *Breast Cancer Res Treat* 2011; 130: 195-205.

Harris, H.R. et coll. « Vitamin C intake and breast cancer mortality in a cohort of Swedish women », *Br J Cancer* 2013; 109: 257-64.

Poole, E.M. et coll. « Postdiagnosis supplement use and breast cancer prognosis in the After Breast Cancer Pooling Project », *Breast Cancer Res Treat* 2013; 139: 529-37.

Ng, K. et coll. « Multivitamin use is not associated with cancer recurrence or survival in patients with stage III colon cancer: findings from CALGB 89803 », *J Clin Oncol* 2010; 28: 4354-63.

Figueiredo, J.C. et coll. « Folic acid and prevention of colorectal adenomas: a combined analysis of randomized clinical trials », *Int J Cancer* 2011; 129: 192-203.

Greenlee, H. et coll. « Antioxidant supplement use after breast cancer diagnosis and mortality in the Life After Cancer Epidemiology (LACE) cohort », *Cancer* 2012; 118: 2048-58.

Baron, J.A. et coll. « Neoplastic and antineoplastic effects of beta-carotene on colorectal adenoma recurrence: results of a randomized trial », *J Natl Cancer Inst* 2003; 95: 717-722.

Bairati, I. et coll. « Antioxidant vitamins supplementation and mortality: a randomized trial in head and neck cancer patients », *Int J Cancer* 2006; 119: 2221-2224.

CRÉDITS ICONOGRAPHIQUES

Suivez les Éditions du Trécarré sur le Web :
www.edtrecarre.com

Cet ouvrage a été composé en ITC Legacy Serif 11/13,75 et achevé d'imprimer en novembre 2014
sur les presses de Imprimerie Transcontinental, Beauceville, Canada.